Aspekte der Museumsarbeit in Bayern

Erfahrungen – Entwicklungen – Tendenzen

Aspekte der Museumsarbeit in Bayern

Erfahrungen – Entwicklungen – Tendenzen

MuseumsBausteine

herausgegeben von Walter Fuger und Kilian Kreilinger
im Auftrag der Landesstelle für die nichtstaatlichen Museen
beim Bayerischen Landesamt für Denkmalpflege

Band 5

Redaktion: Hannelore Kunz-Ott
(Für den Inhalt der Beiträge zeichnet
jeweils der Autor verantwortlich.)

Die Deutsche Bibliothek – CIP-Einheitsaufnahme

Aspekte der Museumsarbeit in Bayern : Erfahrungen – Entwicklungen – Tendenzen. – München : Weltkunst-Verl., 1996
(Museums-Bausteine ; Bd. 5)
ISBN 3-921669-22-7
NE: GT

Umschlaggestaltung: Atelier & Friends, Grafenau – München
Layout: Jeanette Rüchardt
Herstellung: Rudolf Winterstein, München
Litho: Repro-Center Färber, München
Druck: Passavia Druckerei, Passau
Gedruckt auf total chlorfrei gebleichtem Papier
ISBN 3-921669-22-7

Inhalt

Erfahrungen in der Museumspräsentation

Arbeit mit und für Museumsbesucher

Geleitwort

Die Publikation des hier vorgelegten »Museums-Bausteins« steht in Zusammenhang mit einem kleinen Jubiläum: 1976 – also vor 20 Jahren – hat das Bayerische Landesamt für Denkmalpflege zur Betreuung der nichtstaatlichen Museen in Bayern eine eigene Museumsabteilung eingerichtet, aus der die heutige Landesstelle für die nichtstaatlichen Museen hervorgegangen ist.

Bereits in der 1908 von Prinzregent Luitpold erlassenen Verordnung zur Einrichtung des bis dahin mit dem Nationalmuseum verbundenen »Generalkonservatoriums« als selbständige Denkmalpflegebehörde wurde »die Fürsorge für öffentliche Museen und Sammlungen, die nicht unter staatlicher Verwaltung stehen«, als Aufgabe der Denkmalpflege statuiert. Dementsprechend nahmen die hiermit betrauten Museumsreferenten des »Generalkonservatoriums« – seit 1917 fortgeführt als »Bayerisches Landesamt für Denkmalpflege« – die im Bayerischen Denkmalschutzgesetz von 1973 erneut verankerte Betreuung der nichtstaatlichen Museen wahr.

Die Einrichtung der Museumsabteilung des Landesamts für Denkmalpflege stellte den ersten Schritt auf dem Wege zur Gewährleistung einer landesweiten, flächendeckenden Museumsbetreuung dar. Das 1979 formulierte Bayerische Museumsentwicklungsprogramm hatte insbesondere auch die Entwicklung des kulturellen Lebens in der Region im Auge. Im Einklang mit den darin vorgegebenen Zielsetzungen wurde die in den Jahren 1979 bis 1989 dem Bayerischen Nationalmuseum zugeordnete »Abteilung für die Betreuung der nichtstaatlichen Museen« zu einer leistungsfähigen Beratungseinrichtung ausgebaut: Heute stehen den Museen in allen wesentlichen Bereichen der Museumsarbeit Fachreferenten als Ansprechpartner zur Verfügung.

Jubiläen kann man unterschiedlich begehen: Man kann sich mit der eigenen Geschichte befassen, verbunden mit einem Rückblick und Überblick über die geleistete Arbeit und das jeweils Erreichte. Anläßlich des 10jährigen Bestehens der damaligen »Abteilung Nichtstaatliche Museen« im Jahr 1986 entstand eine Jubiläumsschrift, die eine solche Bestandsaufnahme beinhaltet und zugleich beispielhafte Museumsprojekte vorstellt. Mit der Geschichte der bayerischen Museumslandschaft und der staatlichen Fürsorge für die nichtstaatlichen Museen hat sich Dr. Isolde Rieger, die langjährige Leiterin der Abteilung Nichtstaatliche Museen, in ihrem einleitenden Beitrag eingehend befaßt.

Wir wollen nun das, was in der Jubiläumsschrift 1986 erarbeitet wurde, nicht im Zehnjahresabstand wiederholen. Dennoch gibt die runde Zahl von 20 Jahren Anlaß, über die Aufgabenstellung der Landesstelle und die Ziele unseres Tätigwerdens zu reflektieren. In der hier vorgelegten Publikation geht es also nicht – oder nicht nur – um eine Bestandsaufnahme, sondern vor allem auch um Tendenzen und Perspektiven der Museumsarbeit.

Die nachfolgend versammelten Beiträge der Mitarbeiter der Landesstelle verstehen sich dementsprechend auch nicht als eine flächendeckende Beschreibung des Terrains, in dem wir uns bewegen. Sie befassen sich vielmehr mit Themenschwerpunkten, die in der Arbeit unserer Referenten eine besondere Rolle spielen. Doch auch in diesen sich auf einzelne Aspekte unserer Tätigkeit beziehenden Beobachtungen wird nicht nur die Vielfalt unserer Museumslandschaft sichtbar. Zugleich treten unterschiedliche Betrachtungsweisen, Ansätze und Gewichtungen hervor, wie sie für die Museumsarbeit nun einmal kennzeichnend sind.

Eine chronistische und statistische Darstellung der Entwicklung und Tätigkeit der Landesstelle in den beiden letzten Dekaden mit Hinweisen etwa auch zur finanziellen Förderung und zu Neueröffnungen von Museen soll nun aber nicht ganz unter den Tisch fallen: Es ist vorgesehen, die entsprechenden Angaben als Anhang in den Jahresbericht für 1996 mit aufzunehmen.

Es wird uns auch künftig ein Anliegen sein, den nichtstaatlichen Museen in der Region ebenso wie in den Zentren als leistungsfähige Fachberatungsstelle zur Verfügung zu stehen. Wir danken für die immer wieder erfahrene gute Zusammenarbeit, wobei wir den Austausch von Informationen durchaus nicht nur als Einbahnstraße begreifen: Umgekehrt profitieren ja auch wir immer wieder von den Erfahrungen der Museumskollegen und sonstigen Fachleute vor Ort.

Selbstverständlich hören wir gerne – was erfreulicherweise gar nicht so selten vorkommt –, daß die von der Landesstelle angebotene fachliche Beratung vielfach für noch wichtiger gehalten wird als die Gewährung finanzieller Zuwendungen. Über die Anerkennung des Engagements der Mitarbeiter der Landesstelle hinaus tragen entsprechende Äußerungen vor allem der Tatsache Rechnung, daß die den nichtstaatlichen Museen in Bayern gewährte staatliche Fürsorge nicht nur in bundesweitem, sondern auch in europäischem Rahmen als vorbildlich anzusehen ist. Wenn der Freistaat hiermit einen entscheidenden Beitrag zur Erhaltung und Vermittlung des wertvollen, vielfältigen und aussagekräftigen kulturellen Erbes in den Sammlungen unserer etwa 900 nichtstaatlichen Museen leistet, kommt darin zum Ausdruck, daß – wie Staatsminister Zehetmair unlängst ausführte – der Kulturstaatsgrundsatz in Bayern kein bloßes Programm geblieben, sondern lebendige Wirklichkeit geworden ist.

York Langenstein

York Langenstein

Museumsarbeit am Ende des 20. Jahrhunderts

20 Jahre Landesstelle

Das von der Landesstelle 1996 gefeierte 20jährige Jubiläum bezieht sich auf die Einrichtung der »Abteilung Nichtstaatliche Museen« beim Bayerischen Landesamt für Denkmalpflege im Jahr 1976. Dieses Ereignis, das an den Ablauf von 20 Jahren anknüpft, fällt mehr oder weniger mit einem noch markanteren Datum zusammen, nämlich dem Ablauf des 20. Jahrhunderts, dessen Ende wir mit großen Schritten entgegengehen. So erhält die Frage nach den Bedingungen und Perspektiven der Museumsarbeit in unseren Tagen zusätzliches Gewicht durch den Umstand, daß wir an der Schwelle zum 3. Jahrtausend stehen. Dieser besondere Zeitpunkt fordert zur Standortbestimmung heraus: So ist es sicher kein Zufall, wenn etwa das Bayerische Landesamt für Denkmalpflege seine 7. Jahrestagung in Passau 1993 unter das Motto »Vom modernen zum postmodernen Denkmalkultus? – Denkmalpflege am Ende des 20. Jahrhunderts« – gestellt hat.

Auch wenn die Zeit gleichmäßig wie die Körner einer Sanduhr verrinnt, scheinen wir den Übergang von einem Millenium in das darauf folgende als eine Zeitenwende zu erleben, als ein herausgehobenes Ereignis, das unser Lebensgefühl tangiert, uns zugleich mit Erwartung und Zweifeln erfüllt. Die für unsere Epoche so kennzeichnende Unsicherheit hängt aber nur am Rande mit diesem magischen Datum zusammen und hat sehr viel konkretere Hintergründe: Noch nie war eine Zeit so schnellebig und von einem so grundlegenden Wandel aller Werte und Rahmenbedingungen für die Lebensführung begleitet. Daß diese Feststellung eine Binsenweisheit ist, mindert nicht ihre zentrale Bedeutung. Konnte beispielsweise die letzte Generation beim Eintritt ins Arbeitsleben noch davon ausgehen, den Lebensberuf ergriffen zu haben, ist heute ein mehrfacher Berufswechsel durchaus nicht mehr die Ausnahme. Die relative Gewißheit, auf der Grundlage der erworbenen Lebenserfahrung die Zukunft bewältigen zu können, ist weithin von einer eher skeptisch-resignativen Haltung abgelöst worden. Der für uns beurteilbare gegenwartsnahe Zeitraum hat sich gewissermaßen zusammengezogen zu einem schmalen Grat, von dem wir auf der einen Seite hinabblicken auf eine uns immer mehr entgleitende Vergangenheit, auf der anderen in eine ungewisse, trotz vielfältiger Langzeitprognosen immer weniger einschätzbare Zukunft.

Gerade in einer solchen Zeit des Umbruchs und der Orientierungslosigkeit sind Haltepunkte gefragt. In diesem Zusammenhang kommt den Museen gesteigerte Bedeutung zu, sind sie doch Orte, die unsere Umwelt in Geschichte und Gegenwart erschließen. Hier lassen sich Koordinaten gewinnen, um unseren Lebensraum zu definieren. Auch wenn man allzu schnell von der Realität eingeholte Prognosen zur Entwicklung der Museen im 3. Jahrtausend nicht wagen sollte, so scheint es doch sicher, daß sie gerade in ihrer identitätsstiftenden Funktion eher noch weiter an Bedeutung gewinnen werden.

Doch nun von dieser weitgespannten zeitlichen Dimension zurück zu überschaubareren Betrachtungszeiträumen. Da kommen wir besser zurecht und können uns auch wieder auf unser kleines 20jähriges Jubiläum beziehen, das – wie schon im Geleitwort angemerkt – zu der hier vorgelegten Publikation den Anlaß gab.

Museumskonzepte – Kinder ihrer Zeit

Es hat sich ja auch innerhalb dieser beiden letzten Dekaden wahrlich genug getan in den Museen und um sie herum. Und das Moment der Zeitgebundenheit tritt – auch wenn manche es nicht gerne wahrhaben möchten – gerade im jeweiligen Erscheinungsbild unserer Museen deutlich hervor. Museumsgestaltung und Ausstellungspräsentation wollen ja zeitgemäß sein und sie werden damit modisch – auch wenn sie letzteres meist nicht wollen. Man kann nichts daran ändern, daß aus einem neuen Hut irgendwann einmal ein alter Hut wird. Und oft genug läßt sich ja auch mit einem alten Hut gut leben, wenn man ihn nur mit Anstand zu tragen weiß.

Für den, der öfter mit diesem Geschäft zu tun hat, lassen sich die Jahresringe der Museumskonzepte und Gestaltungsideen gut ablesen. Als Spiegel der Geistes- und Sozialgeschichte ihrer Tage werden sie datierbar, manchmal sogar mehr oder weniger genau auf ihr Entstehungsjahr. So wird das Museum als Ort des Bewahrens zum Gleichnis der Vergänglichkeit. Das Sich-ablösen von der Jetzt-Zeit, das ganz allmähliche, nichtsdestoweniger aber unerbittliche Hinübergleiten von der Gegenwart in die Vergangenheit, bleibt den Museen selbst ebensowenig erspart wie den vielfältigen Zeugnissen, die sie bergen.

Welche Reaktionen fordert dieser Prozeß heraus? Reanimierung, Runderneuerung – vorausgesetzt, daß genügend Geld da ist und bedenkenlos ausgegeben werden kann? Und doch ahnen wir schon im Augenblick der Wiedereröffnung, daß unsere Nachfolger in vielleicht zehn oder zwanzig Jahren unsere geistigen und gestalterischen Anstrengungen als inhaltliche Verirrung und gestalterischen Firlefanz entlarven und verwerfen werden, ganz zu schweigen von der im gleichen Atemzug anzuprangernden Verschwendung öffentlicher Mittel. Und diese Nachfolger werden auf die inzwischen gewonnenen vertieften Erkenntnisse hinweisen und sich dementsprechend dafür einsetzen, das Niveau der Gestaltung und Vermittlung heutigen Ansprüchen und Vorstellungen anzupassen. Es wird ihnen schließlich auch gelingen, die Kulturpolitiker – und mit gesteigertem Einsatz auch die Kämmerer – davon zu überzeugen, daß für diese langfristig angelegte, gültige Neugestaltung leider zehnmal mehr ausgegeben werden muß als für die vorangegangene mißglückte Präsentation. Und Gültigkeit wird diese Neugestaltung wohl hoffentlich behalten, bis der nächste Nachfolger im Amt ist...

Vanitas vanitatum vanitas. Vielleicht müssen wir lernen, nicht alles neu zu machen, sondern – wie auch sonst im Leben – das Altern als conditio humana zu akzeptieren und mit ihm angemessen umzugehen. Man sollte sich vielleicht auch gelegentlich daran erinnern, daß Sehen – und vor allem Erkennen – nicht nur von der optimierten Präsentation des jeweiligen Objekts bestimmt werden, sondern daß an diesem Rezeptionsvorgang auch der Kopf des Betrachters beteiligt ist. So mag es von Fall zu Fall im Ergebnis ökonomischer und fruchtbarer sein, sich dem Besucher selbst zuzuwenden und seine Chancen zu verbessern, mit dem, was ihm in der Welt der Museen begegnet, etwas anzufangen.

Aber eben nur von Fall zu Fall: Denn sowohl die konservatorisch-technische Seite als auch die Präsentations- und Gestaltungskonzepte lassen sich ja auch nur im Rahmen der Realisierung von Neueinrichtungen erfolgreich weiterentwickeln. Und bei zahlreichen Häusern gab – und gibt es auch weiterhin – einen echten Nachholbedarf, was die Klima- und Lichtverhältnisse, aber auch die Sicherheit betrifft. Der schon angesprochene Zuwachs an Museen in den beiden letzten Jahrzehnten ebenso wie die in den bereits bestehenden Einrichtungen durchgeführten Sanierungs- und Neugestaltungsmaßnahmen haben bemerkenswerte und zum Teil auch international beachtete Präsentationskonzepte Wirklichkeit werden lassen: So wurden beispielsweise bei der Verleihung des Europäischen Museumspreises dem Bamberger Gärtner- und Häcker-Museum 1981, dem Archäologischen Museum in Kelheim 1982, dem Internationalen Spitzenmuseum Nordhalben 1989 und dem Europäischen Spargelmuseum in Schrobenhausen 1993 besondere Anerkennungen zuteil; außerdem wurde das Spargelmuseum auf der Internationalen Gartenausstellung in Stuttgart 1994 mit einer Goldmedaille ausgezeichnet. Manche der Konzepte und Gestaltungsleistungen finden gleichzeitig Zustimmung und Widerspruch: Das gilt natürlich gerade auch für inhaltlich und gestalterisch anspruchsvolle Vorhaben, die Anerkennung – und eben auch Kritik – in gesteigertem Maße provozieren.

Vermittlung im Museum – Akzeptanz der Museen

Von der wohl von jedermann empfundenen Schnellebigkeit unserer Zeit war eingangs die Rede. Kaum mehr als eine Generation liegen die Studentenunruhen von 1968 zurück, die über die Hochschulen hinaus mittelbar auch die Situation an den Museen maßgeblich beeinflußten. Die in den 70er Jahren unter dem Schlagwort »Lernort kontra Musentempel« geführte Diskussion stellte die traditionellen Museumsaufgaben in Frage und propagierte die Indienststellung der Museen als demokratisierte Bildungsinstrumente. Chaotisch antibürgerliche und bilderstürmerische Tendenzen mischten sich damals mit weiterwirkenden Reformansätzen: Die kritische Reflexion der Museumsaufgaben, das Thema der Vermittlung, Museumspädagogik und -didaktik, die Erschließung des Museums auch für die Gesellschaft außerhalb des Bildungsbürgertums haben in diesen bewegten Jahren entscheidende Impulse erhalten.

Die von den Epizentren Frankfurt und Berlin ausgehenden Erschütterungen erreichten Bayern mit Verzögerung und stark abgeschwächt. In München waren vor allem die Akademie und der Kunstverein Schauplatz gesellschaftskritischer und avantgardistischer Veranstaltungen, die die kulturpolitische Diskussion anheizten. Etwas argwöhnisch beäugt wurden in den 70er Jahren auch die Aktivitäten des »Ulmer Vereins«, eines Verbandes progressiver junger Kunsthistoriker, der das wissenschaftliche »Establishment« an Universität und in Museen herausforderte. Trotzdem kam es an den bayerischen Museen – von einzelnen schärfere Auseinandersetzungen provozierenden Ausstellungen abgesehen – zu keinen spektakulären Umbrüchen.

Bemerkenswerter ist, daß Bayern wohl als eines der ersten Bundesländer zur pädagogischen Erschließung der Museen eigene museumspädagogische Facheinrichtungen ins Leben gerufen hat. Bereits 1968 entstand aufgrund einer Initiative des damaligen Generaldirektors des Germanischen Nationalmuseums, Professor Dr. Erich Steingräber, in Nürnberg das gemeinsam vom Freistaat und der Stadt getragene, heute noch aktive Kunstpädagogische Zentrum (KPZ).

Anfänglich waren die Arbeitsschwerpunkte vor allem auf eine Heranführung der Schüler an die Museen ausgerichtet, während heute auch der Kontakt zu erwachsenen Museumsbesuchern und vor allem auch zu besonders förderungsbedürftigen Gruppen – wie beispielsweise Behinderten oder Ausländern – ständig an Bedeutung gewinnt. 1973 wurde nach dem Nürnberger Vorbild das Museums-Pädagogische Zentrum (MPZ) in München begründet, wobei auch hier die Trägerschaft gemeinsam von Kommune und Staat übernommen wurde. 1976 folgte als weitere museumsdidaktische Einrichtung das bis in die Mitte der 80er Jahre tätige Seminar für Geschichte am Bayerischen Nationalmuseum, und auch größere kommunale Museen stellten Museumspädagogen ein. Das Thema soll an dieser Stelle nicht weiter vertieft werden. Doch kann man zusammenfassend festhalten, daß die Bedeutung museumspädagogischer und museumsdidaktischer Aspekte für die Erschließung der Museen in Bayern schon früh erkannt worden ist. Heute sind die entsprechenden Facheinrichtungen, mit denen auch die Landesstelle in fachlichem Austausch steht, zu einem festen Bestandteil der landesweiten Museumsarbeit geworden. Allerdings – das ist mit Bedauern festzustellen – wirkt die Ausstrahlung von MPZ und KPZ von Einzelprojekten abgesehen kaum über die von ihnen betreuten städtischen Zentren hinaus, und auch die personellen Kapazitäten der Landesstelle reichen nicht aus, um den bei den regionalen Museen insoweit gegebenen Beratungsbedarf abzudecken.

Die vielfältigen Bemühungen um die Erschließung der Museen haben in vielerlei Hinsicht das Erscheinungsbild der Museen und ihrer Ausstellungen in den letzten 20 Jahren spürbar verändert. Meistens – aber nicht immer – zum Positiven: Der Besucher wird nicht mehr als passiver Benutzer gesehen, sondern als Adressat der Informationen und Leistungen, die das jeweilige Haus anzubieten hat. Mehr denn je sind die Museen für die Besucher – oder zumindest auch für die Besucher – da. Die über die letzten Jahre und Jahrzehnte insbesondere vom Institut für Museumskunde in Berlin erstellten Besucherstatistiken werden auch von den Kulturpolitikern und vor allem von den für die Aufstellung der Kulturhaushalte Verantwortlichen aufmerksam gelesen.

Dabei hat sich auch eine gewisse Tendenz eingestellt, den Erfolg der Museen an der Entwicklung des Besucheraufkommens zu messen. In Sonntags- und Eröffnungsreden scheut man nicht davor zurück, mit Stolz zu vermelden, daß in Deutschland innerhalb eines Jahres mehr Menschen die Museen aufsuchen als die Fußballstadien. Selbst wenn man der Statistik insoweit trauen darf, kann das nicht darüber hinwegtäuschen, daß diejenigen Bürger, die die Museen in ihrer Stadt oder in ihrer Region von außen – geschweige denn von innen – kennen, deutlich in der Minderzahl sind. Außerdem sind die Museumsleute nicht gut beraten, mit zufallsbedingten Steigerungen der Besucherquote etwa infolge einer besonders erfolgreichen Sonderausstellung hausieren zu gehen: Der nächste Rückschlag kommt bestimmt und ist dann bei der geweckten Erwartungshaltung den Kämmerern nur noch mühsam zu vermitteln.

In der vom Institut für Museumskunde erstellten Statistik der Besucherzahlen gibt es über die Jahre bei insgesamt steigendem Aufkommen immer wieder Phasen der Stagnation oder gar eines spürbaren Rückgangs. So läßt sich für die bayerischen Museen seit 1990 mit etwa 18 Millionen Besuchern eine Stagnation des Besuchs auf hohem Niveau feststellen: Kein anderes deutsches Bundesland kann auch nur annähernd so viele Museumsbesuche verzeichnen. Wenn man aber in Rechnung stellt, daß in der Zeit seit 1990 die Zahl der bayerischen Museen um etwa 100 neu eröffnete Häuser auf knapp 1 000 insgesamt gestiegen ist, stellt man fest, daß sich eine größere Anzahl von Museen eine vor allem in jüngster Zeit eher abnehmende Zahl von Besuchern teilen muß.

Diese Entwicklung sollte zwar mit der angemessenen Aufmerksamkeit beobachtet, aber auch nicht mit übertriebener Besorgnis zur Kenntnis genommen werden. Eher wird man den leichten Rückgang dieser Zahlen als eine natürliche Korrektur nach den Jahren, in denen eine breite Öffentlichkeit die Museen für sich entdeckt hat, bewerten dürfen und auch den Zusammenhang mit der allgemein ungünstigen wirtschaftlichen Entwicklung nicht übersehen: Eine sparsamere Lebensführung hat eben auch ihre Auswirkungen auf die Museen.

Aus einer Besucherstatistik des Instituts für Museumskunde sollen noch zwei bemerkenswerte Teilaspekte herausgegriffen werden. Als Grund für steigende Besucherzahlen werden außer der Veranstaltung von Sonderausstellungen vor allem die Verstärkung der Museumspädagogik und der Öffentlichkeitsarbeit benannt. Im Einklang damit steht das zunehmende Interesse der Besucher an Information zu kulturgeschichtlichen Fragestellungen, das nicht zuletzt auch darin zum Ausdruck kommt, daß 1994 etwa 30 % aller Museumsbesucher Volkskunde- und Heimatmuseen einschließlich der kulturgeschichtlichen Spezialmuseen aufgesucht haben, während etwa die Kunstmuseen mit 16,5% nur gut die Hälfte davon erreichten. Auf diese auffallende Hinwendung zum Themenkreis Kulturgeschichte und Alltagskultur werden wir nachfolgend noch näher eingehen.

Der Museumsbesuch als Massenphänomen und die Museumspädagogik als Wegbereiter einer breiteren Öffentlichkeit begegnen auch kritischen Urteilen. So postuliert Beat Wyss: »Machen Sie aus Geschichte keinen Erlebnisraum... Die Illusion, das kulturelle Erbe sei für jedermann an einem regnerischen Sonntag zu haben, muß unterlaufen werden. Eine aktuelle Museumspflege sollte davon ausgehen, daß ›Schwellenangst‹ berechtigt ist.« Und auch Joachim Kaiser warnt in seinem Essay »Muß man die Kunst vom Sockel holen?« davor, »lästige Ferne in lustige Nähe zu verwandeln«.

Doch würde man Wyss und Kaiser mißverstehen, wenn man ihren Einspruch gegen eine Trivialisierung der Botschaft der Museen als Forderung interpretieren würde, die mühsam geöffneten Pforten wieder bis auf einen exklusiven Nebeneingang für Eingeweihte und VIP's zu schließen. Ihre Kritik richtet sich vielmehr gegen den distanzlosen Amüsierbetrieb von »Spaßmuseen«, die sich als alternative Freizeitparks in Szene setzten – ein Typus, der in Bayern noch nicht Fuß zu fassen vermochte, auch wenn es hierzulande – erfreulicherweise – genügend Museen gibt, deren Besuch Spaß machen kann und darf. Richtig ist jedenfalls, daß sich zur Aneignung historischer Einsichten bzw. zur Schulung von Sehfähigkeiten oder zur Entwicklung von Maßstäben für eine Beurteilung von Kunstwerken nicht allein durch die Verabreichung appetitanregender, leichtverdaulicher Häppchen anleiten läßt. Vielmehr muß der Prozeß der Vermittlung von jener Ernsthaftigkeit und Liebe zur Sache getragen sein, die die erläuterten Gegenstände und Themen verdienen.

Und daran mangelt es einer qualifizierten Museumspädagogik nicht. Eine Differenzierung und Vereinfachung der Darstellung nach den Bedürfnissen des Adressatenkreises, der an das Museum herangeführt werden soll, ist durchaus nicht zu verwechseln mit platter Popularisierung.

Es gibt ja eine Fülle von Befragungsmöglichkeiten, die auf die verschiedenen Bedeutungsschichten eines Objekts eingehen können, von seiner materiellen Beschaffenheit über die angewandten künstlerischen, kunsthandwerklichen und industriellen Techniken, seinen Gebrauch und seine Geschichte bis hin zu ikonographischen und ikonologischen Zusammenhängen. Ziel der museumspädagogischen Arbeit ist es, über die Vermittlung konkreter Daten hinaus zu einer solchen mehrdimensionalen Betrachtungsweise anzuleiten und die Fähigkeiten zu genauer Beobachtung und kritischer Würdigung zu stärken. Es soll also – soweit es um die Kunstmuseen geht – die Kunst nicht vom Sockel geholt, sondern begreiflich gemacht werden, warum sie auf einem Sockel steht.

Die gerade dargestellten Prinzipien gelten natürlich nicht nur für die museumspädagogische Arbeit, sondern ganz allgemein für das Ausstellen und Vermitteln im Museum. Der bemerkenswerte Fortschritt, der beispielsweise in den letzten 20 Jahren beim Verfassen und Gestalten von Texten erzielt worden ist – ein Thema, mit dem sich auch die Landesstelle in Seminaren wiederholt intensiv befaßt hat – ist hier besonders hervorzuheben. Dabei geht es um das inhaltliche und das optische Rezeptionsvermögen des Museumsbesuchers ebenso wie um die graphische und ästhetische Qualität einschließlich des Zusammenspiels mit den Exponaten und der Ausstellungsarchitektur.

Im Ergebnis soll Vermittlung dem Besucher das Nachdenken nicht abnehmen, sondern ihn gerade dazu anregen. Stärkere optische Reize oder Inszenierungen können das Vorstellungsvermögen unterstützen, wo es dessen bedarf. Es gehört allerdings zu den wesentlichen Aufgaben des Ausstellungskonzipienten, die latenten Verselbständigungstendenzen des Gestaltungsapparats unter Kontrolle zu halten und den stringenten Bezug zum jeweiligen Darstellungsanliegen sicherzustellen. Zu den Erfahrungen der 80er und frühen 90er Jahre gehört auch eine gelegentliche Hypertrophie des Inszenierungsaufwands im Kielwasser der großen kulturhistorischen Ausstellungen jener Zeit. Häufig hat man gerade jene Museumsprojekte mit solchem Gestaltungsballast überfrachtet, bei denen das Medium der Inszenierung darüber hinwegtäuschen sollte, daß es an einer ausstellungswürdigen Sammlung fehlt.

Erweiterung des Darstellungsspektrums

Beim Rückblick bis in die 70er Jahre ist aber vor allem auch der sich wandelnde Kulturbegriff – oder genauer das sich wandelnde Interesse an kulturellen Phänomenen – anzusprechen, das für die Entwicklung der Museumslandschaft eine ausschlaggebende Rolle spielte. In diesen Jahren wurde – nicht nur in Deutschland – die Alltagskultur untersuchungs- und darstellungswürdig. Es handelte sich dabei natürlich nicht um eine völlige Neuentdeckung, denn die Volkskunde ist ja in Deutschland eine traditionsreiche – vor dem 2. Weltkrieg allerdings auch politisch vereinnahmte – Disziplin. Doch befaßte sich die Volkskunde bis in die 70er Jahre allerdings vorwiegend mit Heimatforschung, Brauchtumsforschung, Trachtenforschung sowie den Themenbereichen Volksfrömmigkeit und Volkskunst. Erst von da an gewannen unter dem Schlagwort der »Geschichte von unten« die gesammelten – und die weiterhin zu sammelnden – Gegenstände als Dokumente des Alltagslebens eine zusätzliche Bedeutung. Nicht nur als Belege von Brauchtum, Aberglauben oder handwerklicher Kunstfertigkeit und Gestaltungskraft wurden sie nun gesehen und interpretiert, sondern als Zeugnisse vergangener und vergehender Lebenswelten oder als Dokumente der Zeitgeschichte. Beispielsweise konnte ein einfacher Leiterwagen nun ins Museum gelangen nicht etwa als Erzeugnis des Wagners, sondern weil mit ihm 1945 das Fluchtgepäck einer Familie aus dem Sudetenland aus ihrer Heimat bis zum Aufnahmeort in Bayern transportiert worden war.

Die Darstellung dieser anonymen und auch relativ jungen Geschichte fand und findet zunehmendes Interesse auch bei jenen Menschen, die ins Museum kommen, um etwas über die Lebenssituation ihrer Eltern und Großeltern und damit über ihre eigenen Wurzeln zu erfahren und dabei auf Gegenstände zu stoßen, zu denen sie vielleicht aus eigener Anschauung noch einen Bezug haben.

Dem Bedürfnis nach konkreter Konfrontation mit Dingen, die sich mit dem persönlichen Lebenskreis verknüpfen lassen, entspricht auch die Dezentralisierung des musealen Angebots, mithin die insbesondere auch für die 70er und 80er Jahre kennzeichnende Gründung – bzw. der

Ausbau oder die Neueinrichtung – von zahlreichen Museen in der Region unter verstärkter Einbeziehung der Zeitgeschichte. Die Entstehung dieser Museen steht auch in unmittelbarem Zusammenhang mit den in diesen Zeitraum fallenden grundlegenden wirtschaftlichen und sozialen Veränderungen im ländlichen Raum, mit dem Niedergang der traditionellen Landwirtschaft und des örtlichen Handwerks, deren Nachlaß nun den Weg ins Museum fand.

Kultur- und Sozialgeschichte in Freilicht- und Industriemuseen

In diesem Kontext ist auch auf die bayerischen Freilichtmuseen einzugehen, die zwar zum Teil schon früher gegründet ebenfalls in den 70er und 80er Jahren ihren entscheidenden Aufschwung erfuhren. Auch hier läßt sich der Wandel der Präsentation unter Berücksichtigung der gerade dargestellten Gesichtspunkte nachvollziehen. Greifen wir das Freilichtmuseum des Bezirks Oberbayern an der Glentleiten bei Großweil heraus, das zufällig auch vor genau 20 Jahren – also 1976 – eröffnet wurde. Veranlaßt durch die akute Bedrohung der traditionellen ländlichen Kultur – und vor allem ihrer baulichen Zeugnisse – in der Folge des Zusammenbruchs der weithin noch vorindustriellen Strukturen in der Landwirtschaft und im ländlichen Handwerk sind die ersten Transferierungs- und Wiederaufbaumaßnahmen an der Glentleiten Zeugnis eines denkmalpflegerisch-antiquarischen Interesses: Es ging offensichtlich primär darum, repräsentative Beispiele aus den einzelnen Hauslandschaften und dementsprechend aus den oberbayerischen Regionen, insbesondere frühe und bedeutende Holzblockbauten als Inbegriff dessen, was man damals als die wichtigsten Zeugnisse ländlicher Baukultur verstanden hat, in malerischer Situierung in der Landschaft vorzustellen. Entstanden sind dabei aus der Fernsicht heute noch faszinierende Bilder, denen allerdings in ihrer idealtypischen Zuspitzung auch Aspekte des Erscheinungsbildes von Kulissen für einen historischen Heimatfilm anhaften. Beim näheren Herantreten verstärkt sich das Gefühl, daß hier vorgefaßte Grundvorstellungen von bäuerlicher Bau- und Wohnkultur an die Objekte herangetragen und interpretierend herausgearbeitet worden sind. Dabei wurden vor allem die frühen Zustände der Gebäude teils durch Aufdecken der Befunde, teils rekonstruierend wiederhergestellt. Die die weitere Entwicklung der Häuser belegenden Überformungen der folgenden Generationen wurden aufgegeben, der Anbau von Stall und Stadel gelegentlich völlig neu erstellt. Dokumentationen zur Umsetzung und zur »Restaurierung« – hier auch im engeren Sinn des Wortes als Rückführung auf einen nur noch bedingt nachweisbaren »Originalzustand« zu verstehen – fehlen weitgehend.

Es geht hier nicht um die Schmälerung der Verdienste einer letzten Generation von Denkmalpflegern und Museumsleuten, die im Rahmen der damaligen technischen Möglichkeiten und fachlichen Zielvorstellungen unbestritten Beachtliches geleistet haben. Die entsprechenden Maßnahmen liegen eben noch vor der Zeit, in der der kulturgeschichtliche Zeugniswert entsprechender Denkmäler primär in den vielfältigen Spuren des Wohnens und Wirtschaftens erkannt worden ist, die das Leben von Generationen bis auf unsere Tage darin hinterlassen hat. So ist etwa bei einem gerade in das Freilandmuseum Bad Windsheim transferierten Gehöft des 19. Jahrhunderts als wichtige Phase der Hausgeschichte der Ausbau für die Aufnahme von Flüchtlingsfamilien nach dem Ende des 2. Weltkriegs dokumentiert und konserviert worden. Oder bei der aus dem 18. Jahrhundert stammenden Papiermühle in Homburg (Gde. Triefenstein a. Main) wird bei der Aufbereitung zum industriegeschichtlichen Museum der bei der Einstellung der Produktion im Jahr 1972 erreichte Zustand zugrunde gelegt, obwohl sich der Betrieb in dieser letzten Phase mit der etwas glanzlosen Herstellung von Aktendeckeln aus Altpapier bis zu seiner endgültigen Schließung über Wasser hielt.

Es geht also heute – und erfreulicherweise nicht nur den Spezialisten, sondern zunehmend auch den Museumsbesuchern – darum, eine möglichst umfassende Befragbarkeit der Sachzeugnisse zu gewährleisten, also nicht mehr vorrangig um schöne Bilder, sondern um authentische Aussage- und Überzeugungskraft, wobei das eine und das andere sich ja nicht ausschließen müssen.

Dem so vielfältigen Themenbereich der Freilichtmuseen und Industriemuseen ist nachfolgend ein eigener Beitrag gewidmet, so daß auf die gerade hier in besonderem Maße gegebenen erhaltungsbezogen-konservatorischen Probleme, aber auch auf die oben nur angerissenen Fragestellungen hinsichtlich der ständig verfeinerten Präsentationskonzepte – nicht mehr eingegangen werden muß. Festzuhalten ist zum bleibenden Nachruhm der beteiligten Kollegen allerdings, daß die Landestelle an entscheidenden innovativen Schritten unmittelbar beteiligt war und sich insoweit eine in vielerlei Hinsicht besonders fruchtbare – auch im europäischen Vergleich als vorbildlich anerkannte – Zusammenarbeit mit den bayerischen Freilichtmuseen und mit ihren Trägern entwickelt hat.

Museum und Denkmalpflege

Die Betreuung der Freilichtmuseen und industriegeschichtlichen Museen ist zugleich eine Schnittstelle, an der sich für die Landesstelle fachliche Kontakte zur praktischen Denkmalpflege ergeben. Es gibt hier allerdings auch nicht unter den Tisch zu kehrende Interessenkonflikte: Ein wesentliches Merkmal eines Baudenkmals ist nämlich der materielle ebenso wie der ideelle Bezug zu seinem historischen Standort, der – um nochmals auf den Bereich der Freilichtmuseen einzugehen – mit der Transferierung aufgehoben wird.

Dieser Gegensatz spielt aber in der Praxis heute deshalb eine eher nachgeordnete Rolle, weil es eigentlich nicht mehr vorkommt, daß ein Baudenkmal, das in seiner derzeitigen Beschaffenheit unter Bewahrung der vorgefundenen Befunde, in situ erhalten werden kann, in ein Freilichtmuseum gelangt. Bei dem inzwischen regelmäßig stattfindenden Abstimmungsprozeß zwischen Eigentümer, Denkmalpflegern und Museumsfachleuten werden nämlich die Möglichkeiten einer Restaurierung am angestammten Ort ausgelotet, bevor die Freigabe zur Übernahme in ein Freilichtmuseum erfolgt.

Wenn man übrigens die Zahl der in Freilichtmuseen aufgenommenen Objekte zur Zahl der Abbrüche vergleichbarer Baudenkmäler vor allem in den 60er und 70er Jahren in Beziehung setzt, wird sich unschwer feststellen lassen, daß sicherlich zu allerletzt der Aufbau der Freilichtmuseen für die bedauerlichen Verluste im Bereich der ländlichen Architektur verantwortlich zu machen ist. Inzwischen stellt es sich eher umgekehrt als Problem dar, daß die auf die Darstellung der einzelnen Hauslandschaften ausgerichtete Aufbauphase der Freilichtmuseen ihrem Abschluß entgegengeht und daß auch nur in begrenztem Umfang Mittel für die durch die Anforderungen an die begleitende Dokumentation und die umfassende Erhaltung der Befunde immer aufwendiger gewordenen Transferierungen zur Verfügung stehen: Mithin kann auch Wünschen der Denkmalpflege, ein vor Ort vom Untergang bedrohtes Baudenkmal durch Übernahme ins Freilichtmuseum zu retten, nicht mehr ohne weiteres Rechnung getragen werden.

Die enge Zusammenarbeit mit der Denkmalpflege ist aber durchaus nicht beschränkt auf den Sektor der Freilichtmuseen. Bekanntlich sind ja etwa drei Viertel der nichtstaatlichen Museen Bayerns in Baudenkmälern untergebracht. Viele alte Rathäuser, Bürgerhäuser, Schlösser und Klöster, bei denen die ursprüngliche Nutzung nicht mehr aufrechterhalten oder wiederhergestellt werden konnte, wurden einer Verwendung als Museum zugeführt. Oft genug handelt es sich dabei um Verlegenheitslösungen, die mangels anderer Nutzungsperspektiven vorgeschlagen werden. Und – darüber besteht zwischen Denkmalpflegern und Museumsleuten Einvernehmen – die Einrichtung als Museum ist entgegen der landläufigen Auffassung durchaus nicht die harmloseste aller Möglichkeiten, sind doch im Hinblick auf die öffentliche Nutzung je nach Größe des Museums und die zu erwartenden Besucher Auflagen zu erfüllen wie Maßnahmen des vorbeugenden Brandschutzes – gegebenenfalls unter Einrichtung eines zweiten Fluchtwegs –, weiterhin statische Eingriffe zur Erhöhung der Belastbarkeit von Treppenhäusern und Decken oder der Einbau von Beleuchtungs- und Sicherheitstechnik und schließlich die Maßnahmen zur Klimastabilisierung. Hinzu kommen konservatorische und gestalterische Fragen, so etwa das Abdunkeln von Fensteröffnungen oder Einbauten zur Schaffung geeigneter Präsentationsflächen.

Diese nüchterne Bestandsaufnahme macht deutlich, daß es ohne ein hohes Maß an Phantasie, Anpassungsfähigkeit und Kompromißbereitschaft kaum gelingen kann, den Anforderungen an eine überzeugende museale Präsentation gerecht zu werden und zugleich Lösungen vorzuschlagen, die es erlauben, die Eingriffe in die Denkmalssubstanz auf ein vertretbares Minimum zu reduzieren und auch Charakter und Erscheinungsbild des jeweiligen Baudenkmals zu bewahren. Unverzichtbar erscheint jedenfalls, daß Denkmalpfleger und Museumsleute ihre unterschiedlichen Zielvorstellungen rechtzeitig formulieren und – möglichst in gemeinsamen Beratungsterminen – abstimmen.

Kompromißbereitschaft ist insoweit insbesondere auch von der eigenen Zunft und den beauftragten Innenarchitekten und Gestaltern zu zeigen. Es besteht ja oft genug die – erfreulicherweise auch immer wieder genutzte – Chance, den Museumsbesuchern bei ihrem Rundgang zugleich die Geschichte und die Atmosphäre eines historischen Gebäudes zu vermitteln. Nicht immer sind der »Raum im Raum« oder gar der »Antiraum« das präsentationsästhetische Vokabular, dessen wir uns in Baudenkmälern bedienen müssen, um Exponate optimal zur Geltung zu bringen. Das gilt insbesondere dann, wenn Gebäude schon von Anfang an museal genutzt worden sind wie etwa das erste Haus des Bayerischen Nationalmuseums am Münchner Maximiliansforum, in dem heute das Staatliche Museum für Völkerkunde untergebracht ist, oder die Schack-Galerie an der Prinzregentenstraße: Ich meine, man unterschätzt den Museumsbesucher, wenn man glaubt, er würde bei der Besichtigung völkerkundlicher Bestände gestört durch die in einigen Räumen des Völkerkundemuseums noch erhaltenen historistischen Wandmalereien mit Szenen aus der nationalen Geschichte und aus der Weltgeschichte. Ebensowenig überzeugt die Entscheidung, die bei der letzten Renovierung der Schack-Galerie freigelegten Wandfassungen der Prinzregentenzeit wieder im bewährten Weiß übertünchen zu lassen, um die Gemälde Spitzwegs, Schwinds, Feuerbachs und Böcklins und anderer Künstler der Romantik und des Historismus – die man sich ja eigentlich überhaupt nur im Zusammenhang eines gestalteten Interieurs vorstellen kann – wieder isoliert vor einer neutralen Folie zu präsentieren. Diese beiden Beispiele zeigen, daß eine intelligente und sensible Auseinandersetzung mit einer historischen Umgebung sogar dazu beitragen könnte, die Wirkung der ausgestellten Objekte zu steigern.

Diesen Weg ist man beispielsweise in der 1996 eröffneten Abteilung »Zunft und Handwerk« im Oberhausmuseum Passau gegangen. In den Räumen des »Fürstenbaukellers«, in denen die Ausstellung eingerichtet worden ist, wurde auf eine kosmetische Behandlung der gealterten Oberflächen bis auf Sicherungs- und Reinigungsmaßnahmen weitgehend verzichtet. Das anfänglich nicht unumstrittene Konzept, in die Gewölberäume mit teils unverputztem, teils verputztem Ziegelmauerwerk und dem im Sockelbereich natürlich anstehenden Felsgestein die filigrane Ausstellungsarchitektur mit ihren anthrazitfarben gefaßten Stahlvitrinen einzustellen, vermochte im Ergebnis auch die Skeptiker zu überzeugen: Zweifellos ist es hier gelungen, das Erlebnis des Museumsbesuchs durch Einbeziehung der historischen Architektur mit ihren vielfältigen Alterungsspuren wesentlich zu steigern.

Als ein weiteres Beispiel ließe sich etwa das 1991 eröffnete Schiffahrtsmuseum in Wörth a. Main benennen, mit dessen Einrichtung die im Überschwemmungsgebiet des Mains gelegene, 1903 profanierte und zunehmend vom Verfall bedrohte Kirche St. Wolfgang wieder einer sinnvollen Nutzung zugeführt werden konnte, nachdem eine Verwendung für kirchliche Zwecke nicht mehr in Aussicht stand. Auch hier dominiert in der Ausstellungsarchitektur das Material Stahl, wobei sich durch die funktionale, zweigeschossige Stahlkonstruktion auch Assoziationen zum Schiffbau – und damit zum dargestellten Thema – einstellen. Das Museum wirkt in dem barocken Hallenraum mit halbrund schließendem Chor – der in einer Schablonenmalereifassung des 19. Jahrhunderts restauriert worden ist – durchaus nicht deplaziert: Im Gegenteil, es ergibt sich ein Dialog zwischen Architektur und Museumseinrichtung, zumal das Kirchengewölbe mit seinen Gurtbogen strukturell an die Schale eines Schiffrumpfs mit seinen Spanten erinnert.

Das Verhältnis zu Architekten und Gestaltern

Die Beziehung zwischen Raumhülle und Museumseinrichtung verlangt eine Abstimmung nicht nur zwischen dem Denkmalpfleger und den

Museumsfachleuten. Auch der Architekt ist mit einzubeziehen, und sein Mitspracheanspruch wächst mit den Spielräumen, die der jeweilige Auftrag für eigene Entwurfs- und Gestaltungsleistungen eröffnet, bis hin zum völligen Neubau. Während beispielsweise bei einem Industrie- oder Bürogebäude der Gebrauchszweck dominiert und der Nutzer wohl in der Regel keine Einsprüche des Architekten erwarten muß, wenn er das jeweilige Bauwerk den funktionalen Bedürfnissen entsprechend ausstatten oder eventuell auch verändern will, sollte man im Bereich der Museen mit dem Architekten rechnen, der auch bei Sanierungsmaßnahmen verständlicherweise mehr sein will als »Zeichenknecht« und Werkplaner und – dann kann er gelegentlich kritisch werden – mit leicht überschießender Tendenz den Baukünstler in sich entdeckt.

So gibt es gerade in den letzten Jahren zwar nur punktuelle – aber zunehmend leidvolle – Erfahrungen mit wenig flexiblen Architekten, die dazu neigen, die Sammlung des Museums mehr oder weniger als Requisiten zur Steigerung der Wirkung des von ihnen entworfenen Raumkunstwerks zu betrachten: Was da nicht hineinpaßt, kann also auch nicht ausgestellt werden. In solchen zugespitzten Fällen ist der Museumsleiter – ehe er sich versieht – nicht mehr Herr im eigenen Hause und kann sich dann bei der Realisierung der Museumseinrichtung mühsam von Kompromiß zu Kompromiß vorwärtsschleppen, wenn er einem im Ergebnis unsicheren Rechtsstreit aus dem Wege gehen will.

In der Zusammenarbeit mit souveränen, einschlägig erfahrenen Architekten wird es aber in aller Regel gelingen, über Konzept- und Funktionsfragen Einvernehmen zu erzielen. So können in partnerschaftlichem Zusammenwirken unter Beachtung der jeweiligen Rollen Lösungen entstehen, die gestalterisch ebenso wie funktional zu überzeugen vermögen. Auch in Museumsbau und Museumseinrichtung soll ja nicht einseitig Zweckhaftigkeit dominieren. So mag zwar der beliebig ausbaubare, nüchterne Kubus einer Industriehalle vielleicht am ehesten alle denkbaren Freiheiten für den künftigen Museumsbetrieb einräumen – zu einem Erlebnis wird der Besuch in einer solchen anonymen Ge- und Verbrauchsarchitektur wohl kaum werden.

Wie auch immer, bei der Erteilung von Aufträgen für architektonische, gestalterische und konzeptionelle Leistungen sollte man sich der Tatsache bewußt sein, daß die durch das Urheberrecht geschützten geistigen und künstlerischen Leistungen – analog zum sehr weitgehenden Ausbau der Rechte der Arbeitnehmer durch die Arbeitsgerichte – in den letzten Jahren einen immer umfassenderen Schutz erfahren haben. Hieran wird man beim Abschluß von Werkverträgen mit Architekten, Innenarchitekten und Gestaltern künftig zu denken haben und sich vorsorglich durch eine entsprechende Vertragsgestaltung die notwendige Dispositionsfreiheit vor allem bezüglich künftiger Umgestaltungen einräumen lassen.

Wie ernst dieses Thema zu nehmen ist, zeigt die Tatsache, daß in einem konkreten Fall etwa auch schon darüber argumentiert wird, ob die konzeptionelle Leistung eines Museumsleiters beim Aufbau eines Freilichtmuseums unter Gesichtspunkten des Urheberrechtsschutzes eine Handhabe dafür geben könnte, gegen von einem Nachfolger geplante, nicht im Einklang mit dieser ursprünglichen Konzeption stehende, sondern von veränderten Überlegungen ausgehende Entwicklungsschritte vorzugehen.

Die »Verrechtlichung« der Museumsarbeit

Wenn von Tendenzen der Museumsarbeit die Rede ist, so ist als ein Zug der Zeit ganz allgemein die starke Verrechtlichung der Arbeitsbedingungen anzuführen, wie sie am Beispiel der gerade erörterten Inanspruchnahme gestalterischer Leistungen nur für einen kleinen Teilbereich der von den Museen wahrzunehmenden Aufgaben angesprochen wurde. Hieraus ergibt sich zweifellos eine Einschränkung der spontanen Initiative, wie sie gerade für den Museumsbereich notwendig ist.

Wenn man bei jedem Rechtsgeschäft, und insbesondere beim Abschluß von Werkverträgen und Arbeitsverträgen, immer nur an eventuelle Risiken und Probleme denken muß, werden manche Dinge einfach nicht mehr ins Werk gesetzt. Das bekommen leider auch die jungen Wissenschaftler zu spüren, die kaum mehr die Chance haben, im Rahmen zeitlich befristeter Arbeitsverhältnisse Beschäftigung zu finden: Angesichts der unübersichtlichen und sich in nicht abschätzbarer Weise weiterentwickelnden arbeitsgerichtlichen Rechtssprechung wollen die Museen – bzw. ihre Träger – als potentielle Arbeitgeber nicht mehr das Risiko eingehen, im Falle eines Rechtsstreits einen befristet angestellten Mitarbeiter auf Dauer übernehmen zu müssen.

Auch im Bereich des Zuschußwesens ergab sich – nicht zuletzt infolge der verschärften Anforderungen der staatlichen Rechnungsprüfung – die Notwendigkeit, die Kriterien für die Gewährung der über die Landesstelle ausgereichten staatlichen Projektfördermittel zu präzisieren und vor allem das Zuschußverfahren streng zu formalisieren. Die Landesstelle hat hierauf durch eine gestraffte und »kundenfreundlichere« Neufassung ihrer Zuwendungsrichtlinien reagiert, in denen nun die von den Antragstellern zu berücksichtigenden Fristen und das in den meisten Fällen zu beachtende Erfordernis der »Genehmigung des vorzeitigen Maßnahmebeginns« deutlich herausgestellt werden.

»Unternehmen Museum« Zu Organisation und Struktur der nichtstaatlichen Museen in Bayern

Unter dem Motto »Unternehmen Museum« wandte sich der 7. Bayerische Museumstag 1993 der organisatorischen und wirtschaftlichen Struktur unserer Museen zu. Die Diskussion über zweckmäßige Organisationsformen der Museen in den neuen Bundesländern hatte in den frühen 90er Jahren einen nachdrücklichen Schub durch die deutsche Wiedervereinigung erhalten: Im Zusammenhang mit dem Übergang der meisten der bisher staatlichen Museen vor allem auf kommunale Träger wurden auch öffentliche und private Stiftungen oder auch die Organisation als GmbH als Rechtsform vorgeschlagen. Im Hintergrund stand in der Regel die Überlegung, durch die Führung als rechtlich selbständiger Betrieb ein höheres Maß an Kostentransparenz, Selbstverantwortlichkeit und Beweglichkeit zu erreichen. Außerdem wurden – wenigstens auf dem Papier – die Kulturhaushalte entlastet, weil die Stellen der Museumsbediensteten dort nicht mehr aufscheinen, wenn auch unter dem Strich durch finanzielle Zuweisungen zur Abdeckung der betrieblichen Defizite der Museen mehr oder weniger dieselben Unterhaltskosten zu leisten waren.

Derartige Organisationsmodelle sind in Bayern nicht aufgegriffen worden: Nach wie vor werden die Museen ganz überwiegend als kommunale Eigenbetriebe oder in Trägerschaft von Vereinen geführt. Dabei spielen – wie eine von der Landesstelle 1995 durchgeführte Umfrage ergab – auch Mischträgerschaften – beispielsweise auch in Form von Zweckverbänden oder Zweckvereinbarungen mehrerer kommunaler Träger – eine wesentliche Rolle.

Für die bayerische Museumslandschaft ist nach wie vor ein breites ehrenamtliches Engagement kennzeichnend. Bei der gerade zitierten Umfrage ergab sich, daß mehr als die Hälfte der bayerischen Museen ehrenamtlich geleitet wird, gut ein Drittel hauptamtlich und der Rest nebenamtlich.

Nachdem in jüngerer Zeit so viel vom bürgerlichen Engagement nach angelsächsischem Vorbild gesprochen wird, von Sponsorship und Mäzenatentum, um die zunehmend überforderten öffentlichen Hände bei der Fürsorge für die Museen zu entlasten, sollte man doch den schon immer geleisteten, sehr erheblichen privaten Einsatz nicht übersehen. Selbstverständlich kann man ehrenamtliches Engagement nur dort erwarten, wo ehrenamtliche Tätigkeit nicht zu Handlangerdiensten abgewertet wird: Der Reiz selbstverantwortlichen, kreativen Handelns ist deshalb vor allem bei den kleineren Museen gegeben.

Zu den zentralen Aufgaben der Landesstelle gehört es, gerade auch diesen kleineren Häusern ihre Unterstützung bei der Bewältigung fachlicher Probleme anzubieten. Erfreulicherweise hat sich über die vergangenen Jahrzehnte ein guter und vertrauensvoller Kontakt aufbauen lassen: So wird die Hilfe der Landesstelle etwa der Pflege und Konservierung der Sammlungsbestände oder bei der Inventarisation nicht als Bevormundung betrachtet, sondern als selbstverständliche Zusammenarbeit in Bereichen, in denen fachliche Beratung geboten erscheint.

Bedauerlicherweise läßt sich noch nicht absehen, wie sich nach dem Abtreten der noch aktiven Generation ehrenamtlicher Museumsleiter die Lage entwickeln wird. Mit Nachwuchsproblemen ist jedenfalls zu rechnen, wie sich das schon besonders deutlich für den Bereich der Vertriebenenmuseen abzeichnet.

Aus finanziellen Gründen wird es allerdings nur in größeren Häusern möglich sein, einen hauptamtlichen wissenschaftlichen Leiter anzustellen. An qualifiziertem Nachwuchs im kulturwissenschaftlichen Bereich würde es jedenfalls nicht fehlen. Daß immerhin das schon genannte Drittel der nahezu 1 000 bayerischen Museen hauptamtlich geleitet wird, geht unter anderem auch auf die Aktivitäten der Landesstelle zurück, die in vielen Fällen ihre flankierende Unterstützung angeboten hat, wenn es darum ging, für die Neueinrichtung von Museen eingestellte junge Wissenschaftler zu übernehmen, um eine aktive Museumsarbeit und eine qualifizierte Betreuung der Sammlungen zu gewährleisten.

Modelle einer nebenamtlichen – bzw. nur auf Teilzeitbasis durchgeführten – Museumsbetreuung werden daneben weiter an Bedeutung gewinnen. Wie es schon jetzt der Fall ist, werden auch kleinere Kommunen beispielsweise einen Kulturamtsleiter/in beschäftigen können, der das Museum mitbetreut, sich beispielweise aber auch um sonstige gemeindliche Kulturveranstaltungen oder auch um den Sektor Fremdenverkehr kümmert. Auch die Zusammenlegung der Betreuung von Museum, Stadtarchiv und Stadtbibliothek wird sich im Einzelfall anbieten, um die personellen Aufwendungen in einem überschaubaren Rahmen zu halten. Bewährt hat sich im überörtlichen Rahmen auch die Anstellung eines Landkreisbeauftragten für die regionalen Museen, der die Museen im Landkreis nach einem zeitlichen Schlüssel betreut, der der Aufteilung der Personalkosten zwischen dem Kreis und den Gemeinden zugrunde gelegt wird.

Jedenfalls wird in den nächsten Jahren ein hohes Maß an Phantasie und Einsatz erforderlich sein, um eine fachlich qualifizierte und dennoch finanzierbare Museumsbetreuung zu gewährleisten.

Das Schlagwort »Unternehmen Museum« signalisiert, daß auch die Museen sich der Frage nach der Effizienz ihrer Organisation und ihrer sonstigen betrieblichen Strukturen stellen müssen. Kostenbelastung und Konkurrenzdruck, die in der Privatwirtschaft zu ständiger Rationalisierung Anlaß geben, wirken sich zwar in den der Daseinsvorsorge dienenden öffentlichen Einrichtungen nicht unmittelbar aus. Nichtsdestoweniger ist auch in den Verwaltungen und Dienstleistungseinrichtungen im staatlichen und kommunalen Bereich ein tiefgreifender Umstrukturierungsprozeß im Gang, der auch vor den Museen nicht Halt macht: Der Übergang von kameralistischer Mittelbewirtschaftung hin zur Budgetierung steht für die allenthalben zu beobachtende Tendenz zu einer Stärkung der Selbstverantwortung auf mittlerer und unterer Ebene. Umgekehrt müssen es sich aber auch kulturelle Einrichtungen wie die Museen gefallen lassen, daß ihre Arbeit unter Gesichtspunkten der Zweckmäßigkeit, ja unter ganz nüchternen Kosten-Nutzen-Gesichtspunkten analysiert wird.

Bei einer entsprechenden Beurteilung ist aber – besonders im Kulturstaat Bayern – der Bildungsauftrag der Museen angemessen in Rechnung zu stellen. Es wäre eine Illusion zu glauben, daß die Museen ihr breitgefächertes Informationsangebot kostendeckend oder gar gewinnbringend aufrechterhalten können. Maßstab kann auch nicht allein das Besucherinteresse sein: Selbst wenn das Kriminalmuseum in Rothenburg mit mehr als 300 000 Besuchern im Jahr etwa das dreifache Besucheraufkommen des Bayerischen Nationalmuseums verzeichnen und dementsprechend gewinnbringend betrieben werden kann, ist damit noch nichts über die Bedeutung der beiden Häuser ausgesagt.

Nichtsdestoweniger ist es verständlich, wenn sich die die Betriebskostenzuschüsse bereitstellenden Museumsträger nicht so ohne weiteres mit dem Verweis auf den kulturellen Auftrag der Museen oder etwa auch auf ihre Bedeutung als »weicher Standortfaktor« zufriedengeben. Darüber hinaus stehen Impulse für den Fremdenverkehr und das regionale kulturelle Leben durch die Veranstaltung von Ausstellungen, Führungen und eine »aktive Museumsarbeit« auf der Wunschliste der Kommunalpolitiker. Und spätestens an diesem Punkt geht es wieder um das leidige Geld: »Aktive Museumsarbeit« ist nicht umsonst zu haben, vielmehr setzt sie ausreichendes und geeignetes Personal voraus. Hier wird das Dilemma sichtbar, daß die Forderungen an das Museum vielfach über die verfügbaren personellen und betrieblichen Ressourcen hinausgehen. In dieser nicht ganz einfachen Situation ist jedenfalls Kommunikationsbereitschaft auf beiden Seiten gefragt.

Im Zusammenhang mit Überlegungen zu einer wirtschaftlichen Gestaltung des Museumsbetriebs steht natürlich auch zur Diskussion, inwieweit Aufgaben der Museen an private Unternehmen abgegeben werden können, soweit es sich um größere Häuser mit einer differenzierteren Struktur handelt. Während dieses »Outsourcing« beim Reinigungsdienst unumstritten ist, gibt es beim Aufsichtsdienst mit seiner besonderen Verantwortung noch eine gewisse Zurückhaltung. Fremdleistungen spielen insbesondere auch auf dem Feld der Konservierung und Restaurierung eine zunehmend wichtigere Rolle. Der allzuständige Hausrestaurator stirbt aus oder wird genauer gesagt zunehmend zum Koordinator, der den Zustand der Sammlungen oder den Auf- und Abbau von Ausstellungen überwacht und notwendige Arbeiten an spezialisierte freiberufliche Restauratoren vergibt.

Hier setzt auch die restauratorische Betreuung der nichtstaatlichen Museen durch die Landesstelle an, die sich in den letzten Jahren zu einem Aufgabenschwerpunkt entwickelt hat. Dabei geht es insbesondere auch um die »präventive Konservierung«, also um die Gewährleistung von möglichst günstigen klimatischen Bedingungen, weiterhin um Lichtschutzmaßnahmen sowie um Schädlingsbekämpfungsaktionen und schließlich sogar um die Einrichtung neuer Depots. Die Landesstelle sieht sich insoweit als Dienstleistungseinrichtung für die Museen, aber auch Ansprechpartner der freiberuflichen Restauratoren und der zahlreichen Spezialfirmen, die auf diesem Gebiet tätig sind.

Kontakte zu Fremdfirmen ergeben sich für die Museen insbesondere auch bei der Gestaltung von Ausstellungen sowie auf dem Sektor der Vermittlungs- und Öffentlichkeitsarbeit. Bei der Herausgabe von Katalogen und sonstigen Publikationen über Videofilme bis hin zu Informationsangeboten auf Compact Disc für Multi-Media-Anwendungen, ferner der Gestaltung von Prospekten und Einladungen wird in steigendem Umfang die Hilfe von Fachleuten in Anspruch genommen, die gelegentlich auch beauftragt werden, einzelnen Häusern ein öffentlichkeitswirksames Profil als »corporate identity« zu verschaffen.

Die Diskussion darüber, ob man sich auf die Welt der Neuen Medien bei der Präsentation von Informationen aus dem Bereich der Museen einlassen oder ob man sich einer solchen Vermarktung des kulturellen Erbes entziehen soll, wird zwar auf verlorenem Boden noch geführt, ist aber längst durch die Ereignisse überholt. Im Anschluß an das Deutsche Historische Museum in Berlin, das hier die Vorreiterrolle gespielt hat, lassen sich inzwischen auch bayerische Museen ihre »Home Page« im Internet gestalten, seien es so große Häuser wie das Deutsche Museum oder aktive Regionalmuseen wie das Murnauer Schloßmuseum. Auch die Landesstelle kann und will sich dem Zug der Zeit nicht entziehen und bereitet die Präsentation der vor dem Erscheinen stehenden und nur zufällig mit unserem 20jährigen Jubiläum zusammenfallenden Neuauflage des Handbuchs »Museen in Bayern« im Internet vor.

Auch der EDV-gestützten Inventarisation sind durch die enorm gesteigerte Leistungsfähigkeit der Personalcomputer und die damit möglich gewordenen Multi-Media-Anwendungen neue Dimensionen eröffnet worden: Die Verknüpfung von Text und Bild in Inventaren, die gespeichert auf Compact Discs verfügbar gemacht werden, ist heute bereits in der Praxis erprobt. Als weiterer Schritt wird die volldigitale Aufnahme von Objekten anstelle der konventionellen Photographie ein bisher unbekanntes Maß an Farbtreue und Detailinformation beim Zugriff auf gespeicherte Bilddokumente ermöglichen. Die Frage, wie das »Unternehmen Museum« an der Einräumung von Nutzungsmöglichkeiten an den von ihm bereitgestellten, über EDV abrufbaren Text- und Bildinformationen wirtschaftlich angemessen partizipieren kann, wartet allerdings noch auf eine befriedigende Lösung.

Dieser Blick in die Zukunft läßt die von der Landesstelle in den letzten Jahren gemeinsam mit dem Bayerischen Rundfunk produzierten Museumsfilme, die im Fernsehen ausgestrahlt werden und auch als Video-Cassetten verfügbar sind, beinahe schon als Errungenschaft der guten alten Zeit erscheinen. Nichtdestoweniger hat die Sendung dieser Filme einen wichtigen Beitrag dazu geleistet, nicht nur die jeweils vorgestellten Museen bekannt zu machen, sondern auch einer breiteren Öffentlichkeit die Vielfalt der bayerischen

Museen und die Qualität ihrer Sammlungen zu vermitteln.

Das Museum der Zukunft?

Zum Schluß soll nochmals die schon einleitend gestellte Frage nach dem Museum der Zukunft aufgegriffen werden. Die vorangegangene – zugegebenermaßen etwas kursorische – Beschreibung der Entwicklung und des aktuellen Zustands der bayerischen Museumslandschaft hat sie zum Teil wohl schon beantwortet. Man wird nicht von *einem* Museum der Zukunft ausgehen können, sondern weiterhin werden Vielfalt und Pluralität das Bild bestimmen. Museen sind nun einmal der Spiegel unterschiedlichster Aspekte des gesellschaftlichen Lebens in Geschichte und Gegenwart. Auch für die Evolution der Museen gilt das Darwinistische Prinzip: Manche nicht mehr angenommene Einrichtungen werden stagnieren oder im Einzelfall auch untergehen, andere sich im Ringen um gesellschaftliche Akzeptanz weiterentwickeln.

Zum Nutzen und zum Schaden der Museen läßt sich über ihren Auftrag, über Fragen der Gestaltung und Vermittlung vortrefflich streiten. So ist inzwischen etwa auch das Ringen um eine verbindliche Museumsdefinition zur unendlichen Geschichte geworden, und Arbeitskränzchen engagierter Museumsfunktionäre und Standesvertreter werden hierzu auch weiterhin in nicht nachlassendem Eifer immer neue Resolutionen und Beschlußvorlagen ersinnen. Nichtsdestoweniger tun die Museen das, was sie schon bisher getan haben, auch weiterhin: Sie sammeln, bewahren, vermitteln und forschen – selbstverständlich mit unterschiedlicher Intensität, mit unterschiedlichen Schwerpunkten, mit unterschiedlichen Perspektiven – selbstverständlich auch nicht statisch, sondern dynamisch in Abhängigkeit von neuen Erkenntnissen und Entwicklungen, vom Wandel gesellschaftlicher Bedürfnisse und Interessen. So wird eine Museumsdefinition auch keine normative Wirkung entfalten, sondern immer nur nacheilend beschreiben können, was jeweils unter einem Museum zu verstehen ist.

Debatten um die Museen und ihre Arbeit werden – wie gesagt – nicht enden. Weiterhin werden die Generaldirektoren ehrwürdiger Häuser im Feuilleton der Tageszeitungen von Journalisten, die es besser zu wissen glauben, darüber belehrt werden, wie sie ihre Museen führen sollten, weiterhin werden mühsam vorbereitete Ausstellungsvorhaben zerpflückt oder akklamiert werden, vielleicht auch beides zugleich.

Es wäre nicht nur müßig, sondern sogar unangebracht, über diese oft sehr disparaten Be- und Verurteilungen kultureller Unternehmungen Klage zu führen. Allein schon die Auseinandersetzung um Kulturarbeit ist erwünscht, bestätigt sie doch, daß es sich hier um einen beachtenswerten und beachteten Sektor des öffentlichen Lebens handelt. Diskussionen auf allen Ebenen von der verbreiteten öffentlichen Meinung über das Fachgespräch unter Kollegen bis zur Meinungsäußerung in der Laiensphäre sind das Lebenselixier, das die Museen animiert, das aktive und engagierte Museumsarbeit provoziert.

Facetten einer Museumslandschaft

Bayerisches Armeemuseum Ingolstadt, Inszenierung »Heldentod«

Wolfgang Stäbler

Zeitgeschichte im Museum

Gedanken zu einem Defizit

Im Rahmen der vielfältigen Veranstaltungen zur Erinnerung an das 50 Jahre zurückliegende Kriegsende fanden 1995 auch an den bayerischen Museen eine Fülle von Aktivitäten statt. Von seiten der nichtstaatlichen Museen allein wurden rund 30 Sonderausstellungen durchgeführt, die sich mit einer breitgefächerten Themenpalette dem Gedenkmarathon anschlossen.[1] Ausstellungen über die Zeit des Nationalsozialismus in einer Stadt, Gemeinde oder Region fanden sich dabei ebenso wie die Darstellung der Auswirkungen des Krieges auf die Zivilbevölkerung – ein besonders eindrucksvolles Beispiel war eine Ausstellung in einem Schweinfurter Hochbunker –, zur Vertreibung der Deutschen aus den Ostgebieten oder auch zum Neuanfang nach dem Kriegsende. Diese Ausstellungen hatten zumeist eine gute Resonanz und regen Besucherzulauf: Zeichen für ein Defizit unserer Museen bei der nicht eventbedingten und damit ständig verfügbaren Information über zeitgeschichtliche Zusammenhänge?

Hierbei sollte man natürlich gerechterweise differenzieren: Die Mehrzahl der bayerischen Museen widmet sich kunst- und kulturhistorischen Fragestellungen, so daß sich der Kreis derer, die sich sinnvollerweise der Zeitgeschichte zuwenden, naturgemäß im wesentlichen auf regional- und lokalgeschichtliche Abteilungen in Stadt- und Heimatmuseen und auf die wenigen einschlägigen Spezialmuseen beschränkt. Zeitgeschichtliche Anknüpfungspunkte finden sich daneben aber auch in Museen, von denen man es zunächst nicht vermuten würde. Darauf soll später eingegangen werden.

Zur Geschichte der Zeitgeschichte

Geschichte wurde ursprünglich mit zeitgenössischen Abläufen, also der Beschreibung der Gegenwart und jüngsten Vergangenheit, gleichgesetzt. Der griechische Begriff ιστορία benannte Erkenntnisse aus dem eigenen Erfahrungsbereich, also, wenn man so will, zeitgeschichtliche Zusammenhänge. Auch die römische *historia* war, im Gegensatz zu den *annales*, im wesentlichen die Geschichtsschreibung politischer Abläufe der Gegenwart. Daran änderte sich bis hinein ins Mittelalter nichts. Erst in der Neuzeit wandten sich geschichtliche Studien verstärkt Zeitläufen fernab der Gegenwart zu.[2]

Die Darstellung gegenwartsnaher Abläufe und Zusammenhänge im Museum ist dagegen ein vergleichsweise sehr junges Phänomen. Im 19. und frühen 20. Jahrhundert, als viele (stadt-)geschichtliche Museen gegründet wurden, bestimmte der historistische, vor allem dem Mittelalter und der Frühen Neuzeit verbundene Blickwinkel wie in der Geschichtsschreibung auch Sammeltätigkeit und Ausstellungen der Museen. An ihrer Vorliebe für lange vergangene Zeiten hat sich bis heute wenig geändert, wenngleich, nicht zuletzt seit der Entdeckung der Alltagskultur seit den späten 60er Jahren, einige Breschen in die zuvor fast durchgängige »deadline« der musealen Darstellung der Geschichte, das Ende der Monarchie 1918, geschlagen wurden.

Als darstellenswerte Geschichte im Museum werden zumeist auch heute noch Abläufe in Perioden gesehen, die durch ihre Entfernung von der Gegenwart als interessant und gleichzeitig unverfänglich, die ihnen entstammenden Objekte allein schon aufgrund ihres ehrfurchtgebietenden Alters als wertvoll erscheinen. Als eines der wenigen frühen Beispiele für die museale Beschäftigung mit der jüngsten Vergangenheit und damit im bayerischen Raum in einer gewissen Vorreiterfunktion ist das Bayerische Armeemuseum zu nennen, das sich bereits in den 20er Jahren intensiv mit dem 1. Weltkrieg auseinandersetzte. Nachdem das Museum nach den Zerstörungen des nächsten Weltkriegs von München nach Ingolstadt übersiedelte, hat dieser Themenkomplex unlängst eine großzügige Darstellung im Reduit Tilly gefunden.

Begriffsverwirrung

Zunächst stößt allein schon die Begrifflichkeit der Zeitgeschichte bei vielen Museen auf Probleme und soll deshalb hier kurz gestreift werden. Den Terminus Zeitgeschichte für die Geschichte der jüngsten Vergangenheit finden wir bereits im 17. Jahrhundert, verstärkt nach der Französischen Revolution.[3] Zeitgeschichte bezeichnete dabei in der Regel die Geschichte, die sich während der jeweils eigenen Lebenszeit abspielte. Nach der bekannten Definition von Hans Rothfels (1953) beginnt diese »Epoche der Mitlebenden« mit bestimmten Ereignissen, nämlich der Oktoberrevolution in Rußland und dem Kriegseintritt Amerikas, das damit seine spätere weltpolitische Rolle zu spielen begann, also mit den Jahren 1917/18. Aus dieser – aus damaliger Sicht sicher nachvollziehbaren – Begriffsbestimmung ergab sich die heute gültige Festschreibung.[4] Im angloamerikanischen Raum, aber auch bei Teilen der deutschen Historiker, umfaßt der Begriff gleich pauschal die Geschichte des 20. Jahrhunderts.[5] Mit Fortschreiten unseres Jahrhunderts sah man sich schließlich veranlaßt, den so definierten Zeitraum in eine ältere (bis 1945) und eine jüngere Zeitgeschichte (1945 bis zur Gegenwart) zu unterteilen.[6]

Wie die Antworten auf eine Umfrage der Landesstelle im Herbst 1995 bei den bayerischen Museen[7] erkennen lassen, sind diese Definitionen aber – nicht nur in Bayern – wenig bekannt. Bei der Frage nach der thematischen Ausrichtung ihres Hauses meldeten 30 Museen zeitgeschichtliche Schwerpunkte an, doch waren darunter u.a. ein Schuster-, ein Schiefer- und Ziegel, ein Schneidereimuseum und eine wasser- und schiffahrtstechnische Sammlung, auch ein Ski-, ein Feuerwehr- und ein Brauereimuseum. Andererseits hielten Museen, die etwa die Geschichte einer Stadt bis in die jüngste Vergangenheit nachvollziehbar machen, diese nicht unwesentlichen Teile ihrer Präsentation für nicht erwähnenswert. Zeitgeschichte wird also häufig mit der Geschichte der Arbeitswelt der jüngsten Vergangenheit oder ähnlichen Themenkreisen in einen Topf geworfen, andererseits nur als marginaler Bestandteil der historischen Schau gesehen.

Museale Annäherungen an die Zeitgeschichte

Welche Möglichkeiten der Annäherung an zeitgeschichtliche Themenbereiche gibt es nun im Museum?[8] Generell zeigt sich, daß bestimmte Teilbereiche der Zeitgeschichte sowohl im musealen wie im außermusealen Umgang damit vergleichsweise wenig Berührungsängste hervorrufen, während andere – etwa die Zeit der Nazidiktatur oder auch (lokal-)politische Abläufe der Nachkriegsjahre – meist ausgeklammert oder zumindest mit größter Vorsicht behandelt werden.

Zunächst zur ersten Themengruppe: In vielen bayerischen Stadt- und Heimatmuseen sind bereits seit Jahrzehnten Geldscheine aus der Inflationszeit 1921–23 mit ihrem horrenden Nominalwert als unverfängliche Kuriosa ausgestellt, ebenso als lokalgeschichtliche Dokumente die auch bei Sammlern beliebten Notgeldmünzen und -scheine der jeweiligen Stadt oder des Landkreises. Die Geschichte der innerdeutschen Teilung wird ebenfalls, trotz der zeitlichen Nähe sowie des von ihr hervorgerufenen Leides und der Opfer, die sie forderte, relativ locker angegangen. Teile der Berliner Mauer wurden als Kunstwerke versteigert und sind zu beliebten Schmuckstücken und Mahnmalen in privaten und öffentlichen Anlagen geworden.[9] Der Europa-Park im badischen Rust, von der Stiftung Warentest mit dem Prädikat »sehr gut« ausgezeichnet[10], präsentiert gar seit dem Frühjahr 1996 in seinem »deutschen Themenbereich« zwischen nachempfundener norddeutscher Backsteingotik, sächsischem Barock, fränkischen Fachwerkhäusern und anderen Bauformen der deutschen Lande, die als Hüllen für Läden und Imbißbuden dienen, vor seinem Monorail-Bahnhof »Alexanderplatz«(!) *»ein original Stück deutsch-deutsche Mauer..., die einst in Berlin-Kreuzberg die Stadt in zwei Hälften teilte«*.[11] Die Zurschaustellung zeitgeschichtlicher Objekte als leicht gruseliger Publikumsmagnet zwischen Geisterbahn und elektronischem Vogeltheater wird nicht als anstößig empfunden.

Für Museen ist der letztgenannte Umgang mit der Zeitgeschichte natürlich nicht denkbar, grundsätzlich ein kritisches, gleichzeitig sensibles Befassen mit den geschichtlichen Abläufen so-

Europa-Park Rust/Baden, Deutscher Themenbereich mit transferierten Segmenten der Berliner Mauer

wohl bei Recherche wie Präsentation geboten. Das gilt in besonderem Maß für den ersten der angesprochenen Themenkreise. Das Leid von Millionen von Menschen während der Nazidiktatur verbietet von Haus aus den leichtfertigen Umgang mit der Materie. Die Darstellung der jüngsten Zeitgeschichte auf regionaler oder lokaler Ebene, etwa von politischen Abläufen in einer Stadt vom Kriegsende bis nahe zur Gegenwart, erfordert viel Selbstdisziplin der Konzipienten, um nicht durch subjektive Wertungen, die unterschwellig ohnehin kaum auszuschließen sind, den offenen Blick auf die Ereignisse zu verstellen.

Insgesamt kann man im musealen Bereich in einer vereinfachenden Typisierung zwischen vier verschiedenen Ansatzpunkten und Darstellungsformen zeitgeschichtlicher Zusammenhänge unterscheiden. Hierzu einige bayerische Beispiele: [12]

Eine besonders für die Darstellung der Greuel der Nazidiktatur wichtige Form sind die *Gedenkstätten* mit angeschlossenem musealem Informationsangebot.[13] An Tatorten und Schauplätzen der Ereignisse angelegt und oft in Gebäuden der Zeit untergebracht, machen sie zunächst durch die somit gegebene scheinbare Nähe zu den historischen Abläufen betroffen, ein Umstand, der »normalen« Museen kaum in dieser Intensität gelingt. Als Beispiel für diese Gruppe sind die beiden bayerischen KZ-Gedenkstätten zu nennen. Die »KZ-Grab- und Gedenkstätte Flossenbürg« stellt mit ihrer kleinen, aber für das Verständnis der Gesamtanlage doch unabdingbaren Dokumentationsausstellung in einer rekonstruierten Gefängnisbaracke am offensichtlichsten den in erster Linie dem stillen Gedenken gewidmeten, erst nachrangig als Museum zu bezeichnenden Typus dar. In der Gedenkstätte auf dem Gelände des ersten, bereits 1933 eingerichteten Konzentrationslagers in Dachau nimmt die Information im Rahmen der musealen Ausstellung über das kaum faßbare Geschehen dagegen eine zentrale Funktion innerhalb des Besuchs ein. Die Ausstellung soll in den nächsten Jahren noch erweitert werden.

Auch am historischen Ort untergebracht, jedoch nicht dem Gedenken, sondern in erster Linie dem richtigen Zuordnen historischer Gebäude und der Abwehr von Fehlinterpretationen dienend, ist die Ausstellung »Faszination und Gewalt« auf dem Zeppelinfeld in Nürnberg, eingebettet in die gigantomanische NS-Architektur des Reichsparteitagsgeländes, zu sehen. Eine Zwischenform stellt das Deutsch-Deutsche Museum im bis 1990 durch eine Mauer geteilten Dorf Mödlareuth dar, das vom bayerischen Freistaat, der gemeinsam mit dem Nachbarland Thüringen investive Mittel bereitstellte, im Sinne einer *»Gedenkstätte nach Art eines Freilichtmuseums«* klassifiziert wurde.[14] Es verfügt über ehemalige Grenzsperranlagen der

DDR in situ, will aber in seinem derzeit in Planung befindlichen Museumsgebäude über die Erklärung der Objekte vor Ort hinausgreifen und die Geschichte der deutschen Teilung insgesamt, wenngleich auch immer wieder exemplarisch anhand der lokalen Situation, aufarbeiten.

Die nächste Gruppe bilden noch sehr wenige der *Regional-* oder *Heimatmuseen*, die sich bemühen, auch die historischen Abläufe unseres Jahrhunderts darzustellen. Wohl die erste größere Museumsabteilung dieser Art entstand im Kreismuseum Mühldorf am Inn aus einer 1985 aus Anlaß des 40. Jahrestags des Kriegsendes konzipierten Sonderausstellung unter dem Titel »Bis alles in Scherben fiel«. Neben dem kalendarisch bestimmten Gedenken gab auch der Wunsch nach einer musealen Dokumentation der Vorgänge im nahe der Stadt Mühldorf gelegenen KZ-Außenlager Mettenheim den Anstoß für die Ausstellung, die sich anhand von 35 Stationen zu Schlagworten der Zeit mit der Geschichte des »3. Reichs« und der unmittelbaren Nachkriegsjahre am Beispiel des Landkreises Mühldorf auseinandersetzt. Die große Resonanz dieser Schau vor allem auch bei den Schulen führte dazu, sie der Dauerausstellung anzugliedern.

Breiter Raum wird der Geschichte des 20. Jahrhunderts bis hin zur deutschen Wiedervereinigung auch im Burgmuseum der oberpfälzischen Stadt Parsberg eingeräumt werden. Die Konzeption sieht vor, durchgehend auf zwei Ebenen die Ereignisse im Reich bzw. Land den örtlichen Vorgängen gegenüberzustellen, um durch die Einordnung in einen größeren Rahmen die Abläufe in Parsberg selbst besser verständlich zu machen. Die erste Abteilung dieses Projekts soll im Frühjahr 1997 eröffnet werden.

Daneben finden sich in einigen Heimatmuseen zwar bescheidene, aber doch ermutigende Ansätze der Behandlung zeitgeschichtlicher Themen. Das derzeit in Teilen fertiggestellte Heimatmuseum Kraiburg in Oberbayern informiert wenigstens in sehr gedrängter Form mit einigen graphisch gestalteten, klappbaren Ausstellungs-

Deutsch-Deutsches Museum Mödlareuth, Freigelände mit Mauerrest und Beobachtungsturm

Stadtmuseum Kraiburg, Sequenz »Kraiburg 1933 – 1945«. Die Rückseiten der beiden äußeren Flügel zeigen zusammengeklappt eine Darstellung einer »Metallspende« während des 2. Weltkriegs

einheiten über die Ortsgeschichte im 20. Jahrhundert.

Die vierte und letzte Gruppe sind schließlich Museen, die von ihren *Objekten* und ihrer *Themenstellung* her einen – zunächst unvermuteten – Einstieg auch in zeitgeschichtliche Bereiche wagen. Ein naheliegendes Beispiel wäre hier ein »Volksempfänger« in einem Rundfunkmuseum, der ja geradezu dazu herausfordert, die Museumsbesucher nicht nur über technische Daten, sondern auch über seine Funktion als Teil des ausgeklügelten NS-Propagandaapparates zu informieren. Von verschiedensten Themenbereichen der Museen aus können Brücken zur Zeitgeschichte geschlagen werden, wie etwa die Präsentation eines kleinen Bauernhauses (»Sachl«) im Freilichtmuseum Finsterau im Bayerischen Wald verdeutlicht. Das 1984 mit allen Einrichtungsgegenständen ins Museum transferierte Gebäude baute man im selben Zustand, wie es 1980 vorgefunden wurde, wieder auf, ohne den oft zum Scheitern verurteilten Versuch zu unternehmen, künstlich einen nie in dieser Form existenten Zeitschnitt »Ende 19. Jahrhundert« o.ä. herzustellen. Aus dem kleinen Radio in der ärmlichen Stube (bzw. einem verdeckten Tonbandgerät) ertönt nun das Programm des Bayerischen Rundfunks um 1980, also auch Nachrichten zur damaligen Landespolitik. Haus-, Kultur-, Sozial- und Zeitgeschichte verbinden sich hier in beeindruckender Weise.

Eine sehr selbstkritische, mutige Betonung des zeitgeschichtlichen Aspekts findet sich im Alpinen Museum des Deutschen Alpenvereins in München, das im Herbst 1996 eröffnet wurde. Rund ein Viertel der Ausstellung, in der man zunächst nur die Darstellung einer zumeist heilen Bergwelt und die stolze Selbstinszenierung des Museumsträgers vor dem Hintergrund seiner über 100jährigen Geschichte erwarten würde, widmet sich der Rolle des Alpinismus im Netz der politischen Konstellationen. Das Museumsteam arbeitete darin auch die Rolle des Alpenvereins im Umfeld der antisemitischen (einige österreichische Sektionen

Gruttenhütte des Deutschen Alpenvereins im Wilden Kaiser mit Hakenkreuzfahne, Photopostkarte der frühen 40er Jahre aus der Ausstellung zum Themenkreis »Alpinismus im Netz der politischen Konstellationen« im Alpinen Museum München

nahmen schon in den 20er Jahren einen Arierparagraphen in ihre Satzung auf) und nationalsozialistischen Gedankenwelt auf.

Zeitgeschichte als Ärgernis

Daß die Auseinandersetzung mit der jüngeren Vergangenheit weitaus konfliktbeladener und mit breiterer öffentlicher Anteilnahme abläuft als etwa die wissenschaftliche Behandlung weiter entfernter Zeiträume, die bestenfalls einen Sturm im Wasserglas innerhalb akademischer Elfenbeintürme hervorruft, ist bekannt. Schnell war – und ist trotz einer gewissen Entkrampfung angesichts des fortschreitenden zeitlichen Abstandes noch heute – gerade bei der Beschäftigung mit der NS-Geschichte auf lokaler Ebene der Vorwurf der »Nestbeschmutzung« zur Hand. Daß unwissenschaftlicher Übereifer gepaart mit Sensationshascherei zu manchen diesbezüglichen Ressentiments beigetragen haben, sei dabei erwähnt.[15] Auch läßt sich oft nur schwer vermitteln, warum die mahnende Erhaltung von Relikten der NS-Zeit wichtig für das Verständnis dieser Epoche der Barbarei ist. Beseitigen, um damit vergessen zu können, statt an einigen ausgewählten Stellen zu erinnern? In ähnlicher Weise stellte sich im Fall der glücklicherweise nutzlos gewordenen innerdeutschen Grenzsperren schnell der dringende Wunsch der Anwohner ein, alle Reste der trennenden Linie gründlich zu beseitigen. In Berlin ist dies fast geglückt. Besonders schwierig gestaltet sich die Situation, wenn – oft politische – Fronten verhärten und Befürworter und Gegner musealer Projekte sich über Jahre hinweg gegenüberstehen. Der Umgang mit der Zeitgeschichte oder zeitgeschichtlichen Zeugnissen wird zum Ärgernis.

Ein schon seit Jahrzehnten Diskussionen entfachender, jedoch immer noch nicht endgültig gelöster Streitpunkt ist die Auseinandersetzung über das ehemalige Reichsparteitagsgelände in Nürnberg. Erhitzte zunächst über Jahrzehnte hinweg die Diskussion über Erhalt oder Abbruch der verbliebenen Bauten die Gemüter, so war es später, nachdem die fraglichen Gebäude unter Denkmalschutz gestellt und der weitere Abbruch damit verhindert worden war, die Frage einer unbedingt notwendigen begleitenden Dokumentation, etwa in Form eines Museums. Seit 1985 ist nun die als temporäre Einrichtung konzipierte Ausstellung »Faszination und Gewalt« in der Zeppelintribüne untergebracht, die eines Tages durch eine wohl nur durch gemeinsame Anstrengungen von Stadt, Land und Bund realisierbare feste Einrichtung abgelöst werden soll.[16]

Etwas einfacher gestaltete sich die ebenfalls keineswegs unumstrittene Gründung des Deutsch-Deutschen Museums in der bis 1990 von der innerdeutschen Grenze durchschnittenen bayerisch-thüringischen Ortschaft Mödlareuth. Auch hier sollten wie andernorts alle Erinnerungen an die Trennung schnellstmöglich beseitigt werden. Den Initiatoren des Museumsprojekts kam zugute, daß sich im persönlichen Kontakt der Vertreter des Museumsvereins mit den wenigen Dutzend Einwohnern des Ortes ein Vertrauensverhältnis aufbauen ließ, das die Erhaltung wenigstens eines Teils der trennenden Mauer sicherte. Das Museum ist gerade durch diese rechtzeitige Diskussion mit den Betroffenen, aber auch die von diesen gewünschte, für die Museumsleute schmerzliche räumliche Selbstbeschränkung inzwischen bei der überwiegenden Mehrzahl der Mödlareuther zu einer Selbstverständlichkeit geworden.

Museen als zeitgeschichtliche Lernorte

Wenngleich in einschlägigen Publikationen zum Geschichtsunterricht im Museum nur am Rande gestreift oder gar nicht beachtet[17], kommt den zeitgeschichtlichen Museen, Museumsabteilungen und Ausstellungen eine besondere Bedeutung als außerschulischem Lernort zu. Hunderte von Schulklassen besuchen jährlich mit finanzieller Unterstützung des Freistaats die KZ-Gedenkstätten. Zur Vorbereitung und zur Begleitung dieser Besuche hat das Museums-Pädagogische Zentrum München (MPZ) umfangreiche »Themenhefte zur Zeitgeschichte« vorgelegt, die einen Besuch in dem Thema angemessener Weise gewährleisten sollen.[18] Dies scheint auch dringend geboten, um die Inhalte nicht im Erlebnisgetriebe eines normalen Schulausflugs zu verwischen.

Hierzu sei ein außerbayerisches Beispiel bemüht: Das Grenzlandmuseum Eichsfeld an der ehemaligen innerdeutschen Grenze zwischen Thüringen und Niedersachsen befindet sich in unmittelbarer Nachbarschaft des neuerrichteten Freizeitparks »Teistungenburg« und ist mit ihm über einen Fußgängersteg über die Bundesstraße hinweg verbunden. Für Schulklassen und Reisegruppen wird nun ein Gesamtpaket für Museumsbesuch und Freizeitzentrum angeboten: Bestandteile des 4–5stündigen Aufenthalts stellen ein einstündiger Museumsbesuch, eine Stunde »Sportanimation im Sport-Treff«, zwei Stunden »Badespaß in der Bäderwelt« sowie ein Imbiß (»Bratwurst/Bockwurst oder Pommes, ein Getränk, ein Eis«) dar.[19]

Abgesehen davon, daß innerhalb des knapp bemessenen Museumsbesuchs kaum genügend Zeit bleibt, sich mit dem Thema der innerdeutschen Teilung mehr als nur oberflächlich auseinanderzusetzen oder das Freigelände mit seinen in situ gezeigten Sperranlagen der DDR-Grenzsicherung zu besuchen, birgt diese Kombination die Gefahr in sich, daß die Beschäftigung mit der deutschen Zeitgeschichte nur ein Feigenblatt für die Durchführung der Schulexkursion darstellt und allzu leicht vom – an anderer Stelle völlig berechtigten – Freizeitvergnügen überlagert wird. Vielleicht ist es möglich, auf diese Weise die Besucherzahlen des Museums zu steigern, das aber zum Preis der Infragestellung der Glaubwürdigkeit seines erklärten Anliegens, nämlich das Leiden der Bewohner des Eichsfelds unter der deutschen Teilung zu dokumentieren.[20]

Ausblick

Die museale Auseinandersetzung mit der Geschichte des in Kürze zu Ende gehenden Jahrhunderts steckt – zumindest quantitativ – immer noch in den Kinderschuhen. Mangelndes Interesse, die Einschätzung, das sei doch »noch nichts fürs Museum«, Berührungsängste oder die Unlust, sich im Museum mit etwas anderem als »schönen Dingen« zu beschäftigen, die verbreitete Meinung, eine zeithistorische Ausstellung könne letztendlich nur aus phantasielosen Photo-Textkombinationen im Stil einer chinesischen Wandzeitung bestehen, eine Zumutung für die Betrachter, die besser in Form eines Buches präsentiert würde[21] – natürlich gibt es viele Gründe, Zeitgeschichte nicht im Museum zu präsentieren. Dennoch: Sollte man sich nicht in Zukunft mehr der Herausforderung stellen, auch die eigene und die Vergangenheit unserer Zeitgenossen als notwendiges Thema der Museumsarbeit zu sehen, nicht allein schon deswegen, um damit zu zeigen, daß jede Epoche, die uns heute weit entfernt und damit höchst statisch erscheint, auch einmal so lebendig wie unsere Gegenwart war?

Anmerkungen

1 Ergebnis einer Umfrage der Landesstelle im Frühjahr 1995 im Vorfeld des 8. Bayerischen Museumstags 1995 »Lust und Leid. Ausstellungen im Museum«

2 Hierzu ausführlich: Eberhard Jäckel: Begriff und Funktion der Zeitgeschichte, in: ders./Ernst Weymar: Die Funktion der Geschichte in unserer Zeit. Stuttgart 1975, S. 162–176, hier 162 ff.

3 Im bayerischen Bereich z.B. Gottlieb Wahrmuth (Pseudonym für Joseph Kurz): Neueste Zeitgeschichte seit dem Frieden von Lüneville. Straubing 1807. Im Vorwort nennt der Verfasser als Absicht der Darstellung, *»als Zeitschriftsteller mit der Zeitgenossenschaft von einer wichtigen Periode zu einer anderen erzählend überzugehen und so ein verschlungenes Ganzes zu liefern.«*

4 Hans Rothfels: Zeitgeschichte als Aufgabe, in: Vierteljahreshefte für Zeitgeschichte 1 (1953), S. 1–8, hier S. 2 u. 6 ff.

5 Siehe z.B. Gerhard Schulz: Einführung in die Zeitgeschichte. Darmstadt 1992, S. 55 ff.

6 Karl Dietrich Bracher: Doppelte Zeitgeschichte im Spannungsfeld politischer Generationen – Einheit trotz Vielfalt historisch-politischer Erfahrungen, in: Bernd Hey/Peter Steinbach (Hgg.): Zeitgeschichte und politisches Bewußtsein, Internationale Tagung der Landeszentrale für politische Bildung des Landes Nordrhein-Westfalen am Zentrum für Interdisziplinäre Forschung der Universität Bielefeld im Auftrag des Ministers für Wissenschaft und Forschung des Landes Nordrhein-Westfalen. Köln 1986, S. 53–71, hier S. 56 ff.

7 Die Umfrage fand zur Vorbereitung der Neuauflage des bayerischen Museumshandbuchs statt. Einige der Ergebnisse faßt Christine Schmid-Egger in Museum heute 11 (1996), S. 30–36 zusammen. Daß die Begriffsverwirrung kein bayerisches Phänomen ist, zeigten die Beiträge zu einer Tagung des Museumspädagogischen Dienstes Hamburg 1986, die sich unter anderem mit Lebensperspektiven von Frauen in Altona um 1830 oder der Ausstellung »Erotik« im Frauenmuseum Bonn befaßten: Museumspädagogischer Dienst Hamburg (Hg.): Ausstellungen zur Zeitgeschichte. Beiträge einer Tagung im Museum der Arbeit Hamburg (= Argumente zur museumspädagogischen Praxis 5). Hamburg 1987

8 Zur Gesamtproblematik vgl. die Beiträge der Tagung des Museumsverbands Baden-Württemberg, »50 Jahre danach – Die Zeit des Nationalsozialismus in Museen und Ausstellungen«, Sigmaringen 8.–9.9.1995, veröffentlicht in: Museumsblatt 18 (1995), S. 3–38

9 Seit Oktober 1996 verfügt auch die bayerische Landeshauptstadt über ein Stück der Mauer am Rande des Englischen Gartens.

10 test, Zeitschrift der Stiftung Warentest, 4/96, S. 78–93

11 Presseinformation, Europa-Park Rust, Sommer 1996

12 Die Museen und Heimatstuben der Vertriebenen, die sich teilweise erstaunlich wenig zeitgeschichtlichen Aspekten zuwenden, werden hier nicht behandelt. Ihnen ist ein eigener Beitrag innerhalb dieser Publikation gewidmet.

13 Zur Definition von Mahnmalen und Gedenkstätten vgl. Hildegard Vieregg: Vom Umgang mit Mahnmalen und Gedenkstätten für Verfolgte und Widerständische im NS-Regime, in: dies./Marie-Louise Schmeer-Sturm/Jutta Thinesse-Demel/Kurt Ulbricht (Hgg.): Museumspädagogik in neuer Sicht. Erwachsenenbildung im Museum I. Baltmannsweiler 1994, S. 258–265. Hier auch (S. 259) die einschlägige ICOM-Definition; vgl auch den Tagungsbeitrag in Sigmaringen (s.o. Anm. 8) von Benigna Schönhagen: Zwischen Gedenken und politischer Bildung – Gedenkstätten in Baden-Württemberg, in: Museumsblatt 18 (1995), S. 10–21, und die dort S. 22 abgedruckte, in der Diskussion vorgetragene Einschätzung der Entwicklung der Dokumentationszentren und Gedenkstätten hin zu einem »Entsorgungsbetrieb« der NS-Vergangenheit

14 Ministerratsbeschluß vom 16.10.1990

15 Vgl. hierzu den Beitrag von Toni Siegert beim Bayerischen Heimattag 1995: »Zeitgeschichte als Regionalgeschichte: Beispiele aus Bayern«, abgedruckt in: Mitteilungen des Verbandes bayerischer Geschichtsvereine 17 (1996), S. 33–46
Vgl. auch: »Debatten um die lokale Zeitgeschichte. Methoden, Träger, Themen, Formen«, Dokumentation einer Studienkonferenz der Thomas-Morus-Akademie Bensberg in Zusammenarbeit mit dem Landschaftsverband Rheinland, Referat Heimatpflege (= Bensberger Protokolle 67). Bensberg 1990

16 Vgl. Eckard Dietzfelbinger: Der Umgang der Stadt Nürnberg mit dem früheren Reichsparteitagsgelände, (Hg.) Stadt Nürnberg/ Pädagogisches Institut (= Beiträge zur politischen Bildung 9/1990). Nürnberg 1990

17 Völlig ausgeklammert etwa bei Frank M. Andraschko/Alexander Link/Hans-Jakob Schulze: Geschichte erleben im Museum. Anregungen und Beispiele für den Geschichtsunterricht, Geschichte lehren und lernen, Schriftenreihe für Forschung und Unterricht. Frankfurt/M. 1992

18 Das Unbegreifliche begreifen, Rundgang durch die KZ-Gedenkstätte Dachau, und: Erinnern statt

Vergessen. Rundgang durch die KZ-Grab- und Gedenkstätte Flossenbürg, (Hg.) Museums-Pädagogisches Zentrum München (MPZ). München 1995; außerdem: Hildegard Vieregg: »Menschen seid wachsam«. Mahnmale und Gedenkstätten für die Opfer der NS-Gewaltherrschaft 1933–1945, Begleitbuch zum gleichnamigen Medienpaket, erstellt in Kooperation zwischen dem Museums-Pädagogischen Zentrum München und der Staatlichen Landesbildstelle Südbayern. München 1993

19 Informationsblatt des Sportkoordinators Matthias Riese, Juli 1996

20 Vgl. Museumsprospekt »Grenzlandmuseum Eichsfeld, Ausstellung zur deutschen Teilung« (1996)

21 Zur sinnlichen Wahrnehmung und zu Präsentationsformen von Geschichte im Museum, auf die hier nicht näher eingegangen werden konnte, vgl. Jörn Rüsen/Wolfgang Ernst/Heinrich Theodor Grütter (Hgg.): Geschichte sehen. Beiträge zur Ästhetik historischer Museen (= Geschichtsdidaktik Studien, Materialien, NF. 1). Pfaffenweiler 1988

Das Jüdische Museum Franken in Fürth wird in einem ehemaligen jüdischen Wohn- und Geschäftshaus eingerichtet. Zu dem Gebäude aus dem 17. Jahrhundert gehören ein Ritualbad und die im Hinterhof wiederentdeckte Laubhütte.

Otto Lohr

Jüdische Museen in Bayern

Ausgrenzung oder Erinnerung an eine verschwundene Kultur?

Zahlreiche jüdische Kultbauten sowie Privat- und Geschäftshäuser haben die Vertreibung und Vernichtung der Juden während der Hitlerzeit nur durch teilweise freiwilligen, aber meist erzwungenen Besitzerwechsel überstanden. Die Umnutzung der Synagogen und die Enteignung jüdischer Besitzer von Geschäften und Wohnhäusern begann vielerorts nach der Pogromnacht vom November 1938. Die Synagoge in Ichenhausen wurde zum Lagerhaus, die Veitshöchheimer zum kommunalen Feuerwehrhaus. In der Schnaittacher Synagoge richtete man gar ein Heimatmuseum ein. Die neue Funktion verlangte meist weitreichende Eingriffe in die Bausubstanz. Heute befinden sich die erhaltenen Gebäude häufig in kommunalem Besitz. Die überwiegend in die Denkmalliste eingetragenen Zeugnisse einer verschwundenen Kultur suchen eine neue Nutzung, nachdem sich nach 1945 in Bayern nur wenige jüdische Gemeinden wieder gründeten.

Der Erhalt von Zeugnissen jüdischer Geschichte ist denselben Kriterien unterworfen wie der anderer historischer Zeugnisse. Als adäquat gilt in der Regel eine kulturelle Nutzung. Die historischen Spuren der Veränderungen während der Nazizeit und nach 1945 werden jetzt vielfach zurückgebaut, das Aussehen der Gebäude rekonstruiert und somit wieder bereit für ihren ursprünglichen Zweck gemacht. Nur gibt es heute meist keine jüdischen Gemeinden mehr.

Der politische Wille zur Erhaltung und Dokumentation jüdischer Kultur in Bayern, zuletzt bekräftigt durch einen Beschluß des Bayerischen Landtages von 1988, manifestiert sich in der Schaffung von Museen, Begegnungs- und Gedenkstätten. Die Wiederherstellung von Zeugnissen jüdischer Kultur wird als Beitrag zur jüdisch-christlichen Verständigung gesehen. Sie soll den weiteren Verlust von Kenntnissen über jüdisches Leben verhindern, statt dessen das Verständnis für das jüdische Kulturerbe wecken, das besondere Aktualität in einer Zeit mit neuaufflammendem Antisemitismus erhält.

Bestehende und geplante jüdische Museen in Bayern

Mit der amerikanischen Fernsehserie »Holocaust«, die Mitte der 70er Jahre in Deutschland zu sehen war, wurde eine breitere Öffentlichkeit mit der Massenvernichtung der Juden während der Nazizeit konfrontiert. Infolge des aufgerüttelten Bewußtseins beschloß die Stadt Frankfurt am Main, das erste eigenständige jüdische Museum in Deutschland nach 1945 zu gründen. Den dafür notwendigen Beschluß faßte der Magistrat der Stadt bereits 1980. Bis zur Eröffnung des Museums vergingen noch weitere acht Jahre. Mitte der 80er Jahre gab es in Bayern lediglich in Augsburg ein jüdisches Museum in Verbindung mit der wiederhergestellten Synagoge.

Ein Auslöser in jüngerer Zeit für eine intensivere Beschäftigung mit der jüdischen Kultur war sicherlich die Ausstellung »Siehe der Stein schreit aus der Mauer«, eine Gemeinschaftsarbeit des Hauses der Bayerischen Geschichte und des Germanischen Nationalmuseums Nürnberg. Die Ausstellung fand 50 Jahre nach der Pogromnacht vom 9. auf den 10. November 1938 statt, in der die Gewalt gegen die jüdische Bevölkerung einen ersten Höhepunkt erreichte, dessen Ende die Vernichtung war und damit die Zerstörung einer fast tausendjährigen jüdisch-bayerischen Geschichte. Durch den Erfolg der Nürnberger Ausstellung verstärkte sich das Bemühen, die langjährige jüdisch-bayerische Geschichte auf regionaler Ebene wenigstens in Ansätzen aufzuarbeiten. Es entstanden im Anschluß daran vielerorts Projekte, die in kleine Museen und Dokumentationsstätten zur Geschichte jüdischer Kultusgemeinden in Bayern mündeten. Jüdische Organisationen sind in der Regel bei der Planung der neuen Institutionen beteiligt, selten jedoch Träger. Kulturelles Erbe der Juden wird nur in Ausnahmefällen wieder von Juden in Besitz genommen, wie es mit Synagoge und Kulturmuseum in Augsburg geschehen ist.

Häufig ist der einzige Hintergrund für die Schaffung eines jüdischen Museums die fälschliche Ansicht, daß das Museum eine angemessene und verträgliche Nutzung für ein Baudenkmal darstellt.

Eine Übersicht über derzeit bestehende und geplante Museen zur Geschichte des Judentums in Bayern belegt deutlich die steigende Tendenz:

Geöffnet sind die Museen und Dokumentationsstätten in Aschaffenburg (Städtische Dokumentation, 1984), Augsburg (Jüdisches Kulturmuseum, 1985), Ichenhausen (Synagoge und Dauerausstellung »Juden auf dem Lande – Am Beispiel Ichenhausen«, 1991), Urspringen (Synagogen-Museum, 1991), Veitshöchheim (Jüdisches Kulturmuseum und Synagoge, 1994), Ermreuth (Synagoge und Dokumentation, 1994) und ein privat geführtes Jüdisches Museum in München (1989). In verschiedenen Stadien von Planung und Ausführung befinden sich jüdische Museen in Ansbach (Synagoge, Dienerhaus), Buttenheim (Levi-Strauss-Museum), Georgensgmünd (Synagoge, Judenschul), Fürth (Jüdisches Museum Franken), Höchberg (Dokumentation in der ehem. Präparandenschule), Schnaittach (Außenstelle des Jüdischen Museums Franken) und Sulzbach-Rosenberg (Synagoge, Außenstelle des Heimatmuseums). Eine Einrichtung, die nur am Rande museal zu nennen ist, ist das 1987 eröffnete Jüdische Dokumentationszentrum Würzburg, das dem Stadtarchiv angegliedert ist und sich mit der städtischen Geschichte der Juden befaßt. In Augsburg-Kriegshaber und Kronach bestehen Planungen, die örtlichen Synagogen als Kulturzentren zu nutzen. Neben den Spezialmuseen gibt es beispielsweise im Reichsstadtmuseum in Rothenburg o. d. Tauber, im Stadtmuseum Regensburg, im Heimatmuseum Gunzenhausen und im Fränkische-Schweiz-Museum in Tüchersfeld eigene Abteilungen zur örtlichen und regionalen jüdischen Geschichte.

Die jüdischen Museen befinden sich häufig in ehemaligen Synagogen, die in der Pogromnacht 1938 nicht oder nicht gänzlich zerstört wurden, oder in Geschäfts- und Privathäusern, die vormals im Besitz jüdischer Deutscher waren. Der Zerstörungsaktion der Nationalsozialisten entgingen die Sakralbauten häufig nur, weil sie nicht mehr in jüdischem Besitz waren oder weil ihre Zerstörung auch eine Gefährdung der angrenzenden nichtjüdischen Häuser bedeutet hätte. Nach den zwischenzeitlich verschiedensten Nutzungen sieht das denkmalpflegerische Konzept in der Regel die bauliche Wiederherstellung der Synagoge vor. In Ansbach, Augsburg, Ichenhausen und Veitshöchheim wurden auch die Inneneinrichtungen ergänzt, rekonstruiert oder nachempfunden. Die Sanierung der Synagogen von Ermreuth, Schnaittach und Urspringen erfolgte ohne Rekonstruktion der Innenausstattung. In Georgensgmünd konnte die bedeutende Malerei aus dem 18. Jahrhundert wieder hergestellt werden.

Zwei Zentren jüdischer Kultur

Die beiden größeren Einrichtungen in Bayern stellen derzeit das Jüdische Kulturmuseum Augsburg und das geplante Jüdische Museum Franken Fürth und Schnaittach dar. Die Stiftung Jüdisches Kulturmuseum Augsburg-Schwaben ist der Träger des Museums, das in Verbindung mit der 1985 wiedereröffneten Synagoge zugänglich ist. Die Ausstellung nimmt wenig Bezug auf die lange Geschichte der Juden in Augsburg, die mit der ersten urkundlichen Erwähnung des Juden Joseph von 1212 beginnt. Nachdem 1438 alle Juden Augsburg verlassen mußten, stieg erst ab dem 19. Jahrhundert die Zahl der Juden wieder stetig an. Seit 1858 bestand in der Wintergasse ein Bethaus, das bereits 1863 erweitert werden mußte. Für die wachsende Gemeinde war es bald wieder zu klein. 1917 erfolgte die feierliche Einweihung der neuen Synagoge in der Halderstraße. Am 10. November 1938 wurde die Synagoge in Brand gesteckt. Das Feuer konnte rasch gelöscht werden, es folgten jedoch weitere Verwüstungen und Plünderungen. Nach dem 2. Weltkrieg bestand bereits im Jahr 1946 eine kleine jüdische Gemeinde.[1] Die wiederhergestellte Synagoge wurde am 1. September 1985 nach fast zehnjährigem Wiederaufbau erneut eingeweiht. Das Gotteshaus ist ein fester Bestandteil des Rundgangs durch das Jüdische Kulturmuseum. In den Nebenräumen der Synagoge ist derzeit eine Schau von Kult- und Ritualgegenständen aus dem 17. bis 19. Jahrhundert zugänglich. Die Sammlung besteht überwiegend aus Leihgaben des Bayerischen Nationalmuseums München. Eine

Den Hauptraum der ehemaligen Schnaittacher Synagoge sieht das Museumskonzept als Erinnerungsort vor, in dem die historischen Spuren seit der Erbauung um 1735 bis in die jüngste Zeit weitgehend sichtbar bleiben.

geplante Erweiterung der Dauerausstellung um einen historischen Teil zur allgemeinen Geschichte des Judentums und eine Dokumentation der jüdischen Geschichte in Schwaben und Augsburg wurde bis heute nicht verwirklicht.

Die zweite große museale Einrichtung in Bayern wird das voraussichtlich 1998/99 zu eröffnende Jüdische Museum Franken Fürth und Schnaittach. Die Eröffnung der Außenstelle in Schnaittach ist bereits für 1996 vorgesehen. Ein Trägerverein aus Bezirk Mittelfranken, Stadt Fürth, Markt Schnaittach und Landkreis Nürnberger Land betreibt die Museen. In Fürth ist ein ehemals jüdisches Wohnhaus in der Königstraße vorgesehen, in dem sich eine Mikwe (Ritualbad) und eine Laubhütte befinden. Das Gebäude, das bis 1893 in jüdischem Besitz war, ließ wahrscheinlich Moses Schlenker nach 1620 erbauen.[2] Die besondere Lage Fürths, an der Nahtstelle dreier Territorien, des Markgrafen von Ansbach, der Dompropstei von Bamberg und der Reichsstadt Nürnberg, begünstigte die Entstehung einer jüdischen Gemeinde.[3] Juden sind seit dem 15. Jahrhundert in Fürth nachweisbar. Anfang des 19. Jahrhunderts waren nahezu ein Viertel der Fürther Einwohner jüdischen Glaubens. Einen ausgezeichneten Ruf hatte die Fürther Talmudschule, die vom 17. Jahrhundert bis ins 1. Viertel des 19. Jahrhunderts bestand. Jüdische Druckereien, ein eigenes Waisenhaus, eine eigene Schule und ein eigenes Krankenhaus zeugten von der Lebendigkeit der jüdischen Gemeinde. Die Sammlung des Museums umfaßt hebräische Drucke, biographisches Material, Graphiken, Photos, Kult- und Ritualgegenstände. Rund 300 m² Ausstellungsfläche stehen zur Verfügung. Das Rahmenkonzept sieht im Erdgeschoß einen Kommunikationsbereich mit Cafeteria und einer Einführung in die Geschichte des Hauses vor. Das 1. Obergeschoß ist der Dauerausstellung vorbehalten mit den thematischen Schwerpunkten: Geschichte der Juden in Fürth, die ihren Höhepunkt in der Zeit vom 17. Jahrhundert bis ins frühe 19. Jahrhundert hatte, und jüdische Religion als konstitutives Element jüdischen Lebens. Im 2. Obergeschoß finden regelmäßig Wechselausstellungen statt. Das Museum beherbergt gemäß der Satzung des Trägervereins eine Forschungsstelle zur jüdischen Geschichte Mittelfrankens.

In Schnaittach, einer ehemals bedeutenden jüdischen Landgemeinde, entsteht eine Außenstelle des Jüdischen Museums Franken. Der Gebäudekomplex besteht aus einem Doppelhaus, das früher als Wohnung für den Rabbiner und den Schuldiener sowie als Schule diente, und aus der Synagoge. Im Gebäude befinden sich zwei unterirdische Ritualbäder. Die Synagoge wurde 1938 nicht niedergebrannt, verlor aber ihre kultische Funktion. Seit 1939 ist darin das Heimatmuseum eingerichtet. Die Jahreszahl 1570 an einem Rundbogenfenster der Synagoge zur Straßenseite bezeugt die frühe Existenz einer Judenschul in Schnaittach. Der Hauptraum erhielt wohl 1735 seine heutige Gestalt. Ein Jahr später erfolgte eine Erweiterung nach Süden um einen Frauenbetraum mit eigenem Eingang. Das angrenzende Rabbinerwohnhaus ist in seiner heutigen Form 1708 entstanden. Wahrscheinlich gab es bereits einen Vorgängerbau aus dem frühen 17. Jahrhundert. 1642 ist dieser Bau als »abgegangen« aufgeführt.[4]

Als Themen für die jüdische Abteilung des Heimatmuseums und Außenstelle des Jüdischen Museums Franken sind vorgesehen: Geschichte der Juden in Schnaittach und in den fränkischen Landgemeinden der Umgebung, Geschichte des Museums, Grundlagen der jüdischen Religion unter den Aspekten Erinnerung, Wohltätigkeit, häusliche Formen religiösen Lebens sowie persönliche Erinnerungsstücke Schnaittacher und Hüttenbacher Juden. Die Innenausstattung der Männersynagoge wird nicht rekonstruiert. Der Raum dient als Ort der Erinnerung und wird hauptsächlich für Wechselausstellungen genutzt.

Erinnern als Wiederherstellung oder Spurensuche

»Das Erinnern prägt als ein lebenswichtiger menschlicher Akt unsere Verbindungen zur Vergangenheit, und die Art und Weise, wie wir erinnern, bestimmt uns in der Gegenwart.«[5] Auch im jüdischen Leben ist die Erinnerung von zentraler Bedeutung. Wie wird damit in jüdischen Museen als öffentlichen Orten der Erinnerung umgegan-

Bei der Umnutzung der Schnaittacher Synagoge 1939 zu einem Heimatmuseum erhält der Opferstock aus dem 18. Jahrhundert, die Hand ist 1858 ergänzt, eine neue Funktion als Spendenbüchse für das Museum.

Nach der aufgrund alter Fotos in einem Zustand um 1930 erfolgten Rekonstruktion des Innenraums der Synagoge Veitshöchheim können dort wieder Gottesdienste stattfinden.

gen? Ein Vergleich der jüdischen Museen in Veitshöchheim und in Urspringen, beide in Unterfranken, verdeutlicht zwei verschiedene Ansätze.

Spätestens seit der 2. Hälfte des 17. Jahrhunderts gibt es eine jüdische Gemeinde in Veitshöchheim. Um 1935 löste sich die Kultusgemeinde auf.[6] Nach 1945 erfolgte kein Wiederbeginn. Synagoge, Vorsängerhaus, Genisa-Museum und ein Neubau für Ausstellungen, Bibliothek und Depot bilden das Museum. Die Synagoge, erbaut um 1730 (nach 1727), ist in ihrer ursprünglichen Substanz weitgehend erhalten. Bis ca. 1926/30 nutzte die Kultusgemeinde Synagoge und Vorsängerwohnung. In der Pogromnacht vom 9./10. November 1938 blieb die Synagoge verschont. Den Sakralbau erwarb die Kommune für ein geringes Entgelt und baute ihn 1940 zu einem Feuerwehrgerätehaus um.[7] Erst dabei wurde die Innenausstattung zerstört. In den 80er Jahren beschloß die Gemeinde, ein

Die Sanierung des Innenraums der Synagoge Urspringen bewahrt auch die Zerstörungen an Toraschrein und Bima und konserviert damit die Erinnerung an den Novemberpogrom 1938.

kommunales Galerie- und Ausstellungshaus zu errichten. Während der Bauarbeiten, anläßlich einer Grabung des Landesamtes für Denkmalpflege, wurden im Fußboden der Synagoge zahlreiche Originalteile von Toraschrein (Aron Hakodesch), Lesekanzel (Almemor) und weitere Teile der Ausstattung gefunden. Material genug, um nach Ansicht des Landesamtes die ehemalige Ausstattung zu rekonstruieren. Daraufhin beschloß die Gemeinde Veitshöchheim eine Nutzungsänderung: die Synagoge wird originalgetreu wiederhergestellt als intakter und liturgiefähiger Sakralbau im Bauzustand um 1930. Zusätzlich wurde die Freilegung der Mikwe (Tauchbad zur rituellen Reinigung) im nordöstlichen Eckraum der Synagoge durchgeführt. Die jüdische Kultusgemeinde Würzburg signalisierte Bereitschaft, die Synagoge nach ihrer Wiederherstellung einmal jährlich für einen Gottesdienst zu nutzen. Durch die Entdeckung der Genisa, darunter versteht man die mit dem Namen Gottes versehenen meist in den zwickelartigen Hohlräumen über dem hölzernen Tonnengewölbe der Synagoge verborgenen Schriften und Dokumente, hatte man genügend Zeugnisse aus dem Alltagsleben der jüdischen Gemeinde. Das Museumskonzept sieht vor, den als Kultraum wiederhergestellten Hauptraum der Synagoge und die Nebenräume (Schule und Wohnung des Vorsängers) in den Rundgang zu integrieren. Im benachbarten Genisa-Museum sind als Dauerausstellung folgende Themen aufbereitet: Grundlagen des jüdischen Glaubens (Tora, Talmud), Rabbiner – Schriftgelehrter und geistiges Oberhaupt der Gemeinde, Gebet und Segen, religiöse Zeichen im jüdischen Haus, Sabbat, Literatur des Judentums, Jüdische Gemeinde Veitshöchheim, Handel und Wirtschaftsleben, eine jüdische Familie in Veitshöchheim sowie das jüdische Jahr mit seinen Festen und Feiertagen. Das Museum ist seit 1994 geöffnet.

Unterschiedlich dagegen ist die Konzeption in Urspringen, das als jüdische Landgemeinde zu keiner Zeit die Bedeutung von Veitshöchheim erreichte. Träger der Einrichtung ist der Förderverein »Synagoge Urspringen«, bestehend aus Landkreis Main-Spessart und der Gemeinde Urspringen. Eine jüdische Gemeinde ist hier ebenfalls seit Mitte des 17. Jahrhunderts nachgewiesen. Die jüdische Schule schloß wegen der schwindenden Zahl der Gemeindemitglieder 1916. Der jüdische Gottesdienst wurde in Urspringen 1939 verboten.[8] Die Synagoge ließ die Gemeinde 1803 im Stil des Klassizismus erbauen. *»Sie repräsentiert die hugenottische Sakralarchitektur mit zwei auf drei Fensterachsen, sich über die gesamte Wandhöhe erstreckenden Fenstern sowie Tonnengewölbe und dreiseitig umlaufender Frauenempore im Innern«.*[9] Die Ausrichtung der Sitzbänke erfolgte traditionellerweise auf den Almemor (Tisch zur Vorlesung der Tora). Eine Änderung der Inneneinrichtung vollzog die Gemeinde als Folge der innerjüdischen Reformbewegung 1860 mit der Ausrichtung der Sitzbänke auf den Toraschrein. Die 1932 renovierte Synagoge verwüsteten die Nazis in der Pogromnacht 1938. Wegen der dichten Bebauung steckten sie das Gebäude jedoch nicht in Brand. Der Sanierung der Synagoge liegt die Raumkonzeption von 1803 zu Grunde. Die Zerstörungen der Pogromnacht und der folgenden Jahre wurden bei der Sanierung nicht beseitigt, sondern bleiben den Besuchern als historische Spuren gegenwärtig. *»Ausdrücklich nahm man Abstand von allen ›Heilungs‹-oder ›Wiedergutmachungsversuchen‹ im Sinne einer Wiederherstellung als Kultraum. Auf eine Ausstattung des Innenraums als Synagoge wurde verzichtet. Die Geschichte und das Ende der Urspringer jüdischen Gemeinde durch Vernichtung sollte sich selbst dem Betrachter mitteilen.«*[10] Die ehemalige Synagoge ist heute eine Gedenk- und Dokumentationsstätte des Judentums für den Landkreis Main-Spessart. Die Entdeckung der Genisa 1988 brachte ausreichend historisches Material hervor, um die Geschichte der jüdischen Landgemeinde Urspringen zu veranschaulichen. Die ehemalige Männersynagoge nutzt der Förderverein für kulturelle Veranstaltungen. Die Aufstellung von Schautafeln und Vitrinen kam deshalb nicht in Frage. Die Dauerausstellung fand in Vitrinen in den Fensterlaibungen auf der Frauenempore Platz. Folgende Themen mit dem Schwerpunkt der Bedeutung der Religion für das Judentum sind aufbereitet: Jüdische Gemeinden im Landkreis Main-Spessart, Erläuterungen zur Urspringer Synagoge, Jüdischer Kalender, Sabbat, Fest- und Gedenktage, Jüdisches Gebet, Jüdische Fest- und Feiertage, Religion im Lebenslauf, Kleidung und Zubehör des orthodoxen Juden und die Tora. Das didaktische Konzept sieht eine kurze Betextung in den Vitrinen vor. Zur weiteren Information für interessierte Besucher liegen Handblätter mit zusätzlichen Erläuterungen aus. Die Eröffnung des Museums fand am 10. November 1991 statt.

An welche jüdische Geschichte wird in den jüdischen Museen erinnert? Die Objekte entstammen der persönlichen, religiösen und kollektiven Erinnerung. Sie bewahren die Erinnerung an das bürgerliche Judentum der Jahrhundertwende, das Alltagsleben gewöhnlicher Juden, an künstlerische, wissenschaftliche und geistige Leistungen und an das persönliche Leben einzelner Juden. Inszenierungen vermitteln atmosphärische Eindrücke von Familienfesten und Bräuchen. Weder eine Konzentration auf einzelne bedeutende Juden noch auf die Gemeinschaft als soziales Gebilde steht im Vordergrund. Die Erinnerung der Juden ist seit dem 19. Jahrhundert mehr von geschichtlicher Erfahrung als vom Festhalten an religiöser Tradition geprägt, trotzdem steht die Vermittlung von Grundlagen jüdisch-religiöser Lebensweise in den Museen häufig im Vordergrund, am deutlichsten in der Dauerausstellung in Urspringen. Eine Dokumentation des Zusammenlebens von Christen und Juden findet in den Museen nicht statt, ebensowenig wie die des örtlichen Antisemitismus.

Historische Zeugnisse sind selten

Ist die Schaffung eines jüdischen Museums erst einmal beschlossen, stellt sich sehr bald die Frage, wie und was man überhaupt ausstellen kann und soll. Die Diskussionen um die Museumskonzeption lassen sich grob in zwei Positionen teilen: Jüdische Vertreter haben den Wunsch, die Kultur und Geschichte der Juden affirmativ und positiv darzustellen, während die deutsche Seite die Funktion des Mahnmals zur Erinnerung an Verfolgung und Vernichtung der Juden während der Zeit des Nationalsozialismus in den Vordergrund stellt. Das Besondere an den jüdischen Museen ist, daß sie nicht wie andere kulturhistorische Museen auf eine positive Geschichte verweisen können, sondern immer als Gedenkorte oder als Orte der Erinnerung entstehen. Jüdisches Leben und Kultur allein als Verfolgungs- und Unterdrückungsgeschichte zu betrachten, vermittelt ein einseitiges Geschichtsbild. Der Blick auf die jüdische Geschichte nach dem Holocaust ist jedoch ohne die Vergegenwärtigung der nationalsozialistischen Massenvernichtung nicht denkbar.[11] Genauso wichtig ist es jedoch zu zeigen, was mit der Vernichtung der Juden verloren gegangen ist.

Nach 1945 mußten Judaica, soweit sie die Nazizeit überdauert hatten, an die rechtlichen Nachfolger der jüdischen Gemeinden abgegeben werden. Die Regierung der USA erließ 1947 für die amerikanische Zone ein Restitutionsgesetz als offizielle und legale Handhabe zur Klärung des Verbleibs von jüdischem Privat- und Gemeindebesitz. Beauftragt war damit die Jewish Restitution Successor Organization (JRSO) mit ihrer Unterorganisation Jewish Cultural Reconstruction (JCR). Soweit die ehemaligen Besitzer nicht ermittelt werden konnten, übergab die JCR die Judaica an Museen vorwiegend in Israel und in den Vereinigten Staaten von Amerika.[12] Für die heutigen Museumsvorhaben bedeutet das, daß die Objektlage meist recht dürftig ist. Selten hat ein Museum das Glück, eine bedeutende Sammlung von Kultgeräten, wie die im Jüdischen Kulturmuseum Augsburg ausgestellte Sammlung des Bayerischen Nationalmuseums, oder einen gewachsenen Bestand an Ritual- und Alltagsgeständen wie in Schnaittach zu besitzen. Wenn nicht historische Zeugnisse oder Sammlungen aus Privatbesitz, in der Regel von ehemaligen jüdischen Einwohnern, an das Museum gegeben oder geliehen werden, bilden hauptsächlich in jüngerer Zeit entdeckte Genisot den Grundstock für die museale Präsentation. Unter dem aus der Synagoge geborgenen Material findet man verschiedenste Gegenstände, die nach dem jüdischen Glauben nicht weggeworfen werden konnten, da sie mit dem Namen Gottes versehen waren. In manchen Gemeinden lagerte man dort alles, was mit der Religionsausübung zu tun hat. Letztendlich handelt es sich immer um gleichartiges Material, das für den Spezialisten äußerst wertvoll ist, sich aber nur schwer für den interessierten Besucher museal abwechslungsreich aufbereiten läßt. Ein typischer Genisafund enthält eingelagerte Zeugnisse aus Papier (Bücher, Kalender, Rechnungen, Gebetbücher, Lesebücher, Spendenquittungen u. ä.), Leder (Gebetsriemen, sog. Tefilinkapseln), Textil (Torawimpel) und Metall, die Aufschluß geben über das Innenleben einer jüdischen Gemeinde über 100 oder auch 200 Jahre. Der Erhaltungszustand der Funde, die nie mehr ans Tageslicht kommen sollten und schon gar nicht für eine Präsentation im Museum gedacht waren, ist durch die lange Lagerzeit unter ungünstigsten Bedingungen entsprechend schlecht. Ein präsentabler Zustand der Objekte läßt sich häufig nur mit großem finanziellen Aufwand erreichen.

Eine nicht vorhandene Sammlung kann auch zu kreativen Lösungen führen. Vom jüdischen Museum in Hohenems in Vorarlberg ging 1995 die Projektreihe »EIN VIERTEL STADT« aus, die *»die Häuser des jüdischen Viertels für drei Abende zu Trägern ihrer eigenen Geschichte werden ließ. Auf die Wände dieser Häuser projizierte Diaserien vermittelten die Geschichte des Hauses und seiner ehemaligen Besitzer und Bewohner oder die ehe-*

In einer vom Jüdischen Museum Hohenems erarbeiteten Projektreihe EIN VIERTEL STADT machen Lichtbildprojektionen mit historischen Dokumenten auf ehemals jüdische Einrichtungen und Häuser das verschwundene jüdische Viertel in Hohenems, Vorarlberg, zeitweise lebendig. Die inzwischen als Feuerwehrhaus genutzte Synagoge erhält in der Projektion ihre ursprüngliche Funktion vorübergehend zurück.

malige Funktion eines Gebäudes«.[13] Diese Aktion machte kurzzeitig den Zusammenhang zwischen den Häusern des jüdischen Viertels und der jüdischen Geschichte des Ortes Hohenems sichtbar, wie er museal wohl nicht so leicht darstellbar ist.

Integration oder Ausgrenzung

»Die in Jüdischen Museen verwahrten Objekte sind ... nicht nur Zeugen dieser Kultur, sie verweisen immer auch auf die große Katastrophe, die Shoa«.[14] Juden stehen der Einrichtung jüdischer Museen in Deutschland häufig ambivalent gegenüber. Durch die Zunahme von Juden aus Osteuropa sinkt das Interesse an der deutsch-jüdischen Geschichte weiter. Jüdische Geschichte in Deutschland ist immer die Geschichte einer Minderheit. Religion und Kult der Juden gaben durch ihre Fremdartigkeit in allen Jahrhunderten Anlaß für Diskriminierung und Verfolgung. Wenn man bei der musealen Präsentation gerade die Besonderheiten der Minderheit betont, besteht die Gefahr, daß sich der Eindruck des Fremdartigen verstärkt. Zugespitzt kann man sagen, die Ausgrenzung der jüdischen Geschichte von der Geschichte der jeweiligen Region findet heute im Spezialmuseum statt. Mit der Schaffung eines Spezialmuseums umgeht man das Angebot der Identitätsbildung an die in der Region lebenden Menschen mit ihrer Geschichte durch das Museum. Im Fall der jüdischen Museen ist das auch nur bedingt möglich, weil nach ihrer staatlich betriebenen Ausrottung kaum mehr Juden in Bayern leben. Mit der Dokumentation des Zusammenlebens und der Einbeziehung in die jeweilige Stadt- und Ortsgeschichte

ließe sich die Isolierung der jüdischen Geschichte als etwas Besonderes vermeiden. Integriert in die stadtgeschichtliche Ausstellung gibt es in den Museen in Rothenburg o.d. Tauber, Gunzenhausen oder Regensburg Abteilungen zur jüdischen Geschichte, die manchmal nur aus einer Vitrine bestehen. Die Musealisierung der jüdischen Vergangenheit ist häufig verbunden mit der Sanierung und Restaurierung von Synagogen. So verdienstvoll die Sanierung einer Synagoge für den Erhalt eines städtebaulichen Ensembles oder als einzelnes architektonisch wertvolles Monument sein mag, bedeutet die vollständige Wiederherstellung von Synagogen einschließlich der Innenausstattung immer auch eine Verfälschung von Geschichte. Indem die Zerstörung der jüdischen Einrichtungen durch die Nationalsozialisten oder in der Zeit nach 1945 zerstört werden, wird zugleich durch die Beseitigung von historischen Spuren die Erinnerung verhindert. Geschichte wird so bewahrt, ohne daß eine Verbindung zu Nationalsozialismus und Antisemitismus hergestellt werden kann. Auf die Frage »Hat diese Wiederherstellung von Synagogen an Orten ohne Juden einen Sinn?« antwortet Schalom Ben-Chorin: *»Nur zögernd kann ich antworten. Aus Stätten des lebendigen Glaubens wurden Mahnmale. Aber auch sie haben Sinn und Bedeutung, zeigen sie doch, vor allem der jungen Generation, daß es einmal ein bodenständiges deutsches Judentum gegeben hat, dessen Wurzeln bis in die Römerzeit hinabreichen.«*[15]

Die jüdischen Museen in Bayern sind nicht als Mahnmale des Holocaust konzipiert, sondern sie dokumentieren die Geschichte und Kultur der jüdischen Bevölkerung. Sie bewahren *»Erinnerungsstücke an jene Menschen, die in und mit dieser Kultur lebten«*[16], und sollen das Interesse an der durch die Vernichtung der Juden verschwundenen Kultur wecken. Nicht die Festschreibung einer isolierten jüdischen Geschichte ist das Ziel, sondern ein Museum in seiner Funktion, soziales Gedächtnis zu sein. Die Musealisierung des Judentums bewirkt einerseits die Erinnerung an eine langjährige jüdisch-bayerische Geschichte, andererseits fördert sie auch, was nicht sein sollte, das Vergessen. Das Museum wird so leicht zum Ort der in unserer Gesellschaft funktionslos gewordenen Gegenstände.[17]

Ausblick

Wodurch unterscheiden sich jüdische Museen von nichtjüdischen Museen oder von Museen anderer Glaubensgemeinschaften wie den Diözesanmuseen? Liegt ein Unterschied darin, daß solch ein stark emotional belastetes Thema der negativen Seiten der deutschen Geschichte eher Beklommenheit und Unsicherheit hervorruft? Das Museum hat nicht nur die Aufgabe, die Erinnerung an die verschwundene jüdische Kultur im kulturellen Gedächtnis einer Stadt, in der keine Juden mehr leben, zu verankern[18] und die staatlich betriebene Vernichtung der Juden zu dokumentieren, sondern auch auf die Zukunft gerichtet zu sein. Die Einbeziehung jüdischen Lebens von heute bietet eine Chance, die Unsicherheit im Umgang mit der fremdartigen Kultur zu verringern. Es kann dabei sicher nicht Ziel einer falsch verstandenen philosemitischen Einstellung sein, jede ehemalige jüdische Gemeinde zu musealisieren. Jedoch kann die Geschichte jeder einzelnen Gemeinde dokumentiert werden. Um dieses Desiderat der Forschung zu verwirklichen, bietet sich die Bildung von musealen Zentren zur jüdischen Geschichte in ehemals und heute wieder bedeutenden jüdischen Gemeinden an. So könnte das gerade im Aufbau begriffene Jüdische Museum Franken Fürth und Schnaittach zu einer Forschungsstätte für die jüdische Geschichte Mittelfrankens ausgebaut werden, in der mit entsprechender personeller Ausstattung regionales jüdisches Kulturgut gesammelt und dokumentiert wird. Die dort erarbeiteten Ortsgeschichten können den einzelnen Städten und Gemeinden im Rahmen von Ausstellungen oder Dokumentationen zur Verfügung gestellt werden. Sichergestellt wäre damit nicht nur die materielle Verwahrung von Spuren und Zeugnissen, sondern auch eine kontinuierliche Arbeit des »Erinnerns« mit Schulklassen und in der Erwachsenenbildung, bei der das Museum seine Funktion als eine der Öffentlichkeit zugewandten Bildungseinrichtung behält. Was für alle Museen zutrifft, gilt für Jüdische Museen besonders. Wenn sie nicht entsprechend geöffnet und personell ausgestattet sind, können sie ihren Vermittlungsauftrag nicht erfüllen und bleiben eher »Alibi-Unternehmungen des schlechten Gewissens«.

Anmerkungen

1 Hans-Uwe Rump: Jüdisches Kulturmuseum Augsburg. Bayerische Museen, Bd. 6. München/Zürich 1. Aufl. 1987, S. 7–8
2 Zur Hausgeschichte des Gebäudes Königstraße 89, vgl. Heinrich Habel: Stadt Fürth. Denkmäler in Bayern V, 61. München 1994, S. 218
3 Gerhard Renda: Die jüdische Gemeinde von Fürth. In: Bernward Deneke u.a. (Hg.): Siehe der Stein schreit aus der Mauer. Geschichte und Kultur der Juden in Bayern. Ausstellungskatalog. Nürnberg 1988, S. 239–240
4 Gerhard Renda: Die Bauten der jüdischen Gemeinde in Schnaittach. In: Der Landesverband der israelitischen Kultusgemeinden in Bayern, 4 (1985), S. 14
5 Andreas Huyssen: Denkmal und Erinnerung im Zeitalter der Postmoderne. In: Mahnmale des Holocaust. Motive, Rituale und Stätten des Gedenkens. (Hg.) James E. Young. München 1994, S. 9
6 Ludwig Wamser: Archäologie und Zeitgeschichte. Untersuchungen in der ehemaligen Synagoge zu Veitshöchheim. In: Geschichte und Kultur der Juden in Bayern. Aufsätze. (Hgg.) Manfred Treml und Josef Kirmeier unter Mitarbeit von Evamaria Brockhoff. München 1988, S. 535
7 Israel Schwierz: Steinerne Zeugnisse jüdischen Lebens in Bayern. Eine Dokumentation. (Hg.) Bayerische Landeszentrale für politische Bildung. 2. Auflage München 1992, S. 130–131
8 Leonhard Scherg: Die jüdische Gemeinde Urspringen und ihre Synagoge. In: »... auf höhere Weisung abgewandert«. Karlstadt 1990, S. 55–56
9 Christoph Daxlmüller: Die Zeit des Alltags. Jüdische Lebensformen in fränkischen Landgemeinden. In: Archäologie und Geschichte. Schriften des Fränkische-Schweiz-Museum, Bd. 3. Bayreuth o.J., S. 75
10 Emil Hädler: Die ehemalige Synagoge in Urspringen. In: Das Bauzentrum 7/92 – Denkmalpflege, S. 18
11 Cilly Kugelmann: Das Jüdische Museum als Exponat der Zeitgeschichte. In: Wiener Jahrbuch für jüdische Geschichte, Kultur & Museumswesen, Bd. 2 (1995/96), S.46
12 Kat. Ausst. »Was übrig blieb. Das Museum jüdischer Altertümer in Frankfurt 1922–1938«. Frankfurt am Main 1988, S. 35
13 Eva Grabherr: Erinnerung ist Erinnerung an etwas Vergessenes. In: Wiener Jahrbuch für jüdische Geschichte, Kultur & Museumswesen, Bd. 2 (1995/96), S. 71
14 Kat. Ausst. »Beschlagnahmt. Die Sammlung des Wiener Jüdischen Museums nach 1938«. (Hg.) Bernhard Purin. Wien 1995, S. 5
15 Ben-Chorin Schalom: Ein Grußwort aus Jerusalem. In: Rainer Hofmann, Ilse Sponsel: Führer durch die Synagoge. Sammlungsführer durch das Fränkische-Schweiz-Museum, Bd. 1. Bayreuth 1988, S. 9
16 Wie Anm. 14
17 Eva Sturm: Konservierte Welt. Museum und Musealisierung. Berlin 1991, S. 46
18 Siehe Anm. 13, S. 75

Sequenz »Vertreibung« in der Ausstellung »Odsun – die Vertreibung der Sudetendeutschen«, Sudetendeutsches Archiv 1995. Leiterwagen aus dem Riesengebirgsmuseum Marktoberdorf

Walter Fuger

Vom Fluchtgepäck zum Museum

Vertriebenenmuseen in Bayern

So fragwürdig Gedenktage oder Gedenkjahre, Jubiläen oft sein mögen, so wichtig kann es auch sein, durch gezielte, durch konzentrierte »Erinnerung« zur Information, zur Bildung, zu einem veränderten Bewußtsein beizutragen. 1995, also 50 Jahre nach dem Ende des 2. Weltkriegs, war eines dieser Gedenkjahre mit einer bedeutenden Zahl von ernsthaften, weitestgehend objektiven Veranstaltungen, also Vorträgen, Friedensbekundungen und von Sonderausstellungen in Kirchenzentren, in Rathäusern und besonders häufig in historisch bzw. kulturhistorisch orientierten Museen.

Der mögliche Nutzen solcher kompakt angebotenen Aktivitäten ist sicher unbestritten. Eine Gefahr kann jedoch gleichzeitig darin liegen, seiner Verpflichtung aus Anlaß eines Gedenkjahres, also in einem zeitlich begrenzten Abschnitt nachgekommen zu sein, ohne daraus etwas in die Zukunft Wirkendes zu entwickeln. Nationalsozialismus und Krieg mit ihren menschenverachtenden Zuständen, Begleiterscheinungen und weitreichenden Folgen waren lange und sind in einzelnen Fällen auch heute noch Phänomene, Problembereiche, die gerne verdrängt, an den Rand des Alltäglichen gedrängt werden. Es kann keinesfalls ausreichen, unter einem möglicherweise moralischen Zwang sich termingerecht konform zu verhalten, um danach ruhigen Gewissens das Thema abhaken zu können.

Auch das Jahr 1996 schließt sich als erweitertes Gedenkjahr an für die nach dem Krieg anhaltende Welle von Flucht und Vertreibung mit ihren auch heute noch nicht abgeschlossenen Auswirkungen.

Das Sudetendeutsche Archiv in München hat 1995 eine der wichtigsten Ausstellungen zu diesem Thema »Odsun. Die Vertreibung der Sudetendeutschen« präsentiert, eine von Historikern erarbeitete Ausstellung, die bereits in verschiedenen Städten der Bundesrepublik Deutschland gezeigt wurde. Der Wunsch besteht und auch die Hoffnung, daß diese Ausstellung in weiterentwickelt zweisprachiger Form auch in Tschechien der Bevölkerung angeboten werden kann.

Im Begleitband dieser Ausstellung hat Friedrich Prinz in der Einleitung zu seinem Beitrag »›Odsun Němců‹ die Vertreibung der Sudetendeutschen 1945: Ein kritischer Rückblick« den Zustand bis in die Gegenwart hinein so knapp wie zutreffend formuliert: *»In einer Welt in der Massenvertreibungen, Genozid und Kampf der Nationalitäten und Rassen sozusagen alltägliche Erscheinungen geworden sind, die vielfach kaum mehr als ein müdes Rascheln im Blätterwald der Weltpresse hervorzurufen vermögen, könnte es vielleicht müßig erscheinen, über die Vorstadien einer Massenvertreibung zu berichten, die vor 50 Jahren stattfand, nämlich die Vertreibung, den ›Odsun‹, von 3,5 Mio. Deutschen aus der Tschechoslowakei nach dem Ende des Zweiten Weltkrieges.«* [1]

Hier setzt nun, um das vorwegzunehmen, die bzw. eine der Funktionen der Sammlungen und Museen der Vertriebenen ein, die nicht auf spektakulären, schnellen Erfolg, sondern, zunächst im Idealfall, auf Dauerhaftigkeit und Gültigkeit der Aussage angelegt sind bzw. sein sollen.

Staatliche und kommunale Fürsorge

Anlaß und Bedeutung solcher Einrichtungen erklären sich bereits aus den verfügbaren Zahlen für Bayern. Hier hat ein Drittel der vertriebenen Sudetendeutschen eine neue Heimat gefunden, das ist etwa die Hälfte aller Vertriebenen, die das Land aufgenommen hat. Allein solche Zahlen, mehr noch der Strukturwandel und der erhebliche Beitrag für den Wiederaufbau des in Teilen zerstörten Landes sowie für die weitere wirtschaftliche Neuorientierung und Entwicklung erklären die Beziehung und die Rolle der Vertriebenen als »Bayerns vierter Stamm«. *»Ein besonderer Ausdruck hierfür ist die vom Freistaat Bayern aus-*

geübte Schirmherrschaft über die sudetendeutsche Volksgruppe. Dieses Obhutsverhältnis wurde 1954 begründet und 1962 urkundlich verbrieft. Darin geht es vorrangig um die Sicherung der gruppenmäßigen Existenz der Sudetendeutschen, um Mitsorge in den kulturellen Belangen ...« [2]

Neben dieser Schirmherrschaft hat der Freistaat Bayern auch die Patenschaft für die Landsmannschaft Ostpreußen übernommen. Darüber hinaus – und das ist besonders wichtig für die Entstehung und für die Pflege von Sammlungen und Museen – entstanden in der Nachkriegszeit in Bayern kommunale Patenschaften für die ehemaligen Bewohner aus den Vertriebenengebieten, *»um ihre Eingliederung zu erleichtern und um ihnen eine neue Heimat zu geben, aber auch um den Heimatvertriebenen die Möglichkeit zu bieten, die Kultur und das Brauchtum ihrer Herkunftsgebiete zu pflegen ... Heute künden vor allem ... die Einrichtung von Heimatsammlungen und die finanzielle Unterstützung kultureller Aktivitäten der Vertriebenen von der Patenschaft. Hierdurch leisten die kommunalen Gebietskörperschaften für die Eingliederung der Heimatvertriebenen mehr als § 96 des Bundesvertriebenengesetzes Bund und Ländern auferlegt.«* [3]

Über die Kulturhoheit der Länder hinaus verpflichtet dieser § 96 Bund und Länder in gleicher Weise:

- das Kulturgut der Vertreibungsgebiete im Bewußtsein der Vertriebenen und Flüchtlinge, des gesamten deutschen Volkes und des Auslandes zu erhalten
- Archive, Museen und Bibliotheken zu sichern, zu ergänzen und auszuwerten
- Wissenschaft und Forschung bei der Erfüllung der Aufgaben zu fördern, die sich aus der Vertreibung und der Eingliederung der Vertriebenen und Flüchtlinge ergeben und
- die Weiterentwicklung der Kulturleistungen der Vertriebenen und Flüchtlinge zu unterstützen.

»Es reicht nicht aus, die Förderung der Kultur der Deutschen im Osten nur gesetzlich zu verankern. Vielmehr muß es ein vorrangiges gesellschaftliches Ziel sein, Interesse und Engagement mit der gesamten deutschen Bevölkerung für den kulturellen Anteil der aus dem Osten geflohenen und vertriebenen Deutschen an der gesamtdeutschen Kultur zu wecken und auch diesen Teil der deutschen Geschichte aus seiner vielfach beobachteten Isolierung zu befreien.

Erreichen läßt sich das u.a. dadurch, daß die vielfältigen Verflechtungen zwischen der gesamten deutschen und der europäischen Kultur aufgezeigt werden und daß vor allem das nach wie vor geringe historische Interesse in der überwiegenden Mehrheit der deutschen Bevölkerung eine grundlegende Wandlung erfährt. Um hier neue Ansätze zu schaffen, hat das Bundesinnenministerium 1984 politische Rahmenbedingungen mit der vom Deutschen Bundestag gebilligten Grundsatzkonzeption zur Weiterführung der ostdeutschen Kulturarbeit gesetzt. Sie wurden 1988 mit dem Aktionsprogramm der Bundesregierung zur Förderung der ostdeutschen Kulturarbeit 1988 bis 1993 präzisiert. Mit dem Aktionsprogramm ging ein größeres Interesse an der ostdeutschen Kulturarbeit im politischen Raum einher. Dies führte zu einer Aufstockung der erforderlichen Mittel durch die Öffentliche Hand. Damit wurde die Grundlage für eine intensivere kulturell-wissenschaftliche wie auch museale Arbeit, als sie bis dahin möglich war, geschaffen. Inzwischen liegt dem Deutschen Bundestag eine Fortschreibung des Aktionsprogramms, das den Zeitraum 1994 bis 1999 berücksichtigt, vor.« [4]

Ein Beispiel der für alle Beteiligten im Sinne des Wortes bedrückenden Ausgangssituation soll hier nur stellvertretend für die vielen vergleichbaren Kommunen in Bayern genannt werden. Im Entwurf zu einem Konzept für die Neuaufstellung des Heimatmuseums in Schrobenhausen (Doris Heller, 1994) werden für die Einführung zur stadtgeschichtlichen Abteilung der Nachkriegszeit die »Flüchtlingstransporte« aufgelistet:

Ende	1945:	800 aus den Ostprovinzen
4. April	1946:	548 aus Franzensbad
20. April	1946:	597 aus Olmütz
1. Mai	1946:	589 aus Asch
6. Mai	1946:	593 aus Prachatitz
1. Juni	1946:	637 aus Kreis Freudenthal, Weberstadt Bennisch
6. Juni	1946:	636 aus Falkenau
10. Juni	1946:	594 aus Brünn
14. Juni	1946:	616 aus Falkenau
28. Juni	1946:	1166 aus Wigstadtl bei Troppau

Juli 1946:	729 aus Kaplitz
17. Sept. 1946:	358 aus Neutitschein, Fulnek
10. Okt. 1946:	426 aus Kaaden
Jan. 1947:	drei kleinere Sammelzuweisungen von 69, 64 und 127 Personen

Die Vertriebenen wurden in Massenquartiere, später in Privatunterkünfte, auch, trotz mancher Beschwerden, in beschlagnahmte Räume, eingewiesen. Oft fehlte es in diesen Räumen an der überlebensnotwendigen Grundausstattung. Die Wohnungsnot wurde in Schrobenhausen, und nicht nur da, so erdrückend, daß man den bauwilligen Vertriebenen Bauland zum Selbstkostenpreis überließ. Aus dieser Not heraus nahmen auch Vertriebene die übriggebliebenen Fragmente von Munitionsfabriken oder von einem aufgelassenen Flugplatz, anfangs ohne jede Infrastruktur, in Besitz. Aus diesen Ansiedlungen entwickelten sich in relativ kurzer Zeit beachtenswerte Gemeinden und Städte, wie zum Beispiel in Geretsried, in Waldkraiburg oder in Neutraubling.

Orte der Erinnerung

Viele haben nun dort, wo sie eine zweite Heimat gefunden haben in noch bescheidenem Rahmen, aus einem Zusammengehörigkeitsgefühl heraus kleine Zentren geschaffen für Zusammenkünfte, für Veranstaltungen, für die Erinnerung, für Erhalt und Pflege ihrer traditionellen Kultur in differenzierter Weise. Archive, Gedenkstätten, Heimatstuben und auch kleine Museen entstanden, bald unterstützt durch die Übernahme kommunaler Patenschaften. Genauso gab es zahlreiche Privatinitiativen.

Die Zahl der Heimatsammlungen wuchs seit den 50er Jahren kontinuierlich an. Nach einer Erhebung des Sudetendeutschen Archivs Mün-

Heimatausstellung beim Heimattreffen Dux in Aschaffenburg, 1958

chen gab es zu Beginn der 70er Jahre 78 Heimatsammlungen, davon 30 in Bayern. Etwa zehn Jahre später, mit der ersten Herausgabe des Handbuchs »Sudetendeutsche Heimatsammlungen. Museen, Archive, Galerien, Bibliotheken, Heimatstuben, Privatsammlungen« (hrgg. vom Sudetendeutschen Archiv, München 1983) waren bereits 150 Einrichtungen in Deutschland und Österreich, sowie von den privaten Sammlungen 27 bekannt. In dem neubearbeiteten Handbuch »Museen in Bayern«, herausgegeben von der Landesstelle für die nichtstaatlichen Museen, werden bei strengerer Auswahl 44 Museen oder museumsähnliche Einrichtungen der Vertriebenen, also nicht nur der in Bayern überwiegenden Sudetendeutschen, aufgenommen.

In Bayern war die Museumsentwicklung der Nachkriegszeit ähnlich, nachdem bekanntlich Krieg und frühe Nachkriegszeit zu Schließungen, erheblichen Verlusten und zum Teil irreparablen Schäden geführt hatten. Die Beweggründe für die rasante Entwicklung zu inzwischen mehr als 900 Museen lassen sich aber mit denen der Vertriebenensammlungen nur in geringem Maße vergleichen. [5]

Die Museen und Sammlungen der Vertriebenen gehören also zu den erst wenige Jahrzehnte alten Einrichtungen. Sie sind Einrichtungen von Minderheiten, auch wenn diese Minderheiten deutliches Gewicht als sog. vierter Stamm in Bayern haben. Die Sammlungen sind unter unvergleichlich schwierigen Bedingungen zusammengetragen worden. Aufgrund ihres merkwürdig introvertierten Daseins und auch aufgrund schwer abbaubarer Vorurteile sind diese Einrichtungen zu einem großen Teil wenig bekannt und kaum angemessen von der Bevölkerung akzeptiert worden.

Dennoch vorweg: Besucherzahlen, geringe Akzeptanz können und sollen auch nicht Gradmesser für Sinn und Zweck, für die gesellschaftliche oder kulturelle Wertigkeit einer Einrichtung sein. Wie aber kommt es zu diesem Beharren der Vorurteile, die eigentlich nur aus der Entstehungsphase dieser Einrichtungen heraus erklärbar sind? Hat man frühzeitig resigniert, haben Einrichtungen von Menschen, die anfangs als Belastung empfunden oder vermutet wurden, keine Chance, war im Laufe der Jahrzehnte trotz Weiterentwicklung der Sammlungen die Öffentlichkeitsarbeit wenig beachtetes Stiefkind oder wollte man gar nicht diese Öffentlichkeit, die Kulturpolitiker heute zunehmend fordern, wenn auch nicht immer im Einvernehmen mit den Museumsbeauftragten?

Von Museen wird man in den ersten Jahren wohl noch nicht sprechen können. Immer wieder wird betont, daß Patenschaften der Länder wie zum Beispiel Bayern, der Landkreise und Städte über einzelne Städte oder auch Volksgruppen diese Einrichtungen wesentlich ermöglicht haben. Entscheidend allerdings waren ehrenamtliche Initiativen Einzelner und auf der anderen Seite die Spendenfreudigkeit der Vertriebenen. An die Wirkung nach außen haben am Anfang wohl die wenigsten gedacht. Soweit sich das heute noch beurteilen läßt, ging es wohl den meisten darum, einen Ort des Sich-Erinnern-Könnens, einen Ort als Mittelpunkt für die meist jährlichen Treffen einzurichten. Emotionale Gründe, die verbinden können, waren wohl am Anfang noch wichtiger als die neuere Zielsetzung, darüber hinaus auch aufzuklären.

Probleme beim Sammlungsaufbau

Zur Verfügung standen wenige Gegenstände, die im Fluchtgepäck, das ja auf ein Minimum von 30 oder auch von 50 kg begrenzt war, hierher gelangten. Und von diesen wenigen Gegenständen, emotional oder auch funktional sehr wertvoll, konnten oder wollten sich natürlich viele nicht trennen. Mit zunehmendem zeitlichen Abstand fiel diese Entscheidung dann aber offensichtlich leichter. Dem Mangel an Exponaten, dem Eindruck des Mangels an sich begegnete man mit dem Vollstopfen der meist sowieso kleinen Räume und der wenigen Vitrinen mit Photographien, mit Zeitungsausschnitten, mit übereinandergeschichteten Büchern und vor allem – für Außenstehende nicht leicht einzuordnen – mit textilen oder zum Beispiel geschnitzten, auf die Heimat oder den Heimatgedanken bezogenen Bastel- bzw. Laienarbeiten.

Rückblickend sind es gerade diese materiell geringwertigen Dinge, die in besonders eindringlicher Weise Zeugnis ablegen für diese Notzeiten, auch für das Zusammengehören durch Herkunft und Erleben.

Dose für Karlsbader Oblaten, Karton um 1900. Sammlung des Heimatverbandes Marienbad, München

»An die Mitnahme von Kostbarkeiten, die wir heute bisweilen in unseren kulturellen Heimatsammlungen bestaunen können, dachte damals kaum einer. Allenfalls waren es ein paar persönliche Erinnerungsstücke, die unter dem Hausrat, gut versteckt, den Weg in die Freiheit fanden. Wer hatte auch damals an die Gründung von Heimatmuseen und Heimatstuben gedacht? Galten doch das Dach über dem Kopf, das tägliche Brot, Arbeit und Verdienst als Inbegriff aller Wünsche … Solidarität und Opferbereitschaft, sich von liebgewordenen Erbstücken und Andenken zu trennen und diese den Heimatsammlungen zu übergeben, waren und bleiben auch heute noch die Grundlage für die oft erstaunliche Vielfalt unserer Heimatstuben. Von Besuchsreisen in die alte Heimat wurden weitere wertvolle Erinnerungsstücke unseren Heimatstuben zugeführt. Einzelstücke wurden auf Auktionen ersteigert, Nachlässe den Heimatsammlungen übergeben. Dank der Spendenfreudigkeit, aber auch des Verständnisses der Patenstädte konnten im Laufe der Jahre anschauliche Sammlungen zusammengetragen werden.« [6]

Mit zwei einfachen Objekten, wie sie in bayerischen Freilichtmuseen und Heimatmuseen in großer Zahl vorkommen, kann man andeuten, was solche Museen aussagen und leisten können. Im Riesengebirgsmuseum, Heimatkreis Hohenelbe in Marktoberdorf steht ein unspektakulärer kleiner Handwagen, ein vierrädriger Leiterwagen aus Holz. Man würde diesen Wagen kaum beachten, gäbe es nicht die knappe aber eindringliche Dokumentation: Mit diesem Wagen transportierte eine Hohenelber Flüchtlingsfamilie ihre geringe Habe auf Straße und Schiene von Hohenelbe nach Schwerin und südwärts nach Marktoberdorf.

Sudetendeutsches Archiv, Ausstellung in Stuttgart 1957, Sammlungsaufruf

Ein anderes, gleichermaßen eindrucksvolles Zeugnis war bei einer Ausstellung »Zeugnisse der Volksfrömmigkeit aus dem Böhmerwald« des heimatkundlichen Vereins für Südböhmen, 1986, erarbeitet von Alois Harasko, in München zu sehen. Ein größeres Stubenkreuz, aus dem 19. Jahrhundert, zeigte eine Reparaturstelle, deren Ursache sich nicht ohne weiteres erkennen läßt. Das Kreuz aus Familienbesitz war für das Fluchtgepäck, für den Rucksack zu groß. Es bestand also die Gefahr der Beschlagnahmung. Wenn man nun erfährt, daß allein für die Mitnahme bei der Flucht das Kreuz in der Mitte durchgesägt werden mußte, dann kann man sich kaum noch ein eindringlicheres Beispiel für diese Ausnahme- und Zwangssituation vorstellen.

Solch eindrucksvolle Beispiele stehen ja nicht vereinzelt da. Entscheidend ist jedoch, daß das heute noch umfangreich verfügbare Hintergrundwissen aufgezeichnet wird, daß dieses Wissen durch die Inventarisation den Gegenständen auch in Zukunft noch zugeordnet werden kann. Dieses Ziel zu erreichen, ist aber seit vielen Jahren eines der großen Probleme, die es nun mit größtem Nachdruck zu lösen gilt.

Erste Erfolge und Präsentationen

Die Frage, ob es sich auch in Zukunft, also nach dem nächsten Generationswechsel lohnen wird, sich mit diesen von der sog. Erlebnisgeneration aufbewahrten, formal und oft auch ästhetisch einfachen Gegenständen weiter zu beschäftigen, kann durch den bisherigen Umgang genauso wie mit künftig notwendigen veränderten Strukturen und Zielen beantwortet werden.

In erster Linie ist da an eine Reihe zum Teil eindrucksvoller Sonderausstellungen mit Leihgaben aus den in der Gesamtschau reichhaltigen Vertriebenensammlungen zu denken.

Breit angelegt war bereits die frühe Ausstellung 1955 im Germanischen Nationalmuseum Nürnberg (GNM) »Kunst und Kultur in Böhmen, Mähren und Schlesien«. Das GNM hatte bereits ein älteres Konzept, Zeugnisse deutscher Kunst und Kultur aus allen deutschen Siedlungsgebieten zu sammeln und systematisch auszubauen.

Anders war es bei der nächsten großen Ausstellung 1973 des Sudetendeutschen Archivs im Haus des Deutschen Osten in München »Kostbarkeiten aus sudetendeutschen Heimatstuben und Heimatmuseen«. Diese Ausstellung war der erste und, wie man dem Katalog entnehmen kann, auch gelungene Versuch, mit einem neuen Selbstverständnis und Selbstbewußtsein an die Öffentlichkeit zu treten. Eine Auswahl aus den inzwischen bereits bestehenden 78 Heimatstuben, Heimatmuseen und Heimatarchiven war möglich. Neben einer notwendigen Dokumentation über die Sudetendeutschen nach der Vertreibung konnte und sollte mit den zugänglichen Originalen die kulturelle Vielschichtigkeit nachgewiesen und veranschaulicht werden. Selbstverständlich waren diese Exponate Fragment der wenigen verbliebenen Habseligkeiten sudetendeutscher Familien, aber auch in ihrer Bescheidenheit waren und bleiben sie Einzelbelege einer reichhaltigen Tradition der deutschen Bevölkerung im böhmisch-mährisch-schlesischen Raum.

Hl. Nepomuk, Ende 18./Anfang 19. Jahrhundert
1946 von Vertriebenen aus Graslitz mitgebracht

Man müßte eigentlich die vielen größeren und kleineren Sonderausstellungen über berühmte Bäder, über Glas, Porzellan, Photographien, Graphik, Trachten usw. bemühen bzw. in Erinnerung rufen, um inzwischen den Stellenwert der kontinuierlich gewachsenen Sammlungen und Museen in ihrer Gesamtheit zu bestimmen. Was sich bei der Ausstellung 1973 schon angekündigt hat, das blieb bis heute gültig und wichtig: Viele kleine und mittelgroße Museen und Sammlungen vermitteln heute in ihrer Gesamtheit ein in weiten Teilen schlüssiges Zeugnis kultureller Prozesse, sie dokumentieren Tradition, Entwurzelung durch Krieg, Vertreibung und Flucht, aber auch schon Integration und Innovation.

Zusammenschluß und Koordination

Unterstützt und fachlich beraten wurde und wird diese Entwicklung zu einer insgesamt positiven Situation von der Landesstelle für die nichtstaatlichen Museen mit gezielt eingesetzter, auch finanzieller Förderung. Deutliche Impulse, zumindest für die sudetendeutschen Einrichtungen, gehen auch vom Sudetendeutschen Archiv aus, dem die Geschäftsführung der Arbeitsgemeinschaft für kulturelle Heimatsammlungen angegliedert ist. In der Gründungsvereinbarung von 1974 wurde der Zweck dieser Arbeitsgemeinschaft, für die Gegenwart wie für die Zukunft gleichermaßen wichtig, formuliert:

»1. *Die Arbeitsgemeinschaft hat den Zweck, die Träger und Betreuer der sudetendeutschen Heimatarchive, Heimatmuseen, Heimatstuben und Heimatbüchereien (kulturelle Heimatsammlungen) bei der Erfüllung ihrer Aufgabe zu unterstützen, ihre Zusammenarbeit zu fördern, sowie auf die Sicherung, Erhaltung und den weiteren Ausbau der Sammlungen im Sinne wissenschaftlich begründeter Heimat- und Kulturpflege hinzuwirken.*

2. *Als Mittel dazu sollen insbesondere dienen:*
   a) *die Herausgabe eines Mitteilungsblattes,*
   b) *die Veranstaltung von Fachtagungen,*

c) die Veranstaltung von Ausstellungen, Vorträgen u.ä.,

d) die Beratung der Mitglieder durch Fachkräfte,

e) die Beratung und Unterstützung der Mitglieder bei der Gewinnung geeigneter Räume für ihre Sammlungen und deren zweckmäßiger Einrichtung sowie bei bestimmten Vorhaben,

f) die Beratung der Mitglieder beim Abschluß von Verträgen über die Unterbringung, Instandhaltung, Versicherung und personelle Leitung der Sammlungen,

g) die Schaffung eines Zentralkatalogs aller Sammlungen,

h) die Förderung des Tauschverkehrs zwischen den Sammlungen,

i) die Herausgabe und Förderung von Arbeiten über einzelne Sammlungen und Sammelgebiete,

k) die zeitweilige oder dauernde Übernahme oder Versorgung verwaister oder in ihrem Bestand gefährdeter Sammlungen.

3. Die finanziellen Mittel zur Erreichung des Zweckes werden durch Beiträge und Spenden der Mitglieder, anderer Personen und Einrichtungen sowie durch Zuwendungen aufgebracht. Der Mitgliedsbeitrag des Sudetendeutschen Archivs e.V. gilt durch die Geschäftsführung als geleistet.«

Zukunftsorientierte Ziele

Trotz dieser im Grunde heute günstigen Rahmenbedingungen, von der gegenwärtigen finanziell allgemeinen Zurückhaltung einmal abgesehen, entspricht bei weitem nicht alles einer wünschenswerten, einer sinnvollen Zukunftsentwicklung. Eine Vielzahl kleiner Einrichtungen wird von meist Älteren, die oft auch Hunderte von Kilometern entfernt wohnen, betreut. Eine wirkliche Öffnung nach außen, ein Angebot an Schulen oder auch an die Erwachsenenbildung findet kaum statt. Geöffnet sind solch kleine Museen meist nur in großen Abständen, oft mit Mühe und Voranmeldung verbunden. Regelmäßige Öffnungszeiten, die Voraussetzung für ein funktionierendes Museum, stehen viel zu häufig eigentlich nur auf dem Papier.

Viele der Museen und Heimatstuben sind vom Bestand her nicht ausreichend, um künftig, auf sich gestellt, eine umfassende Aussage zu bieten. Mit dem Nachwuchs, der eine Beziehung zu dieser Vertriebenenproblematik, darüber hinaus heute auch schon zu den Problemen und Phänomenen unserer Minderheiten haben sollte, sieht es nicht besonders gut aus. Zur Zeit gibt es nur wenige Museen, die bei punktueller Verbesserung der räumlichen, der personellen und für eine aktive Vermittlungsarbeit vor allem der finanziellen Situation auch in der Zukunft ohne gravierende Veränderung bestehen können. Das sind zum Beispiel die Museen in Regensburg, Marktredwitz, Neugablonz oder auch in Passau. Viele der kleineren Museen werden ihre Aufgaben und Ziele, die weiterhin gültig und, wie wir erfahren müssen, immer aktuell bleiben, nur dann sinnvoll verfolgen können, wenn sie in veränderter, inhaltlich auch komprimierter Form den zeitgeschichtlichen Abteilungen der Stadtmuseen ein- oder angegliedert werden. Im Vordergrund der Aussage steht aber dann zunehmend der Bezug zur Region, zur Stadt. Das heißt, es wird mehr als bisher darauf ankommen, den Integrationsprozeß zu verdeutlichen.

Um zu vermeiden, daß die in der Summe wertvollen Bestände in Vergessenheit geraten, das heißt ohne treibende Kraft im Hintergrund praktisch untergehen, haben sich größere Museen, die auch in absehbarer Zeit für ihre zentrale Funktion hoffentlich die signalisierten Bundesmittel erwarten können, bereit erklärt, je nach regionaler Zugehörigkeit »herrenlose« Bestände vorläufig anzunehmen und zu sichern.

Dies sind vor allem die bereits genannten Regionalmuseen, das Egerland-Museum in Marktredwitz, das seit Jahren gefördert von Bund und Land, unter inzwischen hauptamtlicher wissenschaftlicher Leitung zielstrebig eine dringend notwendige Erweiterung verfolgt, und in Kaufbeuren-Neugablonz, das unter künftiger Trägerschaft einer Stiftung ein vergleichbar umfangreiches Projekt auf der Grundlage einer kulturgeschichtlichen, industriespezifischen Sammlung vor sich hat.

Darüber hinaus steht im Grunde, bzw. sogar als zentrale Anlaufstelle die Arbeitsgemeinschaft der Vertriebenenmuseen beim Sudetendeutschen Archiv in München zur Verfügung. Jedoch gestaltet sich hier bereits die Voraussetzung, die Suche

Egerland Kulturhaus mit Egerland-Museum in Marktredwitz, Einweihung 1973

nach einem geeigneten Depot und vor allem dessen Finanzierung der Folgekosten ungewöhnlich schwierig. Es besteht aber nach wie vor das Angebot, nicht mehr betreute Sammlungen in Verwahrung zu nehmen, sofern keine für den Erhalt geeigneten Vereinbarungen mit der jeweiligen Patenstadt bzw. dem jeweiligen Stadtmuseum bestehen.

Verhältnismäßig offen und vorausschauend hat Eugen Lemberg bereits 1953 die Entwicklung und die künftigen Chancen prognostiziert:

»Das Schicksal der vertriebenen deutschen Volksgruppen wird über kurz oder lang in die Hände ihrer jungen Generation übergehen. Es ist Zeit, daß sich diese junge Generation Gedanken darüber macht. Sie wird einerseits die Gedankenwelt und Tradition der vertriebenen Volksgruppe und ihrer alten Heimat kennen müssen, um organisch auf den Gegebenheiten aufbauen zu können. Andererseits wird sie den Vorteil haben von gewissen Denkkategorien und Strukturverhältnissen, die heute die in Führung befindliche ältere Generation aus der alten Heimat immer noch bestimmen, frei zu sein.« [7]

Diese angedeutete Entwicklung hat ja auch in einigen Fällen zu Vertriebenenmuseen geführt, die zukunftsorientierte Ziele verfolgen, die oft Integration und Gegenwart einbeziehen und die auch die große und neue Aufgabe, wie das Minderheitenproblem in seinen Grundlagen und Erscheinungen thematisieren. Damit werden sie über die Stätten der Erinnerung hinaus mit wichtigen Bildungsaufgaben auch Bestand in der Zukunft haben. Für die Möglichkeit des sinnvollen Überdauerns kleinerer ehrenamtlich geleiteter Sammlungen sollen hier zwei Beispiele genügen: Das Tetschen-Bodenbacher Heimatmuseum wurde im Einvernehmen aller, bei allerdings verkleinerter Stellfläche, aber verbessertem Zugang, bei der Neuaufstellung 1995 des Stadtmuseums Nördlingen in den stadtgeschichtlichen Bestand integriert; das Riesengebirgsmuseum in Marktoberdorf besteht mit seiner aussagefähigen Sammlung unter zur Zeit engagierter ehrenamtlicher Leitung selbständig weiter, ist aber vor wenigen Jahren im Rahmen einer sinnvollen Museumskonzeption mit dem Stadtmuseum und dem Paul-Röder-Museum in räumliche Einheit gebracht worden.

In Städten wie zum Beispiel Geretsried oder Waldkraiburg, die von Vertriebenen gegründet wurden, werden die bestehenden Museen auch in Zukunft die Funktion von Stadtmuseen erfüllen können. Genauso werden wohl als Regionalmuseum das Böhmerwaldmuseum in Passau, die überregional bedeutende Ostdeutsche Galerie in Regensburg, das in den letzten Jahren großzügig ausgebaute Museum im Kulturzentrum Ostpreußen im Deutschordensschloß in Ellingen oder das Landesmuseum für die Geschichte Ost- und Westpreußens mit seinen umfangreichen kulturgeschichtlichen Sammlungen in Oberschleißheim, aus dessen Beständen das Bayerische Nationalmuseum München im Alten Schloß Oberschleißheim wegweisend das Filialmuseum »Es war ein Land...« – Sammlung zur Landeskunde Ost- und Westpreußens eingerichtet hat.

Selbstverständlich ist das Problem einer sinnvollen zukünftigen Entwicklung kein allein bayerisches. Die Vertriebenen haben schließlich dort in der Bundesrepublik Deutschland oder in Österreich ihre Einrichtungen gegründet, wo sie nach oft mehreren Zwischenstationen Fuß fassen konnten. Die Entwicklung bayerischer Einrichtungen muß also, wenn man Strukturen verfestigen oder verändern will, immer in einem größeren Rahmen gesehen werden. Sehr hilfreich ist dabei das Handbuch über Ostdeutsche Museen und Sammlungen in der Bundesrepublik Deutschland und Österreich von M. Antoni.[8]

Ein gravierendes Desiderat gibt es in Bayern nach wie vor. Nachdem, wie allgemein in der Entwicklung einer Museumslandschaft, eine Strukturierung kaum möglich ist, eine Steuerung im Grunde auch nicht gewollt war, fehlt eine übergreifende Einrichtung, die, wenn man sich bei den Vertriebenenverbänden und -einrichtungen eher geeinigt hätte, in finanziell günstigeren Zeiten bereits möglich gewesen wäre.

Mit den Beständen nicht mehr betreuter Heimatsammlungen, genauso mit den in jüngster Zeit zunehmend angebotenen privaten Nachlässen von Sammlern und Künstlern und den eigenen Sammlungen könnte das Sudetendeutsche Archiv der Ort sein, an dem eine zentrale Einrichtung geplant und vorbereitet würde. In den letzten Jahren gab es dazu intensivere Bestrebungen. Ein Museum dieser Art wäre selbstverständlich, sobald es die finanziellen Verhältnisse erlauben, in München denkbar, genauso sinnvoll aber auch in einer erst von Vertriebenen gegründeten Stadt. Aber es wird über das hinaus greifen müssen, was die Regional- und Landesmuseen gegenwärtig zu leisten haben.

Dieses Museum kann in weiterer Zukunft nicht mehr nur ein Museum der vertriebenen Sudetendeutschen sein. Es muß ein Museum werden, das auf unserer Geschichte aufbauend das Verhalten der Menschen in unserem Land, das Miteinander, das Nebeneinander und eben auch die Auswüchse des Gegeneinander nachvollziehbar werden läßt. Gerade der Umgang mit den Minderheiten kann, weil kontinuierlich aktuell, ein zentrales Anliegen und Thema der Vergangenheit und der Gegenwart bleiben. Und gerade dafür, für die Grundlagen einer objektiven und differenzierten Darstellung solcher Aspekte, eignen sich wesentliche Sammlungseinheiten unserer Vertriebenenmuseen und Archive in besonderer Weise bereits heute und sicher genauso in der Zukunft.

Ein Zeichen zu setzen in die hoffentlich richtige Richtung, wurde auf Initiative von W. Stäbler und W. Fuger, in enger Zusammenarbeit mit A. Harasko versucht, mit der inzwischen mehrfach durchgeführten Tagung der Museen in Bayern und in Tschechien, eine Veranstaltung der sich später auch das angrenzende Sachsen engagiert angeschlossen hat. Die Zusammenarbeit beginnt ja nicht erst seit der Öffnung der Grenzen nach Westen, aber sie war oft von Erschwernissen und Hindernissen begleitet.[9]

Die Entwicklung der Zusammenarbeit, besonders intensiviert zwischen den Museen der Vertriebenen und ihren ursprünglichen Museen in den Herkunftsgebieten, ist von Fall zu Fall offen und eigentlich auch erstaunlich konstruktiv. Und man kann nur zustimmen, wenn anläßlich der Grundsteinlegung zur Erweiterung des Egerland-Museums in Marktredwitz formuliert wurde:

»Wir können feststellen, daß seit einigen Jahren jüngere tschechische Historiker, Archivare und Museumsfachleute sowie andere Persönlichkeiten des kulturellen Lebens sich der Geschichte der Deutschen zuwenden und bereit sind, deren kulturelle Zeugnisse gemeinsam mit uns zu wahren. Hier eröffnet sich trotz mancher Stagnationen und Rückschläge und auch trotz mancher Ängste und Vorbehalte für unsere sudetendeutschen kulturellen und wissenschaftlichen Institutionen ein weites Feld der fruchtbaren Zusammenarbeit.«[10]

Anmerkungen

1 Friedrich Prinz: »Odsun Němců« die Vertreibung der Sudetendeutschen 1945. Ein kritischer Rückblick. In: Odsun. Die Vertreibung der Sudetendeutschen. Begleitband zur Ausstellung. München 1995, S. 71

2 In der Obhut Bayerns. Sudeten- und ostdeutsche Patenschaften im Freistaat Bayern. (Hg.) Bayerisches Staatsministerium für Arbeit und Sozialordnung. München 1989, S. 36

3 D. Blumenwitz: Ostdeutsche Patenschaften im Spannungsfeld neuer Städtepartnerschaften mit dem östlichen Ausland und der DDR. In: In der Obhut Bayerns, wie Anm. 2, S. 22

4 Jürgen Martens: Museum und Euregio. Vortrag an der FHS für Museologie Leipzig am 20.1.1995

5 Vgl. Walter Fuger: Museales Gut der Vertriebenen in Bayern: Ramsch oder Zeitzeugnis? In: Schönere Heimat, 84. Jg. München 1995, S. 145–150

6 Heinrich Kuhn, Sudetendeutsche Heimatsammlungen. München 1983, S. 5 f

7 Eugen Lemberg: Aufbau und Führung einer Volksgruppe im Exil, besonders der Sudetendeutschen. München 1953. Abgedruckt in: O. Kotzian, H. Knapek: Zur Zukunft der Sudetendeutschen Volksgruppe, impulse 4. Augsburg 1988, S. 15

8 Schriftenreihe zur ostdeutschen Kultur. (Hg.) Bundesminister des Innern. Bonn o.J. (1990)

9 Walter Fuger: Grenzübergreifende Beziehungen zu Museen und Archiven in der ČSFR. In: Jahrbuch für sudetendeutsche Museen und Archive. München 1991, S. 262–265 und Walter Fuger: Zusammenarbeit der Museen in Bayern und in der ČSFR. In: Jahrbuch für sudetendeutsche Museen und Archive. München 1992, S. 51–62

10 Grußwort von Alois Harasko am 21.6.96 in Marktredwitz, Manuskript

Fränkisches Freilandmuseum Fladungen:
Hof von Rügheim. Gebäude und Ausstattung werden soweit wie möglich im Zustand der späten 40er Jahre präsentiert, als auf engstem Raum hier vier Familien, darunter Flüchtlinge und Evakuierte, wohnten. Eine Dokumentationsausstellung mit dem Thema »Zur Miete auf dem Lande« wird im Rahmen eines größeren Dokumentationsprojektes zur Zeit erarbeitet.

Kilian Kreilinger

Die bayerischen Freilicht- und Gerätemuseen, Technik- und Industriemuseen

Verschiedene Facetten – gemeinsame Aufgaben

Die Freilicht- und Industriemuseen, zumindest teilweise auch die technikgeschichtlichen Museen präsentieren als wichtigste Exponate historische Gebäude mit der dazugehörigen Ausstattung. Die Freilichtmuseen konzentrieren historische Gebäude aus einem bestimmten geographischen Umfeld durch Versetzung auf ein neues Gelände. Industriemuseen, bzw. manche technikgeschichtlichen Museen entstanden dagegen meist am originalen Ort. Ihre gemeinsame Aufgabe liegt zunächst darin, Gebäude und Ausstattung als Geschichtszeugnisse zu erforschen, zu versetzen bzw. zu restaurieren, zu bewahren und sie in einem entsprechenden Konzept didaktisch zu präsentieren. Heute wird von diesen Museen erwartet, und die Entwicklung hierzu ist weit fortgeschritten, daß sie nicht enge bauhistorische oder technikgeschichtliche Interessen vertreten, sondern den Menschen in den Mittelpunkt ihrer Arbeit stellen. So verbindet diese Museen gemeinsam mit den bäuerlichen-ländlichen Gerätemuseen die Forderung nach der Einbindung ihrer Themen in einen wirtschaftsgeschichtlichen, sozialgeschichtlichen und allgemein kulturhistorischen Kontext.

Der Erfolg der Museen »unter freiem Himmel« ist ungebrochen. Trotz kontinuierlich leicht abnehmender Besucherzahlen kommen alljährlich Hunderttausende von Besuchern, viele von diesen finden zum ersten Mal den Weg in ein Museum. Dies ist umso bemerkenswerter, wenn man bedenkt, daß nach Statistiken die Besuchszahlen in etwa gleich geblieben sind, obwohl die Zahl der Museen vehement angestiegen ist – was bedeutet, daß sich die Zahl der Interessierten nicht beliebig erhöhen läßt. Die Beliebtheit dieser Museen, die sich dem spazierengehenden Publikum nahezu spielerisch erschließen, schien in der Vergangenheit in Widerspruch zur fundamentalen Kritik zu stehen, die Geschichtsverfälschendes in den »ganzheitlichen« Präsentationen sah. In der Tat können Mißverständnisse entstehen, wenn die malerischen »Bilder« der Museen als ehemalige Wirklichkeit und nicht als Facetten und Arrangement von Gebäuden und Dingen gesehen werden. Die Museen haben diese Kritik zum Anlaß genommen, ihre kontinuierlichen Anstrengungen zur Vermittlung ihrer Aussagen zu verstärken. Was bleibt, ist auch die Erkenntnis, daß es eben eine Diskrepanz zwischen den Intentionen der Museologen und den Bedürfnissen und Erwartungen der Besucher gibt. Diese lassen sich nicht korrigieren, können sich aber ändern, jedenfalls sind sie ständiger Ansporn in der Museumsarbeit.

Freilichtmuseen

- Stand des Aufbaus

Die Hauptaufbauphase der bayerischen Freilichtmuseen lag in den letzten 20 Jahren. In diese Zeit fielen die wichtigsten Gründungen, wie die Museen an der Glentleiten, in Bad Windsheim, Finsterau, Amerang, Neusath-Perschen, Fladungen und Theuern, aber auch die Erweiterung des Freilichtmuseums Massing. Den Boden dafür hatten die Bauern- bzw. Bauernhofmuseen von Illerbeuren, Massing und Perschen in den 50er und 60er Jahren bereitet.

Ältere als die bayerischen Freilichtmuseen belegen, daß der Ausbau von solchen Museen wohl nie als abgeschlossen gelten kann, es sei denn, das zur Verfügung stehende Gelände läßt tatsächlich keine weiteren Gebäude mehr zu. Bei fast allen Museen dieser Art in Bayern kann von einem kontinuierlichen weiteren Ausbau gesprochen werden, wenngleich er sich durch die sich verschlechternde Finanzsituation, aber auch durch einen höheren Bedarf an Bauunterhaltsmitteln manchmal verlangsamt hat. Andererseits konnten europäische Fördermittel spürbar weiterhelfen, zum Beispiel beim ungebrochenen, vehementen

Ausbau des Fränkischen Freilandmuseums in Bad Windsheim und des Fränkischen Freilandmuseums in Fladungen, das sich eigentlich noch in der Hauptaufbauphase befindet. In dieser Phase sieht sich auch das kleine Freilichtmuseum Donaumoos bei Kleinhöhenried. Schleppend geht die seit langem geplante Erweiterung des Schwäbischen Bauernhofmuseums in Illerbeuren voran, beim Freilichtmuseum in Erding werden alle Arbeiten als abgeschlossen betrachtet. Die Bauernhofmuseen, die vor allem aus In-situ-Objekten bestehen, scheinen kaum mehr Erweiterungsmöglichkeiten zu besitzen (Kleinlosnitz, Frensdorf, Jexhof etc.).

Die Freilichtmuseen und Bauernhofmuseen finden sich in allen Regionen Bayerns, trotzdem gibt es Lücken, die augenfälligste in Oberfranken. Ein dezentrales Konzept, das In-situ-Anlagen propagierte und ein zentrales Museum ausschloß, führte dazu, daß Objekte wichtigster Hauslandschaften nicht im selben Maße wie in anderen Regierungsbezirken bewahrt und dokumentiert werden konnten. Dem Fränkischen Freilandmuseum in Bad Windsheim war es möglich, wenigstens einige wertvolle Gebäude zu übernehmen. Während also die zentralen Museen sich durch ihre entsprechende Infrastruktur zu großen Dokumentations- und Forschungszentren entwickelten, hatten die kleinen Museen Oberfrankens mit ihrer oft minimalen Infrastruktur trotz aller Bemühungen bald ihre Grenzen erreicht. Es ist nicht anzunehmen, daß neue Freilichtmuseen gegründet werden: Die schlechte Finanzsituation und das Sinken der einst kaum mehr überbietbaren Wertschätzung bäuerlicher Kultur sind nur zwei Gründe von vielen für diese Einschätzung. Die Situation bei In-situ-Museen auf dem Lande, nicht in der Stadt – hier fällt es schwer, sich noch vorzustellen, daß ein Bürgerhaus nach dem Konzept eines Freilichtmuseumsgebäudes präsentiert werden kann – mag eine andere sein, da bei diesen denkmalpflegerische Aspekte immer eine große Rolle spielen. Wie schwer Neugründungen heute geworden sind, mag das Beispiel in Neualbenreuth, Landkreis Tirschenreuth, belegen, wo ein geradezu sensationell gut erhaltener Stiftlandhof mit Tausenden von Ausstattungsobjekten seit Jahren auf die Entscheidung für ein Museum in situ wartet; selbst der Hinweis auf Desiderate bei Kultureinrichtungen für das neue Heilbadzentrum Sybillenbad konnte Entscheidungsprozesse nicht beschleunigen. Wohl zu Recht skeptisch gesehen werden Projekte, In-situ-Anlagen als Außenstelle eines Freilichtmuseums anzugliedern. Trotzdem sollten solche Pläne auch in finanziell schlechteren Zeiten genau geprüft werden, wie zum Beispiel bei einem kleinen historischen Hafneranwesen in Nabburg, dem letzten vollständig erhaltenen in Altbayern.

Fränkisches Freilandmuseum Bad Windsheim: Die aus Bruchstein gemauerten Wände des mittelalterlichen Hauses von Matting wurden zur Transferierung in große Stücke zersägt, um beim Wiederaufbau größtmögliche Authentizität zu erhalten.

• Transferierungsarbeit

Die Dokumentationsarbeiten der Freilichtmuseen in Bayern haben seit vielen Jahren einen hohen Standard erreicht, der auch bei geringer werdenden Investitionsmitteln nicht unterschritten wird. Die notwendigen Dokumentationen im Rahmen einer historischen Bauforschung vor und während des Abbaus und Wiederaufbaus sind umfassender wohl kaum mehr für eine Museumsinstitution möglich. Forschungsarbeiten sind den Freilichtmuseen im allgemeinen nur im Rahmen der Versetzung eines konkreten Objekts möglich. Hierzu werden die Ergebnisse der Dokumentationen ausgewertet. Eine weitergehende, gar auf die ganze Region bezogene Forschung ist ihnen aus personellen und finanziellen Gründen nicht möglich. Sie leisten also hauptsächlich ihren Forschungsbeitrag in Form einer großen Materialsammlung, die größtenteils aus ausführlichen Einzeluntersuchungen besteht. Wie wertvoll aber dieses Material ist, zeigen die mehrbändigen Veröffentlichungen »Bauernhäuser in Bayern«.[1] Die Situation in der Zusammenarbeit mit Universitäten scheint sich nach Jahren langsam zu verbessern; einige hauskundliche Magister- und Dissertationsthemen mögen zu Optimismus Anlaß geben. Nun liegt es bei den Museen, ihr Material, wo noch nicht geschehen, besser aufzubereiten und zu archivieren. Leider sind Monographien über die versetzten Gebäude in vielen Fällen noch Desiderate.

Die technischen Versetzungsmethoden dienen der Bewahrung größtmöglicher Authentizität. Der Trend liegt in immer weiter entwickelten Methoden, möglichst große Einheiten im ganzen zu versetzen. Allerdings werden in zunehmendem Maße zuvor Bauschadensanalysen vorgenommen, um das Versetzen von substantiell geschädigten Teilen ausschließen zu können.

• Konzepte

Die ursprünglichen Aufbaukonzepte werden, wenngleich modifiziert, im Prinzip realisiert. In sie ließen sich durchaus individuelle Gebäude einfügen, die aus volks- und hauskundlicher oder sozialgeschichtlicher Sicht interessant erschienen. Umfangreiche volkskundliche und sozialgeschichtliche Dokumentationsarbeiten werden zur Zeit im

Papiermühlenmuseum Homburg a. Main, Gemeinde Triefenstein, Lkr. Main-Spessart: Eines der zur Zeit wichtigsten Projekte eines technikgeschichtlichen Museums, Betriebsstätte und Wohnräume befinden sich unter einem Dach.

Freilichtmuseum des Bezirks Oberbayern an der Glentleiten: das »Weidachergütl« auch als »bauhistorisches Präparat«. Es kann nur didaktisch gut aufbereitet vom Besucher verstanden werden.

Fränkischen Freilandmuseum Fladungen anläßlich der Versetzung des Hofes von Rügheim durchgeführt. In diesem lebten auf engstem Raum in den 30er und 40er Jahren vier Familien, darunter Flüchtlinge, Vertriebene und Evakuierte zur Miete.[2] Es wäre zu hoffen, daß wenigstens Facetten der Themen »Zur Miete auf dem Land« und »Wohnsituation nach dem Kriege« mit Hilfe des Gebäudes selbst und dessen Ausstattung und durch eine Dokumentationsausstellung vermittelt werden können. Jedenfalls wird es bereits beim gegenwärtigen Stand der Arbeit deutlich, wie begrenzt die musealen Möglichkeiten auch eines Freilichtmuseums bei der Darstellung von Funktionen des Wohnens sind.

Ein Blick auf die gegenwärtige Situation bei sog. Freilichtmuseumsobjekten in situ. Bei Maßnahmeträgern, die nicht mit Freilichtmuseumsgedanken vertraut sind, sondern bisher nur im Rahmen des Denkmalschutzes tätig waren, trafen konzeptionelle Gedanken auf Unverständnis, die die Bewahrung von Wohnsituationen der 60er und 70er Jahre vorsah. Damit sollte die Einheit zwischen Betriebsstätte und Wohnräumen, zwischen Arbeiten und Wohnen also, wie zum Beispiel in der Papiermühle von Homburg gezeigt werden, die 1975 ihren bis dahin immer wieder modernisierten Betrieb einstellte. Es ist aus kulturhistorischer Sicht interessant, welchen durchaus nachvollziehbaren Einflüssen die Restaurierung einer In-situ-Anlage ausgesetzt ist. So war in Homburg a. Main zum Beispiel die Freilegung des Fachwerks des Gebäudes nicht zu verhindern, obwohl der Bau spätestens, wenn er überhaupt jemals sichtbares Fachwerk hatte, anläßlich eines Anbaus Anfang des 19. Jahrhunderts vollständig verputzt wurde: Die denkmalpflegerische Leistung wäre sonst nicht ersichtlich und der Vorbildcharakter eines restaurierten Baudenkmals nicht zum Tragen gekommen. Nicht nur dieses Beispiel belegt den Unterschied zwischen den museologischen Voraussetzungen und Prämissen zur Denkmalpflege, aber auch die weitgehende fachliche Unabhängigkeit der Freilichtmuseen zu manchen an Ort und Stelle verbliebenen museal genutzten historischen Anlagen, deren allgemeine Bedeutung deshalb nicht geschmälert sein muß.

Interessante Weiterentwicklungen sind im Umgang mit Veränderungen zu sehen, die ein Gebäude im Laufe der Zeit erfährt. Die Entwicklung begann vor knapp 20 Jahren in Bayern, als Ausbesserungen nicht mehr automatisch rückgängig gemacht, bzw. »interessante« Einbauten nicht einem einheitlichen zeitlichen Konzept geopfert wurden. Jetzt wagt man sich an andere Größenordnungen: Das mittelalterliche Haus von Ochsenfeld im Fränkischen Freilandmuseum Bad Windsheim wird in zwei verschiedenen Zeitstellungen, vor und nach dem Einbau des sog. deutschen Kamins im 17. Jahrhundert, präsentiert werden, wobei die ursprüngliche Teilung des Hauses in der Längsachse dabei übernommen wird. Im Freilichtmuseum an der Glentleiten blieben im »Weidachergütl« die aus verschiedenen Zeiten stammenden Strukturen erhalten. Es entsteht bei Versuchen mit »bauhistorischen Präparaten« natürlich das schwierig zu lösende Problem, wie dem Besucher die Geschichte des Gebäudes vermittelt werden soll. An der Glentleiten ist die geglückt erscheinende Lösung bereits in der Erprobungsphase.

Aus Gründen der Authentizität werden weiter oft jüngere Zeitstellungen bevorzugt, aber man scheut in Einzelfällen dennoch nicht davor zurück, mit Hilfe wissenschaftlich fundierter Rekonstruktionen auch früheste Zeitphasen zu präsentieren (zum Beispiel Baugruppe Mittelalter in Bad Windsheim). In den letzten Jahren war zu bemerken, daß auch technikgeschichtliche Objekte bis zur frühindustriellen Zeit Aufnahme ins Freilichtmuseum fanden.

• Didaktik

Längst ist die Kritik verstummt, die Freilichtmuseen würden sich mit den geschaffenen »Bildern« begnügen und ihren edukativen Auftrag vergessen. Zu finden sind zum Beispiel einfache Beschriftungen bis hin zu größeren und kleineren Dokumentationsausstellungen in den Gebäuden, kleine und umfangreiche gedruckte Führer, Videovorführungen, in Einzelfällen sogar kleinere Dauerausstellungen zu verschiedenen Themen. In diesem Bereich gibt es allerdings Desiderate, so erfährt der Besucher zum Beispiel noch nichts vom Wesen des historischen Bauens, ein Thema, das aber 1997 in einer Ausstellung im spätgotischen Bauhof in Bad Windsheim aufgegriffen werden soll. Mit einer Ausstellung über Folklorismus z. B. könnte man den Auftrag oder die Absicht des

Freilichtmuseum Finsterau, Tanzerhof:
Der Hof aus dem späten 19. Jahrhundert ist nicht nur ein Gebäude-Exponat, sondern dient auch als Zentrum für verschiedene museumspädagogische Aktivitäten, zum Beispiel »Übernachten im Museum«.

Museums noch besser übermitteln. Museumspädagogische Angebote gibt es in nahezu allen Freilichtmuseen, unabhängig davon, ob hierfür eigene Planstellen (ihre Zahl stagniert seit längerer Zeit) ausgewiesen sind. Vor allem im Museum an der Glentleiten wird der museumspädagogische Auftrag auch in der Betreuung Erwachsener gesehen, bzw. in der Mitarbeit bei allen didaktischen Aufgaben. Nur in Bad Windsheim und Finsterau gibt es eigene Gebäude für museumspädagogische Aktivitäten.

An dieser Stelle sollte man auch die Frage nach der Betreuung von körperbehinderten Besuchern ansprechen: Diese haben es in einem Freilichtmuseum schwer. Es gibt zwar für sie meist gesonderte Eingänge in das Museumsgelände und eigene Toiletten, aber meist keine Aussagen darüber, welche Gebäude, wenn auch eingeschränkt, für sie besuchbar erscheinen, bzw. wo Hilfen bereitstehen. Für Blinde werden nur in Bad Windsheim Führungen angeboten, spezielle Ausstellungen, wie im Rheinischen Freilichtmuseum Kommern, oder gar Beschriftungen in Blindenschrift gibt es in bayerischen Freilichtmuseen nicht.

• Sammlungen

Die Freilichtmuseen besitzen inzwischen die größten Sammlungen von Objekten der bäuerlich-ländlichen Sachkultur, deren überwiegender Teil allerdings in Depots aufbewahrt wird. Es bestehen zumindest Kurzinventare; ein Teil der Objekte ist wissenschaftlich inventarisiert, in vielen Museen mit Hilfe von EDV. Die Fülle der gesammelten Dinge und die damit verbundenen Kosten zwingen die Museen in zunehmendem Maße, ihr Sammelkonzept zu überarbeiten und nicht mehr alles das aufzunehmen, was zum Beispiel an der Kasse in noch so guter Absicht abgegeben wird. Inzwischen rücken diese Sammlungen als ein wertvolles Potential für die Zukunft immer mehr in den Vordergrund. Deutlich zeigt sich dies etwa in den zunehmend zahlreicher und größer werdenden Ausstellungsflächen, zum Beispiel im Museum an der Glentleiten oder in den Planungen zu Ausstellungsgebäuden in Neusath-Perschen, und vor allem in Bad Windsheim, wo auf der Basis dieser Sammlungen ein »Landesmuseum Franken« entstehen soll.

• Konservierung

Ob Freilichtmuseen auch künftig noch finanziert werden können, wird auch oder vielleicht hauptsächlich davon abhängen, inwieweit sich der Aufwand für ihre Erhaltung in Grenzen hält. Zur Zeit haben sich eine Reihe von Museen mit der ersten größeren Welle von Bauunterhaltsmaßnahmen auseinanderzusetzen, die bereits das Investitionsvolumen negativ beeinflußt haben. Alle Museen haben seit längerem erkannt, daß die klimatischen Verhältnisse in den Exponats- und Depotgebäuden entscheidend verbessert werden müssen, wenn die Gebäude selbst oder die darin befindlichen Objekte möglichst lange erhalten werden sollen, bzw. wenn sich die Konservierungs- und

Freilichtmuseum des Bezirks Oberbayern an der Glentleiten:
Es wird dort versucht, konservatorische Probleme bereits beim Aufbau der Gebäude, zum Beispiel mit Hilfe eines Bauzeltes, möglichst gering zu halten. Die Idee, besonders sensible Exponatshäuser in Großraumvitrinen zu stellen, ist zur Zeit aber noch »unverkäuflich«.

Freilichtmuseum des Bezirks Oberbayern an der Glentleiten: Hohe Besucherzahlen bedeuten auch konservatorische Probleme und Diebstahlgefahr.

Restaurierungskosten in Grenzen zu halten haben. Die zur Verfügung stehende, jahrelang bewährte Methode einer Gebäudetemperierung, deren technische Ausführung sich inzwischen derart minimiert hat, daß sie auch nachträglich ohne größeren Aufwand eingebaut werden kann, wird inzwischen von allen Museen angenommen. Ziel ist es vor allem, kostengünstige Energieträger dafür einzusetzen. Wo es sich anbietet, werden zur Zeit Hackschnitzel-Heizungen propagiert oder in gewissem Umfang auch die Solarenergie. Viele andere konservatorische Probleme, wie zum Beispiel der Verschleiß der Gebäude oder Objekte durch die Besucher, die Diebstahl- oder Einbruchsgefahr sind zumindest erkannt, wenngleich zufriedenstellende Lösungen noch auf sich warten lassen, bzw. heute noch nicht akzeptiert werden. Die besondere Entwicklung ist bei der Schädlingsbekämpfung zu verzeichnen: Die Ablösung der Giftstoffe durch ungiftige Substanzen ist in die Wege geleitet. Zur Zeit baut das Fränkische Freilandmuseum in Fladungen als Pilotprojekt eine größere Stickstoff-Begasungsanlage mit der Besonderheit, daß dort der Stickstoff direkt aus der Luft gewonnen werden kann.

• Aktivitäten

Auch die Freilichtmuseen sehen in Sonderausstellungen eine wichtige Aktivität. Je nach Stand der Inventarisation lassen sich Ausstellungen aus eigenen Beständen, was ja zunächst Ziel sein soll, schnell kostengünstig erarbeiten. Ob gemeinsame Sonderausstellungsprojekte, also die Verteilung von Arbeit und Kosten auf mehrere Museen, in Anbetracht sinkender Etatmittel einen Trend darstellen, kann nur erhofft werden. Der Ausstellungsverbund Fränkisches Freilandmuseum Bad Windsheim – Niedersächsisches Freilichtmuseum Cloppenburg – Freilichtmuseum Kiekeberg bei Hamburg – Deutsches Landwirtschaftsmuseum in Hohenheim bei Stuttgart – arbeitet jedenfalls erfolgreich. Neben Ausstellungen bieten Freilichtmuseen eine Reihe verschiedenster publikumswirksamer Veranstaltungen, zum Beispiel Handwerksvorführungen, Brauchtumsfeste, Volksmusik und Volkstänze etc. an. Das bisherige Konzept, nur das zu tun oder zuzulassen, was unmittelbar die Aussagen des Museums unterstützen kann, scheint doch ins Wanken geraten zu sein, vor allem wenn die Didaktik der Veranstaltungen analysiert wird. Wo bleiben etwa didaktische Hilfen zum Verstehen solcher Aktivitäten oder würden sie nicht eher die Freude der Besucher über die Belebung des sonst so leblosen Museums trüben? Mit sinkenden Besuchszahlen in den Museen und schlechter Finanzlage bei den Trägern steigt der Druck auf die Museen, mehr zu tun, als sie eigentlich vertreten können. Noch ist es zu früh zu lamentieren, daß das Museum mit seinen teuren

Investitionen für Originales nur mehr zur billigen Staffage für Verfälschendes wird. Aber es rentiert sich für die Museen, darüber nachzudenken, wie sie ihr Management ohne Qualitätsverlust verbessern können, aber auch darüber, was ihre eigene Stärke ausmacht. Dann haben sie es sicher nicht nötig, sich etwa Freizeitparks anzupassen.

Landwirtschafts-, Geräte- und Handwerksmuseen

Landwirtschaftliche Geräte und Werkzeuge des ländlichen Handwerks wurden verstärkt seit den 60er Jahren in großen Mengen gesammelt. Daraus entwickelten sich Spezialmuseen der Landwirtschaft, Geräte- und Handwerksmuseen. Ein »Gerätezentrum« ist Oberfranken (Ahorn b. Coburg, Bayreuth, Bergnersreuth). Aus einer Gerätesammlung entstanden das Niederbayerische Landwirtschaftsmuseum in Regen, das Volkskundemuseum Oberschönenfeld und das Rieser Bauernmuseum in Maihingen. Als Schwerpunkte der Präsentation ländlichen Handwerks gelten vor allem die Museen in Hillstett-Rötz, Mönchsondheim und Deggendorf. Große, wenn nicht die größten Bestände von Geräten und Werkzeugen finden sich in den Freilicht- und Bauernhofmuseen.

Die meisten der genannten Museen stehen vor dem Problem, wie sie die großen Mengen an Objekten bewältigen können. Nur zögernd erreichen sie qualifizierte Depots; kontinuierlich fortschreitende Inventarisationsarbeiten haben meist mit der Schwierigkeit zu kämpfen, daß die frühe Sammeltätigkeit nicht oder nur selten mit dem Einholen von Informationen zu den einzelnen Objekten verbunden war. Es wird in Zukunft verstärkt notwendig sein, Sammlungskonzepte zu überprüfen, gezielter zu sammeln und nach Abschluß der Inventarisation sogar eventuell Objekte auszusondern.

Die Landesstelle für die nichtstaatlichen Museen hat 1995 eine Fragebogenaktion durchgeführt mit dem Ziel, zumindest alle Großgeräte zu erfassen. Die Ergebnisse liegen vor; sie können dazu dienen, die zwar kostenlos angebotenen, aber in ihrer Pflege und Bewahrung sehr teuren Großgeräte in ihrer Bedeutung genauer zu beurteilen, so daß unter Umständen auf den Erwerb verzichtet werden kann, wenn andere Museen das gleiche Exemplar bereits besitzen.

Die Präsentationskonzepte der Gerätesammlungen und Handwerksmuseen gehen längst nicht mehr ausschließlich von den Geräten und Werkzeugen und deren Handhabung in mehr oder weniger großem Kontext aus. Ziel ist es auch geworden, Arbeiten, Wohnen und Wirtschaften auf dem Lande in bestimmten Zeiten und Gegenden mit Hilfe der gesammelten Objekte wenigstens facettenhaft aufzuzeigen, diese also in einem historischen, gesellschaftlichen und wirtschaftlichen Rahmen zu dokumentieren. Insofern sind auch sie, ähnlich den Freilichtmuseen, im Rahmen ihrer Möglichkeiten zu Dokumentations- und Forschungszentren geworden. Die problematische Bezeichnung »Gerätemuseum/Sammlung« ist sicher nicht werbewirksam und mag als Hypothek gesehen werden. Das erfolgversprechende Ambiente der Freilichtmuseen fehlt diesen Museen, die gezwungen sind, um jeden Besucher zu kämpfen, allerdings mit immer besser werdenden Mitteln, seit sie sich ihrer speziellen Aufgaben, die nicht identisch mit denen der Freilichtmuseen sein können, bewußt geworden sind. Im Gegensatz zu den Freilichtmuseen können sie zum Beispiel eine komplette historische Werkstatt didaktisch so aufbereiten, daß der Besucher eine Chance erhält, sie auch zu verstehen und etwas über die einst dort arbeitenden Menschen zu erfahren. Und dies ist, Beispiele zeigen es, sogar möglich ohne das »Malerische« zu zerstören, das dem Publikum offensichtlich besondere Freude bereitet.

Am weitesten entfernt vom ursprünglichen Gerätemuseum hat sich das Niederbayerische Landwirtschaftsmuseum in Regen. Es hat unter sparsamstem Einsatz von Objekten versucht, niederbayerische Agrar- und Sozialgeschichte des 18. bis 20. Jahrhunderts in einem »Geschichtslehrpfad« mit Hilfe von Inszenierungen, modernen technischen Hilfsmitteln und künstlerischen Gestaltungselementen aufzuzeigen. Eine Studiensammlung mit Entwicklungsreihen von Geräten schafft einen Ausgleich für diejenigen, die in der Ausstellung manches Objekt vergeblich suchen.

In vielen Scheunen Bayerns lagern noch Tausende von Geräten. Es gilt deshalb abzuwarten, ob sich die Zahl der Gerätemuseen noch vergrößert. Die bisher eröffneten haben jedenfalls gezeigt, daß es sehr schwierig, aufwendig und teuer ist, das spröde Material zu dokumentieren, aufzubereiten und vor allem zu präsentieren, und daß die Bedeutung eines solchen Museums für die Dokumentation von Alltagskultur auf dem Lande noch nicht an entsprechenden Besuchszahlen abzulesen ist.

Technikgeschichtliche Museen

Das bedeutendste technikgeschichtliche Museum in Bayern ist das Deutsche Museum in München, das 1903 zur Präsentation von »Meisterwerken der Naturwissenschaften und Technik« gegründet wurde. Ihm voraus ging das 1899 gegründete Verkehrsmuseum Nürnberg, das sich vor allem der Geschichte des Eisenbahn- und Postwesens, aber auch der Schiffahrt widmete. Als Hauptgründungsphase technischer Museen in Bayern gelten die 70er und 80er Jahre: Es entstanden eine Reihe von Firmenmuseen (wie Siemens, BMW), Automobil- und Eisenbahnmuseen, Motorrad- und Fahrradmuseen, Schiffahrts- und Verkehrsmuseen, Produktmuseen wie die Schreibmaschinen- und Nähmaschinenmuseen. Weitere Themen sind zum Beispiel Brauerei, Elektro, Rundfunk, Wehrtechnik, Wasserkraft, Holztechnik und vieles andere mehr. Hinzuzuzählen sind technische Baudenkmäler und Anlagen, die museal aufbereitet sind, wie einige Getreidemühlen und Hammerschmieden. Technische Architekturobjekte mit dazugehörigen Ausstellungen finden sich in den meisten Freilichtmuseen, vor allem handelt es sich um Getreide-, Säg- oder Ölmühlen, um Brauereien oder in einem Fall um ein Ziegelwerk.

Bei vielen dieser zahlreichen technischen Museen handelt es sich um technische Museen im engeren Sinn, das heißt die Konzeption beruht in erster Linie auf der Präsentation der besonderen

Grassau, Lkr. Traunstein; Beispiel für ein technikgeschichtliches Museum: Das Soleleitungsmuseum Klaushäusl, eine historische Anlage, wird mit einer großen Dokumentationsausstellung erklärt.

Technik, vielleicht noch des Fertigungsprozesses, meist aber nur auf den Entwicklungsreihen der Produkte. Seit einigen Jahrzehnten, verstärkt aber erst in den letzten ca. 15 Jahren, fingen technische Museen an, auch das Deutsche Museum in München, solche einseitigen Konzepte zu überdenken. Dies geschah unter dem Eindruck einer zunehmend kritischen Betrachtungsweise gegenüber technischen Errungenschaften und Zweifel an einem uneingeschränkten Fortschrittsglauben. Es galt nun, die Technik im Rahmen der Wirtschafts-, Sozial- und Kulturgeschichte zu sehen.

Es ist zu hoffen, daß die Zahl der Museen mit einer modernen Konzeption weiter steigt. Die Berufung eines Soziologen zum Leiter des Verkehrsmuseums Nürnberg darf wohl als ein vielversprechendes Signal verstanden werden. Eine erfreuliche Entwicklung kann bei museal genutzten technischen Baudenkmälern gesehen werden. Einerseits wird versucht, diese Geschichtszeugnisse möglichst fachgerecht zu restaurieren, andererseits aber werden nach umfangreichen Forschungsarbeiten, in denen Technikgeschichte und der arbeitende Mensch gleichermaßen im Mittelpunkt stehen, qualitätvolle Dokumentationsausstellungen angegliedert. So sind als neue Beispiele die Glockenschmiede Ruhpolding, jetzt »Museum Glockenschmiede«, das Soleleitungsmuseum Klaushäusl bei Grassau und das Papiermühlenmuseum Homburg a. Main, das 1997 eröffnet werden wird, zu nennen.

Industriemuseen

Im Agrarstaat Bayern entwickelten sich im 19. Jahrhundert nur wenige industrielle Zentren, nämlich Augsburg, Nürnberg, Fürth und Hof. Es kann deshalb nicht verwundern, daß im Gegensatz etwa zu den großen Industrieregionen Deutschlands, wie etwa dem Ruhrgebiet, die Idee der Bewahrung und musealen Darstellung des industriellen Erbes relativ spät, eigentlich erst seit den 70er Jahren und nur an wenigen Orten aufgegriffen wurde. Die inzwischen häufig anzutreffende museale Präsentation industrieller Produkte oder weiterentwickelter technischer Maschinen, zum Beispiel in vielen Werkstätten, lassen nicht automatisch auf ein Industriemuseum schließen. Zu einem solchen gehört, daß es in historischen Produktionsanlagen errichtet sein soll, damit die Möglichkeit besteht, die Sammlung ganz oder teilweise in authentischen Zusammenhängen unter Einbeziehung des Gebäudes selbst zu präsentieren. Ferner soll ein Industriemuseum nicht ausschließlich ein technikgeschichtliches Museum im engeren Sinne sein, sondern es muß sich auch der Wirtschafts- und Sozialgeschichte widmen und den allgemeinen kulturgeschichtlichen Zusammenhang sehen. Dieser Anspruch wird beispielsweise im Namen »Museum Industriekultur« deutlich. Wenn bei der Auswahl der Museen auch die Kriterien für Industrieproduktion, also zum Beispiel Massenfertigung, Rationalisierung, überörtliche Absatzmärkte, verbunden mit entsprechenden Verkehrswegen, moderne Energien, Kapitaleinsatz, Innovationen etc. berücksichtigt werden sollen, engt sich der Kreis der in Frage kommenden Museen ein. Zu Industriemuseen können also nicht gerechnet werden Museen, die sich der Geschichte des Handwerks und der Manufakturen widmen, nicht gewerbliche Produktionsstätten in Freilichtmuseen bäuerlich-ländlicher Kultur, begehbare technische Baudenkmäler, technische Museen, Produktmuseen, aber auch nicht Eisenbahn- und Automobilmuseen, die in Bayern nach technikgeschichtlichen Funktionen im engeren Sinn präsentiert sind.[3]

Wichtigste Industriezweige Bayerns aber sind museal präsentiert. Es handelt sich dabei um die Bereiche Bergbau und Salinen (Kropfmühl, Peissenberg, Theuern/Kümmersbruck, Bad Reichenhall/Berchtesgaden), Schiffbau (Wörth a. Main), Glas (Zwiesel, Frauenau), Keramik (Hohenberg, Selb-Plößberg), Spielzeugindustrie (Neustadt b. Coburg), Maschinenbau (Firmenmuseum MAN Augsburg) und Eisenverarbeitung (Eckersmühlen, Lauf a. d. Pegnitz, Roth), Kalk und Ziegel in Flintsbach bei Deggendorf.

Ein ehrgeiziges, allerdings langfristig angelegtes Projekt, das wohl zum größten Industriemuseum Bayerns führen kann, wird zur Zeit als »Europäisches Industriemuseum für Porzellan und technische Keramik« in Selb-Plößberg in einer ehemaligen Porzellanfabrik errichtet. Seit Jahren gibt es Bestrebungen, ein Museum der Textilindustrie in Münchberg zu gründen; in Neugablonz soll ein Museum der Schmuckindustrie entstehen.

Mit großen Ambitionen wurde das Centrum Industriekultur 1979 in Nürnberg als Forschungs-, Dokumentations- und Ausstellungszentrum gegründet und als »Museum Industriekultur« 1988 in einer ehemaligen Fertigungshalle teileröffnet. Inzwischen sah sich die Stadt Nürnberg gezwungen, das ursprüngliche Konzept zu reduzieren, wissenschaftliche Stellen abzubauen und Teile der Halle auch für andere Museen zur Verfügung zu stellen. Die hohen Kosten, die bei der Errichtung und dem Betrieb von Industriemuseen entstehen, lassen die Befürchtung zu, daß das Hauptdesiderat, das schon lange diskutierte Industriemuseum für Schwaben mit Darstellung der Textil- und Maschinenbauindustrie, noch lange nicht beseitigt werden kann.

Die Museen, die sich den angesprochenen Themen widmen, gehören im allgemeinen zu den teuersten Museen, was die Investition und den laufenden Betrieb anbelangt. Geringer werdende Kulturmittel wirken sich bei ihnen am schnellsten aus, so hatten sie bereits seit Jahren mit Etatkürzungen zu kämpfen. Es wäre zu hoffen, daß diese nicht substantiellen Charakter annehmen, aber Aktionsradien verkleinern sich doch, wenn zum Beispiel ganze Planstellen zu halben werden oder Stellen nicht mehr besetzt werden dürfen. Die Zahl der Zuschußgeber hat sich zusehends verringert; zur Zeit beruhen manche Hoffnungen auf Ausschüttungen aus München, wo der Fonds aus den Privatisierungserlösen des Freistaats Bayern auch für sie in Frage kommen soll. Es wird gerade in finanziell schlechten Zeiten bedauert, daß sich Alt-Bundespräsident Richard von Weizsäcker nicht mit seiner Forderung durchsetzen konnte, Kulturaufgaben als Pflichtaufgaben zu sehen in Konsequenz seiner Worte zur Eröffnung des Erweiterungsbaus des Germanischen Nationalmuseums in Nürnberg: »Kultur ist ein Teil unserer Existenz«.

Anmerkungen

1 Bauernhäuser in Bayern, Dokumentation. (Hg.) Bayer. Staatsministerium für Ernährung, Landwirtschaft und Forsten und Bayer. Landesverein für Heimatpflege e.V. Erschienen Bd. 1 Mittelfranken, Bd. 2 Oberfranken, Bd. 3 Oberpfalz, Bd. 4 Niederbayern, Bd. 5 Unterfranken noch 1996

2 Informationen aus dem im Manuskript vorliegenden Teil der Dokumentation, die von der Volkskundlerin Sabine Hansen M.A. zur Zeit erarbeitet wird.

3 Vgl. hierzu Georg Waldemer: Industriemuseen in Bayern – ein Überblick. In: Museum – Bulletin – Muzeum, (Hgg.) Landesstelle für die nichtstaatlichen Museen in Bayern, Landesstelle für Museumswesen in Sachsen, Asociace Ceských a moravskoslezských muzeí a galerií. Liberec – München 1994, S. 90

Museumsgestaltung im 18. Jahrhundert, das Naturkunde-Museum Bamberg

Frank D. Davis

Von Studiensammlungen zu Erlebnismuseen – Tendenz steigend

Naturkundliche und archäologische Museen in Bayern

Es waren meist Neugier und Besitzerstolz, die den Menschen veranlaßten, alles mögliche zu sammeln. Die Anfänge der Sammelleidenschaft lassen sich bis in die Antike zurückverfolgen, wie Archäologen bei Ausgrabungen zum Beispiel in der Römerstadt Augusta Raurica (Kaiser Augst) bei Basel nachweisen konnten.[1] Die fürstlichen Kunst- und Wunderkammern der Renaissance umfaßten neben Kunstgegenständen auch Altertümer und Naturalien – meist Naturseltenheiten. Der Grundstock vieler Raritätenkabinette des 18. und 19. Jahrhunderts bestand aus Kuriositäten, aus Andenken an verschiedene Expeditionen in fremde Länder, aus Jagdtrophäen oder Erinnerungsstücke früherer Forscher und Weltreisender wie etwa James Cook (1728–1779), Charles Darwin (1809–1882) oder Alexander von Humboldt (1769–1859). Man war begeistert von diesen Curiosa und wollte alles zeigen, was man besaß, ungeordnet und gefällig drappiert in eigens angefertigten Kabinettschränken.

Naturkundliche Museen und Sammlungen

Mit dem Zeitalter der Aufklärung begannen Wissenschaftler die naturkundlichen Sammlungen zu systematisieren, wie zum Beispiel der schwedische Botaniker Carl von Linné (1707–1778) mit seiner »Systema naturae«, der französische Naturkundler Jean Baptiste Lamarck (1744–1829) mit seiner »Histoire naturelle des animaux sans vertèbres« oder der Brite Charles Lyell (1797–1875), den manche den Vater der Geologie nannten. Nun wurden Mineralien und Fossilien, Tiere und Pflanzen klassifiziert und entsprechend den neuen Ordnungsprinzipien in Vitrinen und Schaukästen einer Öffentlichkeit zugänglich gemacht.

Bis heute hat sich ein Beispiel dieser frühen Museumsgattung erhalten, das Naturkunde-Museum im ehemaligen Jesuiten-Kolleg in Bamberg, das 1793 Fürstbischof Franz Ludwig von Ertlach als Naturalienkabinett in einem eigens dafür geschaffenen Saal einrichten ließ. Diese Art der Ausstellungskonzeption und -präsentation prägte bis weit ins 20. Jahrhundert auch die naturkundlichen Schausammlungen in Bayern.

Durch die neue Systematisierung meinten die Sammlungsbetreuer, die ganze Spannweite ihrer Sammlungen zeigen zu müssen. Man konnte nun reihenweise dieselben oder verwandte Arten in den Glasvitrinen und Regalen betrachten, eben die großen Studiensammlungen, die das Bild der meisten naturhistorischen Museen aus dieser Zeit prägten. Viele dieser Kabinette wurden als Gelehrtenstuben, ja als Bastionen für Akademiker und ihre Studenten abgestempelt, das allgemeine Publikum bis auf ein paar Neugierige blieb diesen Häusern weitestgehend fern.

Mitte des 19. Jahrhunderts, als gleichzeitig durch die historischen Vereine das Interesse für die eigene Vergangenheit und deren kulturelle Zeugnisse erblühte und sich in den Gründungen von Stadt- und Heimatmuseen manifestierte, initiierten naturwissenschaftliche Vereine in Schwaben und in der Oberpfalz die Gründung naturkundlicher Sammlungen: das Naturmuseum in Augsburg (1854) und das Naturkundemuseum Ostbayern in Regensburg (1846).

Nach mehreren Umzügen im Laufe der Zeit präsentiert sich heute die Augsburger Sammlung, seit 1988 in einem größeren Gebäude in der Innenstadt untergebracht, nach modernen Kriterien, mit Leucht- und Schaubildern, Modellen, Inszenierungen und Dioramen didaktisch aufbereitet. Schon seit den 30er Jahren hatten einige Naturkundemuseen begonnen, exotische und ausländische Großwildpräparate in ihre reproduzierten Naturlandschaften zu stellen. Die Idee des Dioramas hatte Einzug in die Museumsszene gehalten. Begriffe wie »der afrikanische, australische oder asiatische Saal« haben die Besucher begeistert. Konnten sie sich doch nun erst andersartige oder lang vergangene Lebenswelten vorstellen. Heute

Blick in das Naturmuseum Augsburg in die Abteilung »Tierwelt des Tertiärs«

findet man Dioramen in verschiedensten Ausführungen in fast jedem Naturkundemuseum.

Das traditionelle, an Studiensammlungen ausgerichtete Naturmuseum von damals hat sich mittlerweile neu orientiert, es will sich publikumswirksamer darstellen. In Augsburg ist ein Planetarium besonderer Anziehungspunkt für Besucher. Das Naturkundemuseum Ostbayern in Regensburg plant einen geologischen Lehrpfad und ein Feuchtbiotop im Außenbereich. Damit bezieht das Museum seine lebendige Umwelt in den Ausstellungsrundgang mit ein.

Das moderne Naturkundemuseum will nicht mehr nur ein Ort reiner Sammeltätigkeit sein,

»Spielerische Naturkunde« im Museum Mensch und Natur, München

sondern auch verstärkt seinen pädagogischen Bildungsauftrag wahrnehmen. Dabei liegt der Akzent deutlich auf unterhaltsamer Erziehung. Sowohl im Ausstellungskonzept als auch in der musealen Präsentation beschritt das 1990 eröffnete Münchner Museum Mensch und Natur neue Wege. Mit seinen Abteilungen »Unruhiger Planet Erde«, »Nahrung für die Menschheit«, »Nerven und Gehirn« oder »Spielerische Naturkunde nicht nur für Kinder« wurde es zu einem richtigen Publikumsmagnet. Das Münchner Museum hat sich in seiner Konzeption dafür entschieden, nicht nur geologische und biologische Zusammenhänge der Vergangenheit anzusprechen, sondern vor allem heutige und zukünftige Entwicklungen der Erde mit all den Problemen wie Umwelt, Wasser, Bevölkerungsexplosion, Ernährung, Raubbau mit der Natur und anderes mehr dem Besucher nahe zu bringen. Die Präsentationen wurden durch anregende und lustige Sonderausstellungen immer wieder von neuem belebt.

Das Regensburger Museum präsentiert in Terrarien lebende Tiere, deren Entwicklung der Besucher selber verfolgen kann, die er also nicht mehr nur mittels farbiger Graphiktafeln und ausführlicher Textinformationen theoretisch vorgestellt bekommt. Weitere Abteilungen in Richtung »lebendiges Museum«, im wahrsten Sinn des Wortes, sind geplant. In der Dauerausstellung kann man das Leben von Schmetterlingen oder Gottesanbeterinnen in eigenen Terrarien anschauen und ab 1997 wird ein echter Bienenstock installiert, an dem man den sog. Bienentanz studieren kann. Es existieren bereits sog. Laboratorien mit wissenschaftlichen Instrumenten, bei denen der Benutzer in die Rolle des Experten schlüpft und selber die Geheimnisse der Natur entdeckt und erlebt.

Auch bei einem der jüngsten bayerischen Naturkundemuseen spürt man den Wunsch, die zum Teil spröden wissenschaftlichen Zusammenhänge dem Publikum nicht nur auf rationaler, sondern auch auf sinnlicher Ebene zu präsentieren. Das 1995 eröffnete Südostbayerische Naturkunde- und Mammutmuseum in Siegsdorf/Landkreis Traunstein wählte für das wissenschaftlich fundierte Ausstellungskonzept eine überwiegend lockere Gestaltung: die geologische Abteilung präsentiert sich in einer angedeuteten Höhlensituation oder in simulierten Bergwerkstollen, in der Abteilung Meereswelt vor Millionen von Jahren befindet sich der Besucher in einer Unterwasserlandschaft. In einem Salzwasseraquarium kann man lebende Korallenriffbewohner bewundern. Im Obergeschoß sind Reste aus der Tierwelt der Eiszeit zu besichtigen sowie das rekonstruierte Mammutskelett »Oskar« und den noch selteneren Höhlenlöwen, der heute noch »echt« brüllen kann. In naher Zukunft wird ein geologischer Wanderpfad durch die Voralpenlandschaft angelegt. Dadurch wird die Geologie, die man in Ausschnitten im Museum findet, an den Originalstellen direkt vor Augen geführt. Für Kinder besonders attraktiv: ein Haifischkopf, in den man hineinkriechen kann, und schließlich eine sog. »Tastecke«, in der ausgewählte Fossilien angefaßt werden können.

Beispiel eines Dioramas zum Thema »Lebensraum im Kambrium«, Naturkundemuseum Ostbayern, Regensburg

Die geologische Abteilung des Naturkunde- und Mammut-Museums in Siegsdorf

Neben diesen Entwicklungen, naturwissenschaftliche Erkenntnisse auf spielerische, unterhaltsame, interaktive Weise zu vermitteln, ist interessanterweise seit einigen Jahren eine andere Tendenz zu bemerken: der Rückblick auf die eigenen Quellen und eine neue Wertschätzung früherer Ausstellungsprinzipien. Als »Museum im Museum« planen verschiedene naturkundliche Häuser die Rekonstruktion sog. »Historienräume«, wie etwa in Regensburg und im Coburger Naturhistorischen Museum. Der Bedeutung der alten musealen Präsentation war man sich auch bei der Neuaufstellung der Petrefaktensammlung in Banz/Gemeinde Staffelstein bewußt. Diese älteste paläontologische Sammlung Bayerns geht auf das Jahr 1814 zurück. Seit 1988 ist die Sammlung, die der herzogliche Kanzleirat Carl Theodori (1788–1857) aus der Region um den Staffelberg zusammengetragen hatte, gemeinsam mit der Orientalischen Sammlung in einem Flügel des ehemaligen Klosters, heute Hanns-Seidel-Stiftung, untergebracht. Von einer Reise nach Ägypten brachte Herzog Max in Bayern 1838 natur- und völkerkundliche Objekte mit, die man heute bewußt unter Wahrung ihres historischen Charakters in den originalen, bemalten Vitrinen wieder aufstellte.

Moderne naturhistorische Museen haben erkannt, daß sie die Verpflichtung haben, ihre Besucher über die Welt der Natur zu informieren, wie sie funktioniert, welche Faktoren fördernd, erhaltend oder schädigend sind. Sie wollen Fragen stellen, wie man mit der Natur umgeht und darauf Antworten suchen. Sie können komplexe wissenschaftliche Vorgänge mit Hilfe didaktisch aufbereiteter Sammlungsbestände, mit Dioramen, Modellen, Laboratorien und anderen interaktiven Methoden und natürlich durch den Einsatz neuer Medien auf anschaulichste Weise vermitteln. Sie werden somit zum Bindeglied zwischen Wissenschaft und Öffentlichkeit. Damit erhalten gerade die Naturmuseen eine neue Verantwortung und gleichzeitig einen neuen Stellenwert innerhalb der Museumslandschaft.

Vor- und frühgeschichtliche und archäologische Museen

Wie die naturkundlichen verfügen auch die archäologischen Museen über sehr große Sammlungsbestände. Bei jeder Grabung kommen neue Funde hinzu, die es gilt zu dokumentieren, zu konservieren und gegebenenfalls auszustellen. Durch die Mittelalter- und Neuzeitarchäologie und neuerdings auch durch die Industriearchäologie wachsen die Bestände ins unermeßliche. Die archäologischen Museen stehen vor dem Problem, dem Laien anhand ihrer Objekte, bei denen es sich ja um Relikte und Fragmente handelt, nun Zusammenhänge, Entwicklungen und Prozesse längst vergangener Lebens- und Arbeitswelten vermitteln zu wollen. Für das Ausstellungskonzept gilt dann, unter den Unmengen der Fundstücke gezielt jene auszuwählen, die das darzustellende Thema deutlich belegen können. Das fällt nicht immer leicht. Häufig erkennt der Besucher statt der gewünschten inhaltlichen Aussage eher den Besitzerstolz des Museumsleiters, weil die Vitrinen von einem immensen »Warenangebot« total überfüllt sind. Heute bevorzugt man das Motto »weniger ist mehr«.

Mitte der 80er Jahre forderte der damalige Referent des Bayerischen Landesamtes für Denkmalpflege, Abteilung Bodendenkmalpflege, anläßlich des Bayerischen Museumstages in Straubing neben einer Schwerpunktbildung bei den Sammelgebieten, eine Konzentration archäologischer Funde in Schwerpunktmuseen sowie klare Konzept- und Gestaltungsüberlegungen bei der Neugestaltung vor- und frühgeschichtlicher Schausammlungen. Er schlug einige Themen und Vorgehensweisen vor:

- Darstellung von Natur- und Kulturlandschaften zur Vermittlung landeskundlicher Geschichte

- Präsentation von Denkmälern und Kulturzeitaltern in chronologischer Ordnung, wobei generelle Periodenfolgen und regionale Sonderbildungen hervorzuheben seien. Eine strenge chronologische Abfolge könne jedoch zugunsten einzelner Themen, wie Wirtschaftsformen, Lebens- und Siedlungsweisen, Wohn- und Wehrbauten und so fort, unterbrochen werden.

- Verbindung zur Gegenwart, das heißt inhaltliche Sachgebiete weiterführen bis zur mittelalterlichen und neuzeitlichen Kulturgeschichte, mit Themen wie zum Beispiel Geräte- und Waffenkunde, Bestattungsriten, Trachtenkunde oder Arbeitsweisen, um nur einige zu nennen.[2]

Dieser Forderung ist bei den großen archäologischen Neuaufstellungen im Gäubodenmuseum in Straubing (1977–1995), im Stadtmuseum Deggendorf (1984), im Stadtmuseum Günzburg (seit 1982) weitestgehend entsprochen worden, sie gilt auch heute noch für diese Museen.

Bei der Umsetzung der inhaltlichen Konzepte helfen Rekonstruktionen und/oder Modelle, vor allem aber gute grafische Darstellungen, nicht mehr Vorhandenes zu visualisieren. Das Mittel der Inszenierung findet auch bei den ur- und frühgeschichtlichen Sammlungen seine Anhänger. Ganze Fundsituationen oder Grabstätten werden in Großvitrinen nachgestellt, ergänzt durch zahlreiche grafische Darstellungen. Hiermit will man dem Besucher auch die Methoden und die Arbeitsweise der eigenen Wissenschaft erläutern, ihn sozusagen hinter die Kulissen des Archäologen blicken lassen. Als Beispiel sollen hier die rekonstruierten Dorfmodelle sowie die eisenzeitlichen Grabkammern – ein regionaler Siedlungsraum entlang der Altmühl in Dietfurt/Landkreis Neumarkt in der Oberpfalz – erwähnt werden.

Rekonstruktionen von kleineren Objekten, wie Gefäße, Werkzeuge oder Schmuckstücke stehen unter Museumskollegen außer Frage. Diese verhelfen dem Betrachter, ein besseres Verständnis für Form und Aussehen vergangener Objekte zu bekommen. Anders sieht es bei der Wiederherstellung größerer Nachbauten aus. Die Diskussion über das sinnvolle Wiederaufbauen vergangener Gebäude oder ganzer Wehranlagen ist in vollem Gange. Diese Art der Geschichtsvermittlung ist für viele Historiker nicht unproblematisch. Besonders dann, wenn nur letzte Spuren von Gebäuden oder Gebäudegruppen in Form von Grundmauern, Mauerresten oder gar nur Verfärbungen in der Erde erhalten geblieben sind. Die Frage ist, wie weit darf man gehen? Werden Rekonstruktionen anhand gesicherter, wissenschaftlich fundierter Untersuchungen durchgeführt oder aufgrund lebhafter Phantasie seiner heutigen Erbauer?

In der provinzialrömischen Abteilung des Heimatmuseums in Günzburg/Schwaben wurde eine Großvitrine in Anlehnung an die Fundsituation gestaltet.

Ergänzungen, Nachbauten und Modelle sind unter didaktischen Aspekten wichtige Hilfsmittel, um dem Laien eine bildliche Vorstellung zu ermöglichen. Ohne ausreichende wissenschaftliche Grundlagen können sie jedoch zur Geschichtsfälschung beitragen. Erlaubt sei hier die Frage, ob es nicht genauso wichtig ist, dem Besucher die Vergänglichkeit solch` monumentaler Bauwerke zu vermitteln, und zwar dadurch, daß man sie als Ruine stehen läßt?

Nur selten ist der Glücksfall gegeben, daß sich wie bei der römischen Thermenanlage im fränkischen Weißenburg, Mauern bis zu einer Höhe von 2,5 m erhalten haben. Die Anlage hat man konserviert und eine riesige Halle darüber errichtet. Auf Laufstegen kann der Besucher die einzelnen Räume besichtigen, eine anschauliche Vorstellung der gesamten Thermenanlage erhält er durch informative Graphiktafeln und mittels eines kleineren Modells.

Vom ehemaligen spätrömischen Römerkastell Boiotro bei Passau dagegen sind nur Mauerstümpfe erhalten, die seit 1986 in einem Freigelände zu besichtigen sind. Hier präsentiert man bewußt nur die geringen Überreste einer ehemals eindrucksvollen Anlage, jedoch ergänzt mit didaktischen Erläuterungen. In jüngster Zeit begnügt man sich offenbar nicht mehr allein mit der Zurschaustellung solcher, für viele nichtssagender Relikte, sondern tendiert immer stärker zu einer vollständigen Präsentation.

Der Besucher hat oftmals Schwierigkeiten mit der Interpretation von Relikten aus der Vergangenheit. (Karikatur von Vladimir Rencin, 1983)

Die Methode der »Vollrekonstruktion« ist nicht unumstritten. Um die Diskussion zwischen Befürwortern und Gegnern zu beleben, sei an dieser Stelle an die Empfehlungen des II. Internationalen Kongresses der Architekten und Techniker der Denkmalpflege 1964 in Venedig erinnert, die als »Internationale Charta über die Konservierung und Restaurierung von Denkmälern und Ensembles« veröffentlicht wurde. Im Artikel 15 »Ausgrabungen« wurde noch festgelegt: *»Jede Rekonstruktionsarbeit soll von vornherein ausgeschlossen sein; nur die Anastylose kann in Betracht gezogen werden, das heißt, das Wiederzusammensetzen vorhandener jedoch aus dem Zusammenhang gelöster Bestandteile. Neue Integrationselemente müssen erkennbar sein und sollen sich auf das Minimum beschränken, das zur Erhaltung des Bestandes und zur Wiederherstellung des Formenzusammenhanges notwendig ist.«* [3] Aufbauend auf diese Grundprinzipien veröffentlichte 1989 in Lausanne das »International Commitee for the Management of Archaeological Heritage« die Charta für den Schutz und die Pflege des archäologischen Erbes. Von besonderem Interesse ist in unserem Zusammenhang Artikel 7, der sich unter anderem mit Rekonstruktionen befaßt: *»Rekonstruktionen können zwei wichtige Funktionen erfüllen: experimentelle Forschung und Interpretation. Sie sollten jedoch mit großer Vorsicht ausgeführt werden, um jede Störung vorhandener archäologischer Befunde zu vermeiden. Um größtmögliche Authentizität zu erreichen, sind Zeugnisse und Quellen aller Art heranzuziehen. Wo es möglich und angemessen ist, sollen Rekonstruktionen nicht unmittelbar auf den archäologischen Überresten errichtet werden, und sie müssen als Rekonstruktionen erkennbar sein.«* [4]

Trotz dieser mahnenden Worte der internationalen Experten führt die Entwicklung der archäologischen Museen immer mehr zu Wiederherstellungen einzelner Bauten oder gar großer Anlagen. Der große Erfolg solcher archäologischen Museumsareale beim Publikum ließ so manche Bedenken der Fachleute verschwinden. Fühlt sich der Besucher hier doch in die Vergangenheit zurückversetzt. In den Freigeländen kann man außerdem, ähnlich wie in den Freilichtmuseen, größere Aktivitäten und einschlägige Veranstaltungen abhalten. Der 1977 eröffnete Archäologische Park in Xanten im Rheinland, mit seinem radikalen Konzept und dem positiven Echo bei der Bevölkerung war hier sicherlich wegweisend. Das früheste bayerische Beispiel ist der Archäologische Park Cambodunum in Kempten, dessen rekonstruierte gallorömische Tempelbezirke 1987 eröffnet wurden. Die unter einem Schutzbau konservierten kleinen Thermen konnten 1995 eingeweiht werden.

Ein archäologisches Freilichtmuseum besonderer Art ist in der Gemeinde Adelschlag/Möckenlohe (Landkreis Eichstätt/Obb.) entstanden: dort

Rekonstruierte Vor- und Frühgeschichte: die villa rustica in Adelschlag/Möckenlohe

wurde ein Gebäudekomplex aus der Römerzeit in den Jahren 1987/89 komplett ausgegraben. Die vollständig rekonstruierte Villa Rustica vom Typus Portikus-Risalitbau mit Keller ist unter der wissenschaftlichen Betreuung des Bayerischen Landesamtes für Denkmalpflege auf den Fundamentresten des ehemaligen Gutshofes wiederaufgebaut worden. Nach antiken Vorbildern errichtete man die Mauern aus Bruchsteinen, auch die Dachziegeln, die Hypokaustplatten und der Estrich konnten nach Originalbefunden wiederhergestellt werden. Der Trägerverein ließ nach antiken Vorlagen landwirtschaftliche Geräte rekonstruieren, die man regelmäßig bei Vorführungen alter Arbeitstechniken einsetzt. In Möckenlohe demonstriert man auch die Anpflanzung und die Ernte alter Getreidesorten. Ergänzend hierzu wurde ein »römischer Haustierpark« angelegt. In ihm leben *»Wollschweine, Walliser-Ziegen, langhornige Rinder…, Schwarznasenschafe, Fjordpferde usw., welche Rassen von den Römern bei uns gehalten wurden. Die Tierstämme sind seit der Antike reinrassig geblieben und entsprechen so dem Aussehen nach genau [annähernd] den Abbildungen auf römischen Reliefs und den erhaltenen Knochenbefunden«*, wie es in dem Museums-Faltblatt heißt.

Möckenlohe hat sich mit weiteren 21 römischen Fundplätzen zusammengeschlossen, die sich in einem Fremdenverkehrsprospekt unter dem Titel »Die Römer am Limes – Naturpark Altmühltal« sozusagen als riesiges Freilichtmuseum präsentieren. Für den Touristen sind hier unterschiedliche historische Wanderwege zusammengestellt, wie etwa *»Die Schnuppertour. Der schnellste Weg, einen Eindruck von der Römerzeit am Limes zu erhalten…«* oder *»Die Erlebnistour. Wer mehr Zeit und intensiver in die Römerzeit eindringen möchte…«* oder gar *»Genießertouren. Für die vielen Freunde des Naturparks Altmühltal, die ihre Ferien ganz im Zeichen von Natur und Kultur erleben wollen…«* [5]

In Planung befinden sich zwei ur- und frühgeschichtliche Parks, deren Namen Programm und Zielsetzung sind: das Bajuwaren-Freilichtmuseum in Petting am Waginger See und die Prähistorische Siedlung in Pestenacker. In der Gemeinde Petting/Landkreis Traunstein soll eine Freilichtschau als Ergänzung zu dem neuen Bajuwarenmuseum in Waging am See (Frühjahr 1997) entstehen. Geplant ist die vollständige Rekonstruktion eines bayerischen Gehöfts im Sinne der experimentellen Archäologie. Auf einem ca. 2 000 m^2 großen Gelände sollen entsprechend

Aktivitäten in einem archäologischen Museum, Adelschlag/ Möckenlohe

den Grabungsfunden Grubenhäuser, ein Stadel und ein Wohnstall nach und nach entstehen. Mit Sonderaktivitäten und Vorführungen in Form von Anbau und Ernte alter Getreidesorten, Tierhaltung und Handwerksdemonstrationen (wie Schmieden, Töpfern und Weben) will man den Besuchern »lebendige Prähistorie« präsentieren.

Ein ähnliches Projekt entsteht in Pestenacker, Gemeinde Weil, Landkreis Landsberg am Lech auf einem ca. 5000 m^2 großen Gelände unweit der originalen Ausgrabungsstelle. Neun der insgesamt 19 entdeckten Häuser aus der 5500 Jahre alten jungsteinzeitlichen Altheimer Feuchtbodensiedlung werden vollständig wiederaufgebaut. Durch die gut erhaltenen Hölzer und organischen Reste wird es möglich sein, genau die gleichen Holzarten für den Wiederaufbau zu verwenden. Die Häuser werden nach Originalbefund errichtet, die Fundstücke in einem separaten Museumsbau auf dem Gelände untergebracht, für die Wohnausstattung fertigt man Kopien an. Neben dem Dorfgelände ist ein Feld für experimentelle archäologische Versuche geplant. Hier soll der Besucher durch viele Aktivitäten das Leben von damals nachempfinden können.

Von den »großen Brüdern«, den Freilichtmuseen, haben archäologische Museen einiges abgeschaut: Vorführungen antiker Arbeitsweisen, das Beleben des Museumsareals mit entsprechenden Tieren sowie der Anbau, die Ernte und Verarbeitung antiker Getreidesorten. Sie haben gemerkt, daß sie als Erlebnismuseen Freizeit und Kultur sinnvoll kombinieren können. Grundlegende Voraussetzung für all diese Aktivitäten ist es, daß sie – ähnlich wie bei den archäologischen Rekonstruktionen – auf soliden Forschungsergebnissen basieren.

Personale Vermittlung und neue Medien

Sowohl für die naturkundlichen als auch für die archäologischen Museen ist die personale Vermittlung unerläßlich. Die schönsten Rekonstruktionen, die besten Modelle oder Graphiken können keinen guten Museumspädagogen ersetzen. So erstaunt es, daß die beiden Naturmuseen in Augsburg und in Regensburg, leider nur zeitweise, spezielles Personal für pädagogische Aufgaben beschäftigen. Eine persönliche Betreuung gerade von Kindern und Schulklassen, aber auch von Erwachsenen, Behinderten und Senioren ist in diesen Museen notwendig, wo sich viele Themen dem Besucher nur schwer erschließen.

Etabliert hat sich die experimentelle Archäologie, bei der mit heutigen Materialien, Pflanzen und Tieren das Leben unserer Vorfahren »nachgelebt« wird. Für den Besucher ist es aber auch wichtig, daß er mit Hilfe von Kopien und Nachbauten selber Hand anlegen kann, um alte Techniken wenigstens im Ansatz kennenzulernen, aber auch um sinnlich-haptische Erfahrungen sammeln, selber etwas ausprobieren, entdecken und um dabei etwas lernen zu können.

Im folgenden sind einige Medien zusammengestellt, die in den Natur- und Prähistorie-Museen wesentlich zur anschaulichen Vermittlung ihrer zum Teil schwierigen Ausstellungsinhalte beitragen:

- Demonstrationen
  Von den technischen Museen haben sich sowohl die naturkundlichen, als auch die archäologischen Museen einige Ideen kopiert. Anhand didaktisch aufgebauter Vorführungen kann der Besucher aktiv teilnehmen, handele es sich um die Funktion der Muskeln oder des Blutkreislaufes oder um die Herstellung von Steinwerkzeugen, Töpfern und das Weben von Tüchern.

- Discovery Rooms – Entdeckungsräume
  Es besteht die Möglichkeit, Objekte anzufassen und Experimente auszuprobieren

- Living Corners – Orte mit lebendem Inventar
  Hier kann man in Aquarien und Terrarien die Lebens- und Ernährungsweisen verschiedener Tiere und Insekten studieren. Auch die archäologischen Freilichtmuseen bedienen sich immer häufiger solcher Präsentationen.

- Museumsshops
  Verkaufsstände mit Repliken, Kopien, echten Fossilien oder Mineralien sind in diesen Museen nicht mehr wegzudenken.

- Sonderaktivitäten
  Veranstaltungen außerhalb des Museums runden das Bild und das Angebot der Museen ab.

Naturkundliche und archäologische Lehr- und Wanderwege wurden bereits erwähnt.

– Interaktives Lernen und EDV
Heute überlegen sich die Museen immer mehr, wie sie dem Besucher Zugang zu ihren Bildungsinhalten auf spielerische Art vermitteln können. Das neue Schlagwort »interaktiv« wird häufig in Zusammenhang mit dem Computer verwendet. Für die jüngere Generation ist er besonders attraktiv. Das Museum Mensch und Natur in München hat mit den verschiedenen Rätselprogrammen und Fragespielen beste Erfahrungen gemacht. Sicherlich ist dieses Museum gerade auch wegen der Abteilung »Spielerische Naturkunde nicht nur für Kinder«, das man im eigenen Hause als *»Herzstück des Museums«* empfindet,[6] beim Publikum so beliebt.
Sinnvoll ist der Computereinsatz sicher auch bei Museen der Vor- und Frühgeschichte, können doch Rekonstruktionen, Arbeitsweisen und Entwicklungsvorgänge in bewegten Bildern dargebracht werden. Das neueröffnete Niederbayerische Vorgeschichtsmuseum Landau a. d. Isar, ein Zweigmuseum der Prähistorischen Staatssammlung in München, setzt dieses neue Medium in seinen Schauräumen ein zu den Themen: »Die Welt der Archäologie: Suchen – Finden – Verstehen«, »Steinzeit – nein danke!«, »Die Welt der Kelten« und »Die Bajuwaren«. Erste Erfahrungen zeigen, daß der Besucher dieses Angebot wahrnimmt und sich ca. 5 bis 10 Minuten damit auseinandersetzt.
Die Herstellung themenorientierter Programme für diese Museen ist trotz Preisverfall immer noch sehr kostenintensiv. Entscheidender ist jedoch das richtige fachliche und pädagogische Konzept, das jedem Computerspiel zugrunde liegen sollte, damit sein Einsatz im Museum nicht nur zur reinen Spielerei und Effekthascherei wird. Selbst so große Häuser wie das Deutsche Museum in München, das seit Anbeginn auf interaktive Modelle verweisen kann, setzen den Computer in ihren Ausstellungsräumen nur ganz gezielt und nach meist mehrjähriger, fundierter Vorarbeit ein. Langfristig gesehen, wird EDV gerade in diesen beiden Museumsarten seinen festen Platz innerhalb der Ausstellung einnehmen, da es dank seiner beweglichen Bilder wesentliche Vorteile gegenüber statischen Modellen oder Graphiken besitzt.

Die naturkundlichen und archäologischen Museen sehen sich vermehrt in der Rolle eines anregenden Lernortes, der eine kulturelle Alternative zu den vielen Freizeitveranstaltungen bietet. Sie sind nicht mehr nur reine Informationsstätten, sondern Orte mit didaktisch-pädagogischem Unterhaltungswert. Der Besucher kann hier etwas (neues) erleben. Denken wir zum Beispiel an die großen Dinosaurier- Ausstellungen der letzten Jahre, die Rekordbesucherzahlen verzeichneten.

Generell wird eine Tendenz deutlich: weg von dem alten Museumsbegriff mit seinen ausgestopften, statischen Präparaten und trockenen Rekonstruktionen; weg vom verstaubten Denkmal, das man nur einmal besucht, bestenfalls bewundert und dann nie wieder betritt. Stattdessen hin zu lebendigen Präsentationen, zu interaktiven Vermittlungsformen, wenn möglich mit viel Spaß und viel Kurzweil, hin zum Erlebnismuseum – Tendenz steigend.

Anmerkungen

1 Alex R. Furger: Was ist mit dieser Muschel los? In: Kinder in Augusta Raurica. Augster Museums Heft 8, 1991, S. 15–17
2 Rudolf Albert Maier: Grundzüge archäologischer Museumskonzeption – Möglichkeiten und Grenzen. In: Bayerischer Museumstag 1985, Ordnen und Vermitteln – Konzepte für Sammlungen in Museen. Straubing 1985, S. 37f.
3 Abgedruckt in: ICOMOS – Hefte des Deutschen Nationalkomitees X, München 1992, S. 45–49 (=Arbeitsblätter des Bayerischen Landesamtes für Denkmalpflege, 1. Lieferung. München 1994, »Charta von Venedig« S. 2
4 Abgedruckt in: Arbeitsblätter des Bayerischen Landesamtes für Denkmalpflege, siehe Anm. 3, »Charta von Lausanne«, S. 3
5 (Hg.) Informationszentrum Naturpark Altmühltal: Die Römer am Limes – Naturpark Altmühltal. Eichstätt o. J.
6 (Hg.) Verein der Freunde des Naturkundlichen Bildungszentrums e.V.: Museum Mensch und Natur. Die Ausstellungen im Überblick. München 1991, S. 12

Ausgewählte Literatur zu archäologischen Museen

Ahrens, Claus: Wiederaufgebaute Vorzeit. Neumünster 1990

Gerhard, Rupert; Armbruster, Fritz: Der Einsatz interaktiver Medien im Niederbayerischen Vorgeschichtsmuseum Landau a.d. Isar, in: EDV-Tage Theuern, 1995, S. 84–87

Harting, Hans Rudolf: Archäologischer Park Xanten – Kurzführer. Köln 1985

Heigl, Johann: Die römische Villa Rustica Möckenlohe. Kipfenberg 1993

Schmidt, Hartwig: Ruinenstätten – Lehrpfade in die Vergangenheit. In: Museum und Denkmalpflege – Internationales Symposium von ICOM und ICOMOS, (Hg.) Hermann Auer. München 1992, S. 242–250

Schmidt, Hartwig: Wiederaufbau. Denkmalpflege an archäologischen Stätten, Bd. 2. Stuttgart 1993

Ulbert, Günter; Weber, Gerhard (Hgg.): Konservierte Geschichte? Stuttgart 1985

Ausgewählte Literatur zu Naturkundemuseen

Alberch, Pere: The identity crisis of natural history museums at the end of the twentieth Century. In: Towards the Museum of the Future. London/New York 1994, S. 193–198

Alderson, William T. (Hg.): Mermaids, Mummies and Mastodons. Washington D.C. 1995

Granguist, Eirik: Back to basics. In: Museum International, No. 190, Vol. 48, No.2, 1996, S. 14–18

Nair, S. M.: The »Greening« of natural history museums. In: Museum International, No. 190, Vol. 48, No. 2, 1996, S. 8–13

Naturmuseum Augsburg mit Planetarium – ein Kurzführer. Augsburg 1991

Treff, Hans-Albert: Das Naturkundemuseum Bamberg. In: Museum und Denkmalpflege – Internationales Symposium von ICOM und ICOMOS, (Hg.) Hermann Auer, München 1992, S. 160–164

Treff, Hans-Albert, u.a.: Museum Mensch und Natur München. In: Westermann's Reihe »museum«. Braunschweig 1992

Wemmer, Cris; Erixon-Stanford, Mignon; Gardner, A. L.: Natural history museums and Cyberspace. In: Museum International, No. 190, Vol. 48, No. 2, 1996, S. 35–39

Der Jäger und sein Wild: Die Jagd auf der Feldflur ist im Vergleich zu früher fast bedeutungslos geworden.
Rauminstallation Jagd- und Fischereimuseum Freyung, 1989

Albrecht A. Gribl

Von der Sachwelt zur Umwelt?
Ökologische Ansätze in bayerischen Museen

»...alle reden von ›Umwelt‹ [1] *– die Museen auch?«*

Eine derartige Frage wird für die einen Museumsleute abwegig oder aber provozierend wirken, für andere als modernistische Attitüde und Ausdruck bereitwilliger Trendkonformität abgetan werden, wieder andere möchten das Frage- durch ein Ausrufezeichen ersetzt wissen und signalisieren damit ihre Aufgeschlossenheit gegenüber einem drängenden Gegenwartsproblem, das, wie zu zeigen ist, vor den Toren des Museums nicht halt macht.

Kann die Umweltproblematik ein museales Thema sein?

Das klassische Museum baut auf seinen Objekten und seiner Sammlung auf. Selbst gegenwartsbezogene Museen, wie jene für zeitgenössische Kunst, modernes Kunsthandwerk, Design, für Architektur usw., stellen Gegenstände aus, weniger indessen aktuelle Themen, Prozesse, gesellschaftsrelevante Bewegungen.

Wohl von niemandem wird bestritten, daß selbst auf den ersten Blick immateriell scheinende Wissensfragen im Museum – konkreter: in bestimmten Arten des Museums auf spezifische Weise beantwortet werden können und sollen, denn Museen haben nicht nur im Rahmen ihres Bildungsauftrages die vier bekannten »Kardinaltugenden« zu erfüllen (Sammeln, Bewahren, Forschen, Vermitteln), sondern – nach dem international tätigen Museologen Friedrich Weidacher – auch zu *reagieren*, etwa auf Änderungen in der Sozialstruktur und Lebenshaltung der Gesellschaft sowie auf Entwicklungen von allgemeinem Interesse.[2] Hierzu gehört zweifellos die heftiger denn je entfachte, global in Angriff genommene und in zahlreichen Einzelschritten erfolgversprechende Umweltdiskussion. Sie bewegt seit Beginn der 70er Jahre nicht nur internationale Konferenzen, politische Gremien und Organisationen, sondern breite Bevölkerungsschichten, ganze Wirtschaftszweige und den Arbeitsmarkt. Nach jüngsten einschlägigen Schätzungen wird allein in Deutschland der Umsatz in der Umwelttechnik bis zum Jahr 2000 auf ca. 100 Milliarden DM ansteigen und zusätzliche 400 000 Arbeitsplätze schaffen.[3]

Bei der volkskundlich-kulturhistorischen Diskussion, ob der Begriff der »Alltagskultur« mittlerweise passé sei, vertraten 1992 Vertreter der lehrenden Seite der Universitäten die Ansicht, daß sich das Museum beispielsweise auch mit Fragen der Umweltproblematik auseinandersetzen sollte, während die Museumsleute eher vor einer »Duplizierung der Verhältnisse draußen im Leben und drinnen im Museum« warnten und meinten, andere Medien könnten solche Fragestellungen zur Förderung eines gesellschaftlichen Diskurses sehr viel sinnvoller aufgreifen als das Museum.[4]

Demgegenüber forderten Museologen wie Wilhelm Schäfer für die Naturhistorischen Museen bereits 1973 die *»museale Darstellung von Umweltproblemen«* [5] und der Begründer der Brünner Museologieschule Stránský 10 Jahre später:

»Eine wichtige Aufgabe, für deren Erfüllung Museen besser geeignet sind als alle vergleichbaren Institutionen, ist die Hinführung ihrer Besucher zum Bewußtsein ökologischer Zusammenhänge. Das bedeutet, daß eine ökologische Ausrichtung die gesamte Museumsarbeit (und nicht nur die von naturwissenschaftlichen Museen) durchdringen sollte – von der Selektion der künftigen Sammlungsobjekte bis zu ihrer Kommunikation.« [6]

Der bereits erwähnte Leiter des Grazer Landesmuseums Joanneum und ICOM-Gutachter Friedrich Weidacher erklärt in seinem Handbuch der Museologie 1993 schließlich das Bewußtsein für Sozialgeschichte und Ökologie zu den fundamentalen Aufgaben des Museums der Zukunft:

»Zu den wichtigsten inhaltlichen Erkenntnissen in der Museumswelt, die in das nächste Jahrhundert weisen, gehört das Bewußtsein von der essentiellen Bedeutung der Sozialgeschichte und

der Ökologie für jedes einzelne Museum. Museen, die dieses Wissen nicht in ihre Vermittlungspraxis einbeziehen, verfehlen definitionsgemäß ihren Bildungsauftrag.« [7]

Die Museumsaktivitäten in Sachen Ökologie nehmen europaweit rasch zu

Zwischen dem Dreiersprung vom Anfang der 70er Jahre bis zur Gegenwart lassen sich europaweit rasch zunehmende Museumsaktivitäten auf dem Sektor der Ökologie beobachten, von denen hier schlaglichtartig einzelne deutsche genannt seien:

- Ausgehend von der französischen »ecomusée«-Bewegung der späten 60er Jahre, welche die Wechselwirkung zwischen Mensch und Umwelt in ihrer historischen Dimension betonte,[8] beschäftigen sich in Deutschland zunächst die großen Freilichtmuseen mit diesem Thema. Adelhard Zippelius vom Rheinischen Freilichtmuseum Kommern und Kurt Dröge vom Westfälischen Freilichtmuseum in Detmold entwickeln das »ecomusée«-Konzept weiter und integrieren ab Mitte der 70er Jahre heimische Wildkräuter und -pflanzen unter wissenschaftlich-umweltdidaktischen Gesichtspunkten in ihr Museumskonzept.[9]
- 1981 veranstaltet das Rheinische Museumsamt einen Fortbildungskurs zum Thema »Ökologische Aspekte im Museum.«[10]
- 1988 erscheint die Kieler Dissertation »Ökologie im Museum«, worin der Autor anhand von Stichprobenuntersuchungen in 48 überwiegend biologisch ausgerichteten Museen Mitteleuropas feststellt, daß die Vermittlung ökologischer Bildung nur ausnahmsweise und allenfalls in Ansätzen realisiert wird.[11]
- 1990/1991 veranstaltet das Heimatmuseum Berlin-Neukölln aus aktuellen Gründen eine Ausstellung unter dem Titel »Zum Beispiel Asbest. Ein Stein des Anstoßes. Kulturelle und soziale Dimensionen eines Umweltproblems«. Im Begleitbuch (Berlin 1990) äußert sich Udo Gößwald grundsätzlich zum Begriffspaar »Museum und Umwelt«.[12]
- Ende 1995 eröffnet das Deutsche Museum München einen international ausstrahlenden Ableger in Bonn. Die Bonner Tochter geht neue Wege und versteht sich als »Vision vom technischen Zukunftsmuseum« (Wolf Peter Fehlhammer). Die von den Machern selbst gestellte Frage, wie man hierbei mit dem Thema der Ökologie, wie mit ethischen Grundsätzen umgehe, versuchen sie im Sachbereich »Zwischen Himmel und Hölle« durch Beispiele der zwiespältigen Energietechnik und der Ökologieforschung zu beantworten.[13]
- Die Jahrestagung des Deutschen Museumsbundes 1996 in Erfurt steht unter dem Motto »Natur – Kultur«. Sektionen befassen sich u.a. mit »Umwelt und Natur als Ausstellungsthema«, Einzelvorträge stellen entsprechende Konzepte vor (Überseemuseum Bremen, Museum Rüsselsheim).[14]
- Bis zum Jahr 2000 soll in Königswinter bei Bonn das weltweit erste »Museum zur Geschichte des Naturschutzes« errichtet werden.[15]
- Das Deutsche Hygiene-Museum in Dresden beteiligt sich bei der Weltausstellung Expo 2000 in Hannover im Jahr 2000 mit einem »Themenpark« (100 000 m² Ausstellungsfläche), in dem neben Aspekten zu »Mensch – Gesundheit – Ernährung« u.a. auch das Thema »Umwelt« publikumsnah und unterhaltsam vermittelnd dargestellt werden soll.[16]

In bayerischen Museen reichen die ökologischen Wurzeln bis in die späten 70er Jahre zurück

Wie im gesamten vormaligen Bundesgebiet die großen Freilichtmuseen, so spielen einzelne bayerische *Freilichtmuseen* hierzulande eine Vorreiterrolle im Hinblick auf ökologisch ausgerichtete Konzepte.

Das Fränkische Freilandmuseum Bad Windsheim bezog nach Aussage seines Leiters Konrad Bedal schon seit der Konzeptionsphase 1977 bis 1979 die »Natur«, in diesem Falle das Umfeld der Häuser und Höfe zum Teil bis hinaus in die zugehörigen Fluren mit entsprechender Flora und Fauna, in das Ausstellungskonzept ein.[17]

Das Oberpfälzer Freilandmuseum in Neusath-Perschen versucht seit 1982, auf den noch vorhandenen Spuren historischer Geländenutzung aufzubauen. Zum Museumskonzept gehört ganz wesentlich *»die Berücksichtigung historischer Flurformen und die Erhaltung und Pflege von Kulturpflanzen und Ackerwildkräutern im Gelände.«* Erst dadurch wandle sich das Museum vom Park mit historischen, denkmalgeschützten Gebäuden zu einem Modell des ländlichen Lebens und Arbeitens.[18]

Als zweiter Markstein innerhalb der museumsbezogenen Ökologiebewegung darf eine *Photoausstellung* inner- und außerhalb zahlreicher bayerischer Museen gelten, die als Wanderausstellung des Bundes Naturschutz konzipiert war und eingeschränkt bis heute zu sehen ist. Unter dem bewußt provozierenden Titel *»Grün kaputt. Landschaft und Gärten der Deutschen«* konfrontierten der überregional bekannt gewordene Umweltjournalist Dieter Wieland und der Architekturkritiker Peter M. Bode 1983 »Noch-Befunde« mit den sogenannten Fortschritten an Haus, Garten, Dorf, Wald und Landschaft. Das gleichnamige Begleitbuch enthält außer den Bildtafeln Aufsätze und Statements zum Thema. Sie alle prangern in bissigen bis ironisch-sarkastischen Tönen den allzu sorglosen Umgang des einzelnen, der Wirtschaft und der öffentlichen Hand mit Natur und Landschaft an, klären auf und analysieren.[19] Ausstellung und Buch sind bis heute außerordentlich erfolgreich. Die Ausstellung startete 1983 im Münchner Stadtmuseum und lockte dort bereits 50 000 Besucher an. Sie wird in insgesamt drei Versionen im ganzen deutschsprachigen Raum gezeigt, die Zahl der Besucher wird gegenwärtig auf eine Million geschätzt.[20] Das Begleitbuch erscheint derzeit mit Ergänzungen in der 12. Auflage.

Im Gefolge dieser Kampagne stehen die Ausstellungen (jeweils mit Begleitkatalog) »Alptraum Auto – Eine hundertjährige Erfindung und ihre Folgen« (1986), »Sein oder Nichtsein – Die industrielle Zerstörung der Natur« (1990) und »Kein schöner Wald – Eine vergleichende Photodokumentation« (1994).

Als dritten, wiederum ganz anders bedingten und orientierten Haltepunkt auf dem Weg zur musealen Ökologiediskussion möchte ich ein Arbeitspapier der Landesstelle zum Thema *»Umwelterziehung im Museum«* von 1990 nennen.

Nach dem vom Bayerischen Staatsministerium für Unterricht, Kultus, Wissenschaft und Kunst herausgegebenen Mitteilungsblatt *»Schulreport«* zeigt es den Lernort Museum aus einer ungewöhnlichen, bislang wenig beachteten Perspektive: *»Am Beispiel der überaus reichhaltigen bayerischen Museumslandschaft regt die Zusammenstellung dazu an, das Ausstellungsangebot verschiedenster Museumstypen gezielt für die Umwelterziehung einzusetzen und dabei neue, interessante Ansatzmöglichkeiten zur didaktischen Aufbereitung der Umweltproblematik zu entdecken.«* [21] Im selben Heft veröffentlichte das Ministerium *»Richtlinien für die Umwelterziehung an den bayerischen Schulen«*, worin als geeignete Lernorte unter anderem *»(Heimat-)Museen und Sammlungen« angeführt werden.*[22]

Sehr viele bayerische Museen halten ein passives Materialangebot zu Umweltfragen bereit

An erster Stelle stehen hier die *naturkundlichen/naturwissenschaftlichen Museen* und Abteilungen. Neben botanischen und zoologischen Gärten eignen sich solche Sammlungen vor allen anderen, den Arten- und Formenreichtum der Natur zu vermitteln sowie die Rolle des Menschen darin zu reflektieren. – Einzelne Beispiele werden unten vorgestellt.

Übergehen wir des weiteren die schon mehrfach genannten Freilichtmuseen mit ihren Möglichkeiten, Grundaussagen der Ökologie wie naturnahe und naturferne ökologische Systeme und die Belastung der Umwelt durch den nutzenden Menschen zu behandeln, so vergrößern alle *Spezialmuseen*, die mit Kultivierung und Bewirtschaftung von Natur und Landschaft zu tun haben, dieses Spektrum. Zu denken ist etwa an Landwirtschaftsmuseen wie das Niederbayerische in Regen oder das Museum im Schafhof in Freising/Weihenstephan (»200 Jahre Landwirtschaft in Bayern«), an Wald- und Holzmuseen (Waldmuseum Tennenlohe, Waldgeschichtliches Museum St. Oswald-Riedlhütte, Spessartmuseum Lohr am Main mit Schwerpunktthema »Mensch und Wald«, Waldmuseum Watterbacher Haus, Holztechnisches Museum Rosenheim, Holzknechtmuseum Ruhpolding-Laubau), an Museen für Sonderkulturen wie Hopfen (Deutsches Hopfenmuseum Woln-

Landwirtschaftliche Nutzflächen und ihre »Bewohner« im Vergleich (um 1900, 1930 und 1990), Deutsches Museum München, Abteilung »Umwelt«, 1992

zach), Spargel (Europäisches Spargelmuseum Schrobenhausen), Weinbau (Stadtmuseum Hammelburg mit Schwerpunkt »Brot und Wein«, Weinbau- und Heimatmuseum Klingenberg am Main, »Kelterhalle« des Mainfränkischen Museums Würzburg), an das Gärtner- und Häckermuseum, Bamberg, neuerdings an das Kartoffelmuseum in München. Zu denken ist ferner an museumsähnliche Einrichtungen der Nationalparkverwaltungen Bayerischer Wald (Eisenmann-Haus) und Berchtesgaden (Ausstellungspavillon am Königssee), an das Alpin-Museum in Kempten und an die Salinen-, Salz- und Bergbaumuseen). Aus letzterer Gruppe seien genannt das Soleleitungs- und Moormuseum Grassau, das noch junge Salz-Museum in Bad Reichenhall und das Bergbau- und Industriemuseum Ostbayern im oberpfälzischen Theuern.

Die *industrie- und technikgeschichtlichen Museen* einschließlich der Verkehrsmuseen eröffnen ihrerseits einen weiteren Zweig für Umweltfragen, wenn über Maschinen, Herstellungsverfahren und Produktpräsentationen hinaus der Blick auf den Tribut gelenkt wird, der für die Errungenschaften sog. technischen Fortschritts zu bezahlen ist: Landschafts- und Energieverbrauch, Schadstoffausstoß und Abfallverursachung, Lärmerzeugung, Strahlungsproblematik usw. Stellvertretend für diese vergleichsweise junge Museumskatego-

Kunstwerk einst und jetzt: spätgotische Eva-Statue aus Sandstein vom Regensburger Dom; rechts: Zustand des Originals um 1990, links: Gips-Rekonstruktion nach Bildern aus dem 19. Jahrhundert. Deutsches Museum München, Abteilung »Umwelt«, 1992

Der Weg des Wassers im Haus von der Holzdeichel über den Brunnen und den Kübel zur Waschkommode, Installation Heimatmuseum Immenstadt, 1990

rie mögen einige größere Einrichtungen stehen, wie das MAN-Museum in Augsburg oder das BMW- und Siemens-Museum in München, natürlich das Deutsche Museum in München, das Museum Industriekultur in Nürnberg oder das Gewerbe- und Frühindustriemuseum in Lauf a.d. Pegnitz.

In eingeschränktem Umfang können sogar *Kunstmuseen* den Zugang zu umweltbezogenen Fragestellungen erschließen. Landschaftsdarstellungen in der Malerei, Graphik und Kartographie etwa belegen in der vergleichenden Betrachtung deutlich den Wandel im Verlauf der Jahrhunderte sowohl in Folge klimatischer Einflüsse als auch durch den Eingriff des Menschen. Noch nachhaltiger dürften »von außen nach innen« geholte Kunstwerke wie Steinplastiken, Bronzegußwerke und bemalte Glasfenster anhand ihres Schädigungsgrades das Maß an Luftverschmutzung und »sauren Niederschlägen« vor Augen führen. In diesen Fällen bedeutete es einen unschätzbaren didaktisch-qualitativen Sprung für unser Erkenntnisinteresse, wenn Abbildungen oder Rekonstruktionen das vollständige Original nachweisen könnten (vgl. dazu Abb. S. 86 unten).

Nicht zuletzt kommen die *Heimatmuseen und örtlichen Sammlungen* als Lern- und Anschauungsorte in Betracht,[23] bedeutet doch »Kultur« im weitesten Sinne die Auseinandersetzung des Menschen mit seiner Umwelt. Konkret läßt sich das Verhältnis des Menschen zu seiner unmittelbaren Umgebung in früherer Zeit an seinem (sparsamen) Umgang mit den materiellen Grundlagen wie heimischen Baustoffen und Werkstoffen für Geräte studieren. Über ökonomische Zurichtung und Verwendung hinaus nutzt er um, verwendet neu und wieder, bis die Grundstoffe regelrecht aufgebraucht sind. Gebrauchsspuren und vielfältige Reparaturen an Arbeitsgeräten, Schuhen oder Textilien geben beredtes Zeugnis davon. Aber auch Erfindungsreichtum und individuelles Geschick – gerade in Notzeiten – lassen aus Alt- und Abfallmaterialien oft noch erstaunliche Gebrauchsgegenstände erstehen.

Ein weiterer Aspekt ist der sorgsame Umgang bei der Erzeugung von Energie, ob es sich nun um Heiz- und Kochenergie im Haus oder Wasser als den Energieträger schlechthin handelt. Dort lassen Rauchküche, Stube und Kalträume, Heiz- und Kochofen, Kachelofen etc., hier Waschutensilien, Geräte und mechanische Anlagen für Wasser deren maßvollen Gebrauch im täglichen Leben nachvollziehen.

Mit den zuletzt genannten Beispielen historisch gewordenen Lebens und Wirtschaftens ist die einst selbstverständliche Prämisse der *»Umweltschonung«* angesprochen. Sie wird in der Konfrontierung mit heute üblichem Energieverbrauch für bestimmte Arbeitsbereiche noch deutlicher und kann Anreiz sein, auf vielfache Weise zu lernen und umzudenken.

Das potentiell vorhandene, »passive« Angebot zur Umweltproblematik ist in unseren Museen, gerade den kleineren, in Form von unterschiedlichsten Zeugnissen der Alltagskultur in großer Menge vorhanden. Es bedarf entschieden der medialen und personalen Vermittlung, mithin der museumspädagogischen Methoden,[24] um es auf unsere Fragestellung hin »zum Sprechen zu bringen«.

Bestehende Technikmuseen reagieren und aktualisieren

• Beispiel Siemens-Museum, München:

Das schon seit 1954 in der Münchner Prannerstraße angesiedelte Firmenmuseum wurde nach mehreren Erweiterungen 1987 neu gestaltet. Das Konzept sollte nicht nur »Technik zum Anfassen« bieten und den Bogen schlagen von der Historie zur Moderne, sondern in Studienräumen, Bildarchiv und Sonderausstellungen den interessierten Besucher aktivieren und gegenwärtige sowie zukünftige technikrelevante Themen aktualisieren.

»Herausforderung Zukunft« heißt eine Sonderschau des Hauses von 1994, die als Wanderausstellung schon an mehreren Orten gezeigt wurde. Darin stellt sich das Unternehmen der Frage, welchen Standpunkt es in ökologischen und gesellschaftlichen Belangen einnimmt und schlägt Lösungsmöglichkeiten vor. Es hält sich an eine Analyse des »Club of Rome«,[25] wonach der Übergang von Fortschritt durch Wachstum (= Expansion) zu einem Fortschritt durch Entwicklung die einzige Lösung sei, den Herausforderungen und Problemen der Zukunft zu begegnen.[26]

• Beispiel Deutsches Museum München:

Das 1903 von Oskar von Miller als »Deutsches Museum von Meisterwerken der Naturwissenschaften und Technik« gegründete Museum ist heute weltweit das größte seiner Gattung. Seit Ende 1992 zeigt es unmittelbar beim Eingangsbereich eine eigene Abteilung mit dem schlichten Titel »Umwelt«. Sie behandelt auf 250 m^2 Ausstellungsfläche »die wichtigsten Umweltprobleme und einige Lösungsmöglichkeiten«[27] und mißt dabei der Luftverschmutzung und ihrer Tragweite bis hin zu globalen Veränderungen den größten Raum bei. Die Ausstellung gliedert sich in vier Bereiche:

Müllsäule: Ein Stadtbewohner in Deutschland produziert in einem halben Jahr diesen Müll. Der Jahresmüll sämtlicher Bundesbürger in dieser Säule (Grundfläche 1 m^2) ergäbe ein Band, das man 4,4mal um den Äquator der Erde legen könnte. Deutsches Museum München, Abteilung »Umwelt«, 1992

- Der Mensch – Wachstum, Bedürfnisse, Ansprüche
- Was sind Ökosysteme?
- Belastungen unserer Umwelt
- Unsere Atmosphäre – Probleme und Lösungsversuche

Diese vorwiegend didaktische Schau versucht anhand von Schaubildern, Graphiken, Texten, Modellen, Videofilmen und Originalen einen Überblick zum Thema zu geben. Erstmals für den bayerischen Raum wird hier mit museal-didaktischen Hilfsmitteln die Umweltproblematik in ihren wichtigsten Gegenwartserscheinungen umrissen und der Auseinandersetzung durch den Besucher anheimgegeben. Wenn auch der kühle, sachliche Eindruck von Schemazeichnungen, Kurvenverläufen und Reaktionsketten überwiegt, vermögen doch auch Photomontagen oder Gegenüberstellungen den Durchschnittsbesucher anzuziehen. Auf einer Lamellenwand etwa wird – je nach Standpunkt des Betrachters – der intakte Mischwald mit der Urwaldvernichtung durch Brandrodung kontrastiert. Oder eine Illustrationsgraphik klärt auf, daß für das Flaggschiff »El-Real« in der Seeschlacht von Lepanto (1571) nicht weniger als 50 Buchen, 300 Pinien und Tannen und über 300 Eichen »verbraucht« wurden, und für die insgesamt 500 Schiffe der Schlacht ca. 250 000 Bäume, deren Bodenfläche 5 000 Fußballfeldern entspricht. Die Zahlen werden begleitet von ebenso vielen stilisiert dargestellten Buchen, Eichen usw.

Die anschließende Abteilung »Erdöl und Erdgas« wurde durch die Sequenz »Umweltschutz« um ca. 80–100 m^2 ergänzt. Dabei geht es um den Schutz von Wasser und Erdreich sowie die Reinigung derselben und um Überwachungstechniken.

Die angesprochenen Umweltabteilungen des Deutschen Museums erscheinen nach Inhalt und Größe außergewöhnlich, jedenfalls auf die bayerische Museumslandschaft bezogen. Dennoch nehmen sie sich bei etwa 60 000 m^2 Gesamtausstellungsfläche des Hauses und angesichts der dramatisch steigenden Problematik mehr als bescheiden aus. Dies räumen selbst Mitarbeiter des Hauses ein. Aber ein Anfang ist gemacht. Die Erweiterung des Museums auf dem alten Messegelände der Theresienhöhe winkt, wo nicht nur die neuen Technologien den heutigen Ansprüchen gemäß ausgestellt werden könnten, sondern auch die konfliktträchtige Umkehrseite.[28] – Immerhin schickt sich das Deutsche Museum an, wenn auch zunächst nur projektbezogen, Umweltthemen in die Ausstellungen des Hauses zu integrieren und Mitarbeiter für den Aufbau einer eigenen Sammlung zum Thema Umwelt und Umweltschutztechnik zu beschäftigen.[29]

Der Umweltgedanke wird bei neueren Natur-Museen integraler Konzept-Bestandteil

Wohl auch als Folge veränderten Naturbewußtseins und einer Neubewertung der natürlichen Grundlagen menschlichen Lebens entstanden und entstehen seit den 80er Jahren zahlreiche Naturkundemuseen, so in Augsburg, Regensburg, München, Freyung im Bayerischen Wald, Siegsdorf bei Traunstein, Tambach in Oberfranken, Tirschenreuth in der nördlichen Oberpfalz usw. Manche von ihnen beschränken sich auf die klassischen Darstellungsfelder, manche lassen ökologische Gesichtspunkte anklingen wie Augsburg und Regensburg – verbleiben dabei aber bei der Darstellung von Ökosystemen –, andere verstehen bereits vom konzeptionellen Ansatz her die Umweltthematik als eine der Betrachtungsebenen, die der Besucher die ganze Ausstellung hindurch verfolgen kann. Diese neue Museumsgeneration sei an drei Beispielen vorgestellt.

• Beispiel Jagd- und Fischereimuseum Freyung:

In Schloß Wolfstein – jahrhundertelang das Jagdschloß der Passauer Fürstbischöfe – richtete der Landkreis Freyung-Grafenau 1989 ein Jagd- und Fischereimuseum ein, dessen Ausstrahlung den Bayerischen Wald, den angrenzenden Böhmerwald und das obere Mühlviertel umfaßt. Von vornherein stand nicht etwa eine geschlossene Sammlung von Jagd- und Fischereigerät als Aufgabe im Mittelpunkt, sondern das Verhältnis des jagenden und fischenden Menschen zur Natur.

»Das Museum zeigt Hintergründe und Zusammenhänge auf, die im Laufe der Geschichte dieser Landstriche, abhängig von den jeweiligen gesellschaftlichen Verhältnissen und Entwicklungen, vielfältige Eingriffe in die Landschaft und damit auch Veränderungen für die Tierwelt bewirkten.«[30] Anhand von »Leittieren« werden Aussagen vorwiegend mit inszenatorischen Mitteln und Geräuscheinspielungen vermittelt. So steht das Auerhuhn für die natürlichen Lebensbedingungen für Wildtiere, der Rothirsch für das Jagdprivileg einer feudalen Oberschicht mit der Kehrseite der Wilderei, der Rotfuchs für moderne Wildforschung und Wildökologie, Lachs und Fischotter für Wald-

Der Fisch – in seinem Element? Natürliche Bedingungen einheimischer Fischarten, kontrastiert mit heutigen Gewässerbefunden. Rauminstallation Jagd- und Fischereimuseum Freyung, 1989

bäche und Waldflüsse als einstiger Lebensraum der Fische. Natürlicher Zustand und Gegenwartsbefund werden abgewogen und dargestellt, die Veränderungen analysiert. Dennoch geht es weniger um Belehrung oder Anklage als um objektivierende Information und das Anregen ganzheitlicher Betrachtung.

- Beispiel Oberpfälzer Fischereimuseum, Tirschenreuth:

Ähnliche Gesichtspunkte und Vermittlungsabsichten verfolgt das erst 1995 eröffnete Oberpfälzer Fischereimuseum, das schwerpunktmäßig auch die regionale Teichwirtschaft behandelt. Einsichten in grundlegende Zusammenhänge der Gewässerökologie sollen gegeben, Beziehungen zwischen Lebensräumen und Lebewesen aufgezeigt, Aspekte der Lebensweise von Fischen sollen veranschaulicht werden.[31]

So bewegt sich auch die Führungslinie von der »Natur« (Lebensräume, Aquarien für Fische und Pflanzen, »wie Fische leben«) über die Flußfischerei zu alter und neuer Teichwirtschaft und endet in einer Reflexion über das Angeln als Sport- und Freizeitbetätigung (»Sehnsucht nach Natur – Angeln«).

»Im gesamten Ausstellungsbereich ... wird mit Sein und Schein, Täuschung und Wirklichkeit, Sofort-Sichtbarem und Später-Erst-Sichtbarem – ›gespielt.‹ Aufbau und Auflösung bzw. Durch-

Vom »Auge Gottes« zum Giftwarnzeichen: Naturschutz der Teichbauern gegenüber einem (allzu) deutlichen Fingerzeig auf allgemeine Naturschädigungen, vor denen mit dem Totenkopfemblem gewarnt wird. Oberpfälzer Fischereimuseum Tirschenreuth, 1995

schaubarmachung von Spannungen und Gegensätzen sollen an einigen Stellen bewußt provozieren, gewohnte Sichtweisen in Frage stellen, zur Reflexion anhalten – auch über sich selbst«. [32]

• Beispiel Museum Mensch und Natur, München:

Das Hauptanliegen der eben skizzierten Museumsbeispiele, das Verhältnis zur und der Umgang des Menschen mit der Natur, gibt dem neuen Münchner Naturkundemuseum seinen bündigen Titel. Immerhin 20 Jahre lang von einem ansehnlichen Mitarbeiterstab vorbereitet, zeigt es seit Juni 1990 auf 2500 m² Ausstellungsfläche einen eindrucksvollen Querschnitt durch bekannte wie auch neue und unkonventionelle Themen. Wenn auch der handelnde Mensch erst im letzten Drittel der Dauerausstellung auftritt (»Der Mensch als Teil und als Gestalter der Natur«), bleiben genügend Aspekte für vorder- und hintergründige Umweltgedanken.

Allein der Bereich »Nahrung für die Menschheit« enthält folgende Sequenzen: [33]

- Bevölkerungsentwicklung
- Hunger als weltweites Problem
- Haustierhaltung
- wichtige Kulturpflanzen
- Bodenbildung und -bearbeitung
- Bodenerosion und Naturzerstörung
- Düngung, Bewässerung und Pflanzenschutz

Innerhalb dieser Abteilungen nehmen die Informationen zur Vieh- und Massentierhaltung einen besonderen Raum ein. Ein breit ausladendes Szenarium etwa führt das (glückliche!) Groß- und Kleinvieh eines Bauernhofes auf grüner Wiese vor, in deren Mitte der im Gras liegende Jungbauer in ein ebendort aufgestelltes Fernsehgerät schaut, welches Videos zur Massentierhaltung zeigt, die stellenweise von Kurztexten überblendet werden.

Die Idylle trügt: Glückliches Vieh auf grüner Wiese und entspannter Jungbauer, der sich Videos zur Massentierhaltung anschaut. Szenarium Museum Mensch und Natur, München, 1990

Die Szene ergänzt das Modell eines modernen, tatsächlich existierenden Bauernhofes mit Fuhrpark und allem Zubehör unmittelbar gegenüber. Aus den Begleittexten geht hervor, daß dieser Bauernhof mit drei Arbeitskräften Nahrung für 70 Menschen produzieren kann. Das aber bedeute Belastung von Boden, Grundwasser und Gewässern durch intensive Düngung und chemischen Pflanzenschutz, Rückgang wildlebender Pflanzen und Tiere durch Giftwirkung von Agrarchemikalien, Massentierhaltung, Gehalt an Schadstoffen und mangelnde Geschmacksqualität bei manchen Produkten.

In einer weiteren Gegenüberstellung wird Verbrauch und Leistung einer Kuh verglichen:

»Was braucht die Kuh pro Jahr?«

500	kg Heu
500	kg Kraftfutter und Mineralfutter
500	kg Getreide
5 500	kg Silofutter
25 000	l Wasser

»Was liefert die Kuh pro Jahr?«

5 000	l Milch
1	Kalb
18 000	l Flüssigmist

Eine andere Abteilung ist der »spielerischen Naturkunde – nicht nur für Kinder« gewidmet. In zahlreichen Schaukästen, Audiovisionsprogrammen und interaktiven Spielen wird Wissenswertes zu Pflanzen und Tieren geboten und wiederholt auf die offenkundige Zerstörung unserer Umwelt verwiesen.

Die Zukunftsfrage schlechthin: »Was macht der Mensch mit der Erde?« beantwortet schließlich die Darstellung eines in seinem Sessel sitzenden Mannes »nur« dadurch, daß er die Weltkugel wie einen Luftballon zu einem deformierten Gebilde aufbläst ...

Das Museum Wald und Umwelt Ebersberg erhebt die Umweltthematik zum Programm

In Bayern gibt es gegenwärtig noch kein »Umweltmuseum«.

Ich übergehe die Projektierung eines »Umwelt- und Energiemuseums mit integrierter Produktmesse«, das offensichtlich über eine Entwurfsstudie von 1990 nicht hinausgeraten ist.[34]

Ich übergehe ebenfalls das in Allersberg im Landkreis Roth geplante Waldmuseum, welches

»Zwergholunder« aus einer der über 38 Holzbibliotheken des Ebersberger Benediktiners Candid Huber (1747 bis 1813), ein anschaulich-dingliches Kompendium dessen, »was uns die Natur an einem Baume zu bewundern gibt«, und damit eine einzigartige Umweltdokumentation aus der Zeit um 1790. Museum Wald und Umwelt Ebersberg, Eröffnung voraussichtlich 1998

nach einer Meldung der örtlichen Presse mittlerweile in »Ökoseum« umgetauft wurde, aber an den nicht geklärten Betriebskosten zu scheitern droht.[35]

Ich wende mich am Schluß meines Überblicks dem in Realisierung befindlichen Ebersberger Museum Wald und Umwelt zu – gelegen am Berührungspunkt der Stadt Ebersberg mit dem Ebersberger Forst, vor den Toren Münchens. Es dürfte das erste bayerische Museum sein, das den Umweltbegriff in seinen Titel übernahm und die Umweltthematik programmatisch vertritt.

»Museen zum Thema Wald gibt es schon viele. Allein in Bayern sind es mehr als zehn. Doch darunter ist keines, das die Krise in den Mittelpunkt stellt, in die unsere Gesellschaft in ihrem Umgang mit der Natur geraten ist. Eben dies tut das ›Museum Wald und Umwelt‹. Die Leitfrage, die seinem Konzept zugrunde liegt, lautet: Wie hat sich der Mensch im Laufe der Geschichte des Waldes bedient, um seine Bedürfnisse zu befriedigen, in welcher Weise tut er dies heute, und wie gefährdet er mit der Zukunft des Waldes möglicherweise auch seine eigene? Dieser Leitfaden sorgt für eine enge Verknüpfung von Vergangenheit, Gegenwart und Zukunft. Und er trägt eine Konzeption, die historisch in die Tiefe geht und zugleich zugespitzt ist auf die gegenwärtigen Probleme und Aufgaben.«[36]

In zwei großen Themenblöcken, denen ein Einblick in den täglichen Holzverbrauch eines Häuslers in vorindustrieller Zeit eingelagert ist, versucht die Ausstellungskonzeption ihr Thema zu fassen.

Eine waldgeschichtliche Abteilung mit den Anfängen der Waldnutzung im hohen Mittelalter bis herauf zur ökologischen Labilität der Nadelholzmonokulturen im späten 19. und 20. Jahrhundert steht dem »Wald heute« gegenüber. Hier werden die modernen Waldfunktionen vom Luftfilter und Sauerstoffproduzenten bis zum Erhalt von genetischer Vielfalt ebenso angesprochen wie neuartige Waldschäden und drohendes Waldsterben.

Links: Die Umkehrung der Vorgänge: Gegen Ende des 18. Jahrhunderts schuf die moderne Forstwissenschaft die Grundlage zur Fichtenmonokultur (Hintergrund) – hier ein Buchfrontispiz von 1796, dessen Sinnspruch vor der Vernichtung des Waldes warnt (»wenn er [der Wald] fällt, wird es zweier Menschenalter bedürfen, um einen neuen zu errichten«);
Rechts: Genau 200 Jahre später fordern Umweltpolitik und Ökologie erneut den »naturnahen Mischwald« – hier ein Gemälde von Carl-W. Röhrig (»Wende zum Ökowald«), Hamburg 1994. Museum Wald und Umwelt, Ebersberg

Die größte Fichtennadel der Welt – ein Mikrokosmos aus Haut, Schichten und Strängen und Zehntausenden Atemöffnungen, mit gesunden und geschädigten Seiten, Modell 500 : 1, Kunstharz. Museum Wald und Umwelt, Ebersberg

»Wald und Umwelt in der Kunst« runden den Gang durchs Museum in einer kleinen Spezialabteilung ab, ein großzügiges Freigelände mit Pflanzung, Waldnutzungsdemonstrationen und Erkundungspfaden in den nahen Ebersberger Forst setzt den Gang im Freien beliebig fort.

Ein ausgewogenes Verhältnis aus Originalobjekten, Modellen, Photos und graphischen Mitteln soll die Einzelaussagen zur Gesamtbotschaft formen, die den Besucher nicht irritiert entlassen will, gleichwohl ihn zur Reflexion seiner Rolle, seiner Verantwortung und seiner Handlungsmöglichkeiten animieren soll. [37]

Der Vielfalt der angesprochenen Menschen versucht das Museum mit einer Vielfalt an Lernzielen und Aktivierungen zu entgegnen. Gefühl und Verstand sollen ebenso in Gang gesetzt werden wie Spontaneität und Reflexion, praktische und theoretische Fähigkeiten.

Wie soll das alles bewältigt werden? Ich greife zwei in optisch/sinnlicher wie pädagogisch/didaktischer Hinsicht zentrale Ausstellungseinheiten heraus. In der waldgeschichtlichen Abteilung des Erdgeschoßes werden mehrere Holzbibliotheken – also Bücher aus verschiedenen Holzsorten mit Samen und Früchten, auch tierischen Holzschädlingen, darunter eine Bibliothek des Ebersberger Benediktiners Candid Huber – das Thema bündeln; im Obergeschoß darüber wird das Modell einer 500fach vergrößerten, teilweise aufgeschnittenen Fichtennadel mit ihren acht Meter Länge die räumliche und thematische Mitte einnehmen und sowohl ihre »intakte« als auch ihre »geschädigte«

Fichtennadel-Modell, Detail: Längs- und Querschnitte

Seite zeigen. Wie in einem Science-fiction-Film kann der Betrachter eintauchen in den Organismus der Zehntausende zählenden Atemöffnungen (Stomata) und der Schichten von der obersten Haut bis zum zentralen Leitungsstrang.

Eine erste Zwischenbilanz: Umwelt im Museum sieht die Sachwelt neu

Der Titel dieses Beitrags stellt eine Frage. Sie suggeriert einen neuen Museumstypus, sofern der Ausgangsbegriff »Sachwelt« die konventionellen Sammlungskonzepte bezeichnet. Auf explizite Sammlungen zur jeweils näher zu bezeichnenden Umweltthematik bezogen, müssen wir die Eingangsfrage nach dem oben Dargestellten verneinen. Wie aber ebenfalls zu zeigen war, kann allein deshalb die Akte »Umwelt im Museum« unter dem Etikett »Fehlanzeige« nicht wieder geschlossen werden, da das Thema Umwelt einer subtileren Behandlung bedarf.

Ein einziges bayerisches Museum formuliert es als Ergebnis längerer, überzeugter Vorarbeit, manche Museen gliedern es neuerdings an, manche lassen es von vornherein mitschwingen, potentiell steckt es in viel mehr unserer Museen und Sammlungen, als wir gemeinhin sehen und annehmen. Da andererseits »Umwelt« ein Sammelbegriff für die menschlichen Lebensgrundlagen ist, und sich ihre Darstellung den museal gewohnten Sammlungsbereichen zunächst entzieht, können nur umweltrelevante *Fragestellungen und Betrachtungsweisen*, im weiteren Belegstücke, didaktisches Material und museumspädagogische Arbeitsweisen den Zugang für entsprechende Erkenntnisse, für Neubewertungen der musealen Sachwelt öffnen. Neue Fragen zu stellen, heißt nichts anderes, als gewohnte Sichtweisen zu hintertragen und damit auf andere, neue Weise mit dem Betrachtungsgegenstand in Beziehung zu treten.

Die Umweltthematik fordert neue Fragen und neue Betrachtungsweisen heraus.

Anmerkungen

1 Der Umweltbegriff wird nachfolgend ausschließlich in seiner ökologischen Gegenwartsdiskussion und damit als Bezeichnung der zum Problem gewordenen Wechselbeziehungen zwischen dem Menschen und seinen natürlichen Lebensgrundlagen verstanden. Ebenso wird »Ökologie« und »ökologisch« nicht als Begriff der Naturwissenschaften gebraucht, sondern im Sinne einer neuen Weltanschauung. Ökologie meint hier ebenso die wissenschaftliche Befassung mit der Umwelt, das heißt den Umweltbeziehungen von Lebewesen, wie die gesellschaftliche Auseinandersetzung mit Umweltfragen. Vgl. dazu: Ökologiediskussion und ökologisches Weltbild. In: Brockhaus Enzyklopädie, 19. Aufl., Band 16. Mannheim 1991, Artikel Ökologie

2 Friedrich Weidacher: Handbuch der Allgemeinen Museologie. Wien – Köln – Weimar 1993, S. 27 und 32 ff.

3 Arbeit durch Umweltschutz, Süddeutsche Zeitung vom 15./16.6.1996

4 Alltagskultur passé? Positionen und Perspektiven volkskundlicher Museumsarbeit (= Studien und Materialien des Ludwig-Uhland-Instituts der Universität Tübingen), Bd. 11. Tübingen 1993, S. 70 ff.

5 Wilhelm Schäfer: Museale Darstellung von Umweltproblemen, entwickelt nach den Erfahrungen bei Senckenberg. In: Das Museum im technischen und sozialen Wandel unserer Zeit. (Hg.) Deutsches Nationalkomitee des Internationalen Museumsrates ICOM. Pullach/München 1975, S. 68 – 72

6 Zbyněk Z. Stránský: Museologie: Mode oder tatsächliche Notwendigkeit? Graz 1983 (zitiert nach Friedrich Weidacher, wie Anm. 2, S. 24)

7 Friedrich Weidacher, wie Anm. 2, S. 695

8 Vgl. dazu Wassilia von Hinten: Zur Konzeption des Ecomusée in Frankreich. In: Helmut Ottenjann (Hg.): Kulturgeschichte und Sozialgeschichte im Freilichtmuseum. Cloppenburg 1985, S. 88 – 101

9 Jan Carstensen: Natur und Kultur im Freilichtmuseum. In: Das Lingenbachtal. Ökologische Grundlagen des Bergischen Freilichtmuseums Lindlar (= Schriften des Bergischen Freilichtmuseums 2). Köln 1991, S. 7 – 10. Vgl. auch: Mensch und Umwelt. Ein Thema volkskundlicher Forschung und Präsentation? (= Schriften des Bergischen Freilichtmuseums 4). Köln 1993

10 Wolfgang Kolbe, Alfons Biermann (Hgg.): Ökologische Aspekte im Museum. Köln – Bonn 1983

11 Vollrath Wiese: Ökologie im Museum. Beiträge zur Didaktik biologisch ausgerichteter Museen mit besonderer Berücksichtigung ökologischer Sachverhalte. Wiesbaden 1988

12 Udo Gößwald: Museum und Umwelt. In: Zum Beispiel Asbest. Ein Stein des Anstoßes. Kulturelle

und soziale Dimensionen eines Umweltproblems. (Hg.) Heimatmuseum Neukölln. Berlin 1990, S. 10–16.
Vgl. dazu Ausstellungs- und Buchrezension von Kerstin Wagener: Heimat – kaputte Welt? Überlegungen zum Thema Ökologie im Museum. Zur Berliner Ausstellung: Zum Beispiel Asbest. Ein Stein des Anstoßes. In: Standbein/Spielbein 32 (1992), S. 19f.

13 Peter Frieß, Peter M. Steiner (Hgg): Deutsches Museum Bonn, Forschung und Technik in Deutschland nach 1945. München 1995, S. XV, XX f.

14 Programm der Jahrestagung. (Hg.) DMB, Deutsches Hygiene-Museum Dresden, 1996

15 Museum aktuell Nr. 5, (Hg.) Christian Müller-Straten, München, Januar 1996, S. 71

16 Museum aktuell Nr. 9, wie Anm. 15. München, Mai 1996, S. 163 f.

17 Konrad Bedal: Ökologie im Freilichtmuseum – Ökologie und Freilichtmuseum. In: Franken unter einem Dach. Zeitschrift für Volkskunde und Kulturgeschichte. (Hg.) Verein Fränkisches Freilichtmuseum e.V., Heft 17. Bad Windsheim 1995, S. 91–96, hier S. 93
Vgl. dazu auch Renate Bärnthol, Heiner Beisel, Wolfgang Subal: Ökologie im Museum. In: Franken unter einem Dach, Heft 14. Nürnberg 1991, S. 138–154

18 Vgl. hierzu neuerdings Ralf Heimrath (Hg.): Oberpfälzer Freilandmuseum Neusath-Perschen – Ein Rundgang. Regensburg 1996, bes. S. 39f. und 52ff.

19 Dieter Wieland, Peter M. Bode, Rüdiger Disco (Hgg.): Grün kaputt. Landschaft und Gärten der Deutschen. München 1983 (12. Aufl. 1992)

20 Für entsprechende Auskünfte und die Überlassung von Informationsmaterial danke ich Frau Sylvia Hamberger, Gesellschaft für ökologische Forschung, München

21 Schulreport. Tatsachen und Meinungen zur Bildungspolitik in Bayern. Heft 5/6. München, November 1990, S. 31

22 Bekanntmachung des Bayerischen Staatsminsteriums für Unterricht, Kultus, Wissenschaft und Kunst vom 30.5.1990 Nr. II/8-S4402/7-8/50166 (8seitiges Geheft mit eigener Paginierung).
Schon mit der aufbrechenden Ökologiebewegung war als Reaktion von staatlicher Seite in Bayern bereits 1970 das europaweit erste Umweltministerium gegründet worden. Erst acht Jahre später konnte dieses ein Umweltprogramm vorlegen (»Umweltpolitik in Bayern«), aber 1984 die Verankerung des Umweltschutzes in der Bayerischen Verfassung erreichen. Die Fortschreibung des Umweltprogramms wird seit 1990 mit dem »Umweltbericht« verbunden. Das Ministerium nennt in seinem Informations-Taschenbuch »Umweltschutz in Bayern '94« als Adressaten seiner Öffentlichkeitsarbeit u.a. die Museen, Umweltstationen, Umweltläden u.ä.
Vgl. dazu: Umweltpolitik in Bayern. Fortschreibung des Umweltprogramms und Umweltbericht 1990 der Bayerischen Staatsregierung.
Umweltschutz in Bayern '94. Beide hg. vom Bayerischen Staatsministerium für Landesentwicklung und Umweltfragen. München 1990 bzw. 1994

23 »Umwelterziehung im Museum« (Hg.) Landesstelle für die nichtstaatlichen Museen (Geheft, maschinenschriftlich reproduziert). München o.J. (1990), hier S. 3 u. S. 7f.

24 Vgl. zu diesem Themenkreis grundlegend Felix v. Cube und Volker Storch (Hgg.): Umweltpädagogik. Heidelberg 1988
Hans-Joachim Fietkau und H. Kessel (Hg.): Umweltlernen. Veränderungsmöglichkeiten des Umweltbewußtseins. Königstein/Taunus 1981

25 Gegründet 1968 in Rom, informeller Zusammenschluß von Wirtschaftsführern, Politikern und Wissenschaftlern aus über 30 Ländern mit dem Ziel der Erforschung von Ursachen und inneren Zusammenhängen der Menschheitsprobleme, unter der Annahme, daß die Zukunft der Menschheit von der Schaffung weltweiter sozialer Gerechtigkeit, Gewährleistung der Menschenrechte und Harmonie zwischen Mensch und Umwelt abhängig sei. (Nach Brockhaus Enzyklopädie 19. Aufl., Mannheim 1987, Art. »Club of Rome«

26 Die Ausstellung wurde zuerst 1994 in Stuttgart gezeigt, dann im Siemens-Museum München.
Siehe Begleitprospekt »Herausforderung Zukunft. Grenzen des Wachstums – Wachstum der Grenzen, (Hg.) Siemens-Forum 1995
Vgl. auch Besprechung in SZ vom 20./21.7.1996, Regionalteil Neueste Nachrichten für den Lkr. München »Siemens eröffnet Schau«

27 Zu diesen und folgenden Angaben vgl. das Begleitheft zur Ausstellung.
Birte Hantke: Umwelt. Mensch und Technik auf dem Planeten Erde. Deutsches Museum o.J. (1995)

28 Vgl. hierzu die kritische Betrachtung von Gottfried Knapp »Maschinen im Dornröschenschlaf – das Deutsche Museum in München hat den Anschluß an die Gegenwart noch nicht gefunden«, Süddeutsche Zeitung vom 3.5.1996

29 Vgl. die Ausschreibung von zwei befristeten Halbtagswissenschaftlerstellen mit dem genannten Aufgabenfeld in Süddeutsche Zeitung vom 23./24.3.1996

30 Wolfgang Bäuml: Jagd- und Fischereimuseum. In: Schloß Wolfstein – Stadt Freyung (= Städtebauförderung in Niederbayern, Dokumentation 9). Landshut und Freyung 1993, S. 22

31 So der Konzipient Dr. Josef Paukner in seiner Konzepteinleitung vom März 1993. Aktenbestand Tirschenreuth, Landesstelle für die nichtstaatlichen Museen

32 Josef Paukner: Die Neuaufstellung des Fischereimuseums Tirschenreuth – Probleme und Überlegungen. In: Heimat Lkr. Tirschenreuth Nr. 5 (1993), S. 145–149, hier S. 149

33 Eigene Aufzeichnungen vom 28.4.1996 und Faltprospekte des Museums

34 Aktenbestand Krumbach, Landesstelle für die nichtstaatlichen Museen

35 »Scheitert Museum an den Kosten? Die Allersberger Räte fühlen sich wegen des ›Ökoseums‹ vom Landkreis im Stich gelassen«, Roth-Hilpoltsteiner Volkszeitung vom 24.1.1996
Darüber hinaus: Aktenbestand Allersberg, Waldmuseum, Landesstelle für die nichtstaatlichen Museen

36 Winfried Freitag: Zum pädagogischen Ansatz des Museums Wald und Umwelt in Ebersberg. In: Museum heute. Fakten – Tendenzen – Hilfen Nr. 9. (Hg.) Landesstelle für die nichtstaatlichen Museen. München 1995, S. 52–58, hier S. 52

37 Winfried Freitag: An Stelle einer Einleitung: das Konzept des Ebersberger Waldmuseums. In: Der Landkreis Ebersberg – Geschichte und Gegenwart. Nutzungen, Wandlungen und Gefährdungen des Ebersberger Forstes. Beiträge zur Geschichte unserer Umwelt. (Hg.) Kreissparkasse Ebersberg. Ebersberg 1990, S. 6–11, hier S. 11

Umgang mit Beständen

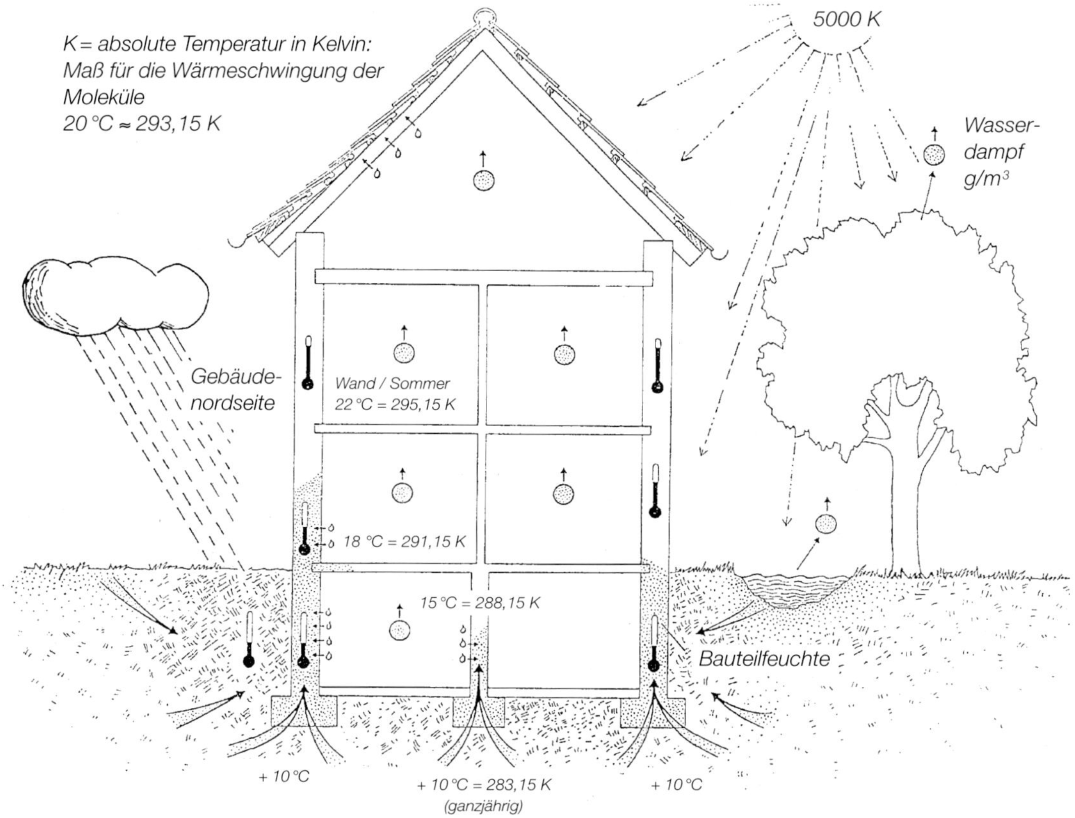

Feuchte im untemperierten Haus

Henning Großeschmidt

Das temperierte Haus: sanierte Architektur und »Großvitrine«

14 Jahre besucherfreundliche Schadensprävention mit Temperieranlagen

Ausgangslage: Der Stand der Heiztechnik hat prinzipielle Mängel

Seit 1982 fördert die Landesstelle für die nichtstaatlichen Museen in Bayern den Einsatz von Wandheizungen in Museen, angesichts der prinzipiellen Mängel des Standes der Heiz- und Klimatisierungstechnik,[1] die sich sowohl auf die konservatorischen Aufgaben, als auch auf die Besucherfreundlichkeit des Raumklimas nachteilig auswirken. Dabei ergab sich auf dem Gebiet der Wandheiztechnik eine allgemein gültige, über den musealen Bereich hinaus relevante Entwicklung, die insbesondere durch die Fragestellung in den Freilichtmuseen vorangetrieben wurde. Hier traf die *Möglichkeit*, Ausstattung und Bausubstanz der Gebäude zugleich und auf einfachste Weise – durch Wärme – zu konservieren, mit der *Forderung* zusammen, die von der Heiztechnik ausgehende »Störung« durch Minimalisierung der Technik so gering wie möglich zu halten. Die Vereinfachung, die aus diesem Spannungsverhältnis folgte, und die Verbreitung, die das Verfahren der »Temperierung« nicht zuletzt dadurch erfuhr, waren 1986 noch nicht vorhersehbar, als zum Ende des ersten Jahrzehnts der Tätigkeit der Landesstelle die Methode im Zusammenhang mit der »Museumsarbeit in Bayern« in der so betitelten Festschrift dargestellt wurde.[2]

Nach 14 Jahren Diskussion des Themas »Wandheizung« im öffentlichen Raum beginnen sich in der Fachwelt zwei Erkenntnisse durchzusetzen:

- Wandheiztechniken verbessern unmittelbar durch ihre Arbeitsweise nicht nur die *bauphysikalischen* Verhältnisse von Gebäuden und die *konservatorisch-klimatischen* Bedingungen in Ausstellungsräumen, sondern schaffen gleichzeitig auch *physiologisch* optimale Raumbedingungen.
- Die Methode der »Temperierung« stellt in ihrer heutigen Form der vereinfachten *Heizrohr-Temperieranlagen*, dank ihres Einsparpotentials in den Bereichen Heizungs- und Klimatechnik, Feuchte- und Wärmeschutz, Trockenlegung und Schadsalz-Inaktivierung sowie Bauunterhalt einen Ausweg dar aus der Sackgasse der technischen Entwicklung in diesen Sektoren und der daraus folgenden Kostensteigerung.

Am Ende des zweiten Jahrzehnts erscheint nun eine Darstellung der Erfahrung mit derartigen Minimalanlagen sinnvoll, und zwar vor dem Hintergrund der Diskrepanz zwischen herrschender Theorie und dem neuen Erfahrungswissen. Diese Diskrepanz erweist sich als direkte Folge der starren Trennung der Aspekte »Feuchte« und »Wärme«, die die Lehre bis heute aufrecht erhält und damit Alltagserfahrungen ignoriert, wie: »Eine warme Wand ist trocken und speichert Wärme« oder »Die Südwand der Kirche hat weniger Sockelschäden als die von der Sonne kürzer oder gar nicht direkt beschienenen Wände.«

Temperieranlagen: Definition

Temperieranlagen im weiteren Sinne sind *Wandheizungen*, wie beheizte Wandschalen, Heizrohrregister unter Putz oder Sockelleistenheizungen, in *kontinuierlicher Betriebsweise*. Durch ihre beiden Hauptmerkmale (ausschließliche Beheizung der Wände und nicht der Raumluft, kontinuierlicher Betrieb) weichen sie vom Stand der Technik, also von den konventionellen, die Raumluftmasse als Heizmedium einsetzenden Heizsystemen ab. Temperieranlagen im engeren Sinne der Landesstelle sind Heizanlagen, die – im Museum im Verein mit Maßnahmen zur Reduzierung und Kontrolle des Luftwechsels – die raumklimati-

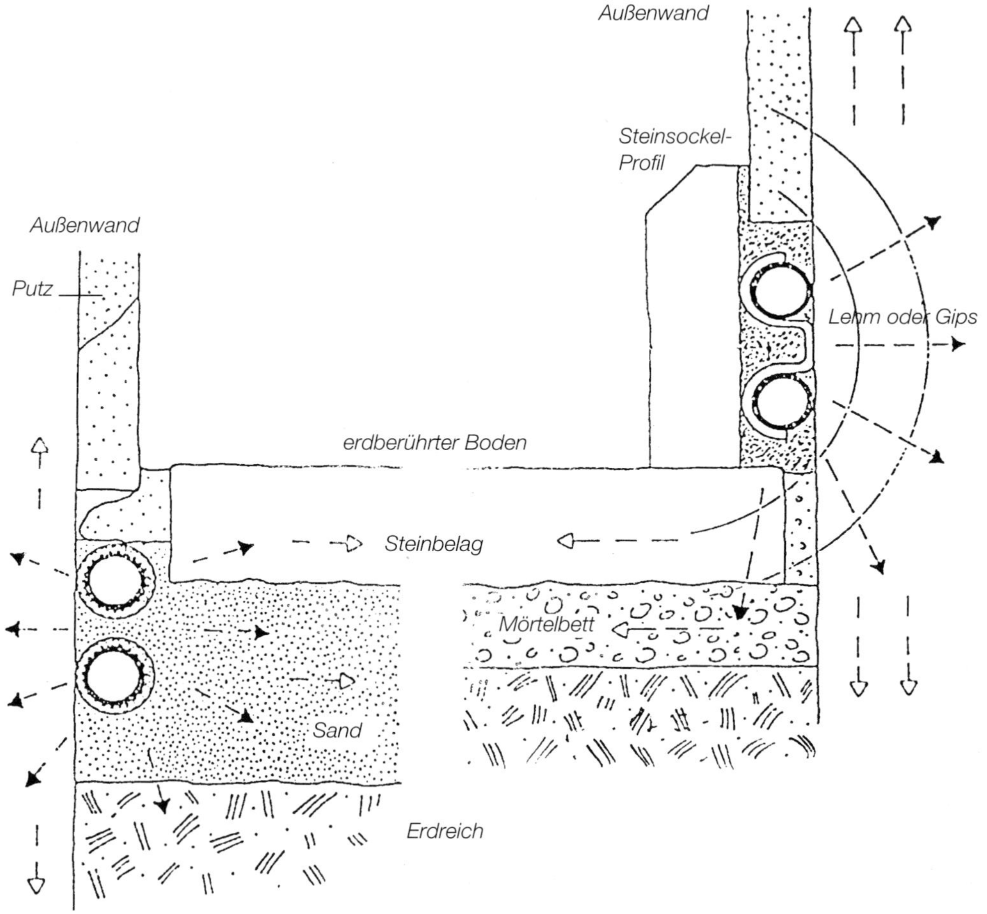

Der linke Teil der Skizze zeigt die Verlegung von Rohren mit Schutzmantel neben dem Bodenbelag, wie zum Beispiel im Baudenkmal (Konservierung von Bausubstanz und Raumausstattung, Räume ohne Temperaturanspruch). Die Außenwandsockel erhalten Zweirohr-Schleifen, die erdberührten Trennwände eine Einrohr-Umfahrung.

Der rechte Teil zeigt Rohre ohne Schutzmantel in Lehm oder Gips, wie zum Beispiel für Wohnräume (Räume mit Temperaturanspruch). Zur Erzielung einer höheren Sockeltemperatur werden die Rohre über dem Bodenbelag angeordnet, etwa unter einem Steinsockelprofil oder unter auslaufendem Putz, bei Holzfußleisten darüber, frei oder eingeschlitzt. Vorteilhaft ist die Beheizung der Fensterbank durch Rücklauf-Umweg an den Brüstungskanten (im Leichtbau auch an den Laibungen) sowie eine Ergänzung durch Leitungen an den Trennwandsockeln der Obergeschosse.

schen Vorteile solcher Wandheizungen auf einfachstem Wege erreichen, darüber hinaus aber weitere, bauphysikalisch relevante Effekte herstellen wie Trockenlegung, Schadsalz-Inaktivierung und Feuchteschutz der Bausubstanz. Sie machen eine feuchtesperrende und wärmedämmende Vorbehandlung der erdberührten Flächen überflüssig.[3]

Nach der Erarbeitung der unabdingbaren heiztechnischen Minimalstrukturen empfiehlt die Landestelle nur noch Minimalanlagen ohne Wand- und Bodenschalen, sogenannte *Heizrohr-Temperieranlagen*, deren Heizelemente, kleinformatige Heizrohre (Durchmesser 15 oder 18 mm, bei großen Wandlängen 22 mm), im Regelfall als Vor- und Rücklaufschleife an den erd- und außenluftberührten Wandsockeln montiert werden, meist unter Putz, oberhalb des Bodenbelags oder zwischen der Seitenkante des Bodenbelags und der tragenden Wand.[4]

Der neue Weg der Museumsberatung beweist: Die Revision des Technikstandes ist unumgänglich

Die Methode der »Temperierung« wurde von der Landesstelle in Zusammenarbeit mit bayerischen Baubehörden und freiberuflichen Fachkräften seit 1982 zunächst mit dem Ziel erarbeitet, die *konservatorischen* Mängel der konventionellen Heiz- und Klimatisierungssysteme zu vermeiden. Unter den in Anmerkung 1 aufgeführten Mängeln, die unmittelbar daraus folgen, daß bei diesen Verfahren die Raumluftmasse als Heizmedium dient, standen im Vordergrund diejenigen, die aus musealer Sicht am wichtigsten sind:

- die *Staubumwälzung*
- der große *Temperaturunterschied* zwischen der Raumluft, dem Heizmedium, und der »kalten Wand«,[5] die gleichzeitig Ziel des Heizvorgangs und Exponat-Hängefläche[6] ist
- der große *Befeuchtungsbedarf*
- die regelungstechnisch bedingten *Kurzzeitschwankungen* des Raumklimas, die damals in der Restaurierungspraxis zunehmend als Hauptursache für Schäden an Objekten in Museumsräumen erkannt wurden.[7]

Bereits im ersten Projekt stellte sich jedoch heraus, daß die Methode eine weit über den musealen Bereich hinausgehende allgemeine Bedeutung hat, da sie, entsprechend dem historischen Vorbild der römischen Hypokausten-Wandheizung durch kontinuierliche und direkte, also ohne Umweg über die Raumluft ablaufende, Beheizung der Gebäudehülle wirksam ist und daher aus physikalischen Gründen nicht nur das gesteckte Ziel der *konservatorischen* Entschärfung des Faktors »Heizung« erreichte. In den folgenden Projekten erwies sie sich vielmehr *generell* als eine ideale Art der Beheizung für alle Baukonstruktionen und Gebäudenutzungen, einschließlich Baudenkmälern, Kirchen und Fabrikhallen, die zugleich die erwähnten bauphysikalischen Effekte auf direktem Wege herbeiführt.[8]

Von Anfang an griffen auch Privatpersonen auf die Methode zurück, zunächst vor allem wegen ihrer physiologischen Vorteile. Aus dem ökonomischen Zwang heraus ergaben sich hier wesentliche Impulse bei der Erarbeitung des heiztechnischen Mindestaufwandes. Daß dieser den Stand der Technik so deutlich unterschreiten konnte, liegt vor allem an der optimalen Energie*nutzung* der Methode. Dieser Zusammenhang klärt sich bei der folgenden Betrachtung des Energiebedarfs in Wohnbauten. Hier erhärtete sich eine im Bauwesen zunehmend gemachte Beobachtung: Bei Wohnnutzung liegt der Jahresheizwärmebedarf *ungedämmter Massivbauten mit Wandheizung*, trotz nutzungsbedingt hohem Luftwechsel, im Bereich der von der Wärmeschutzverordnung (WSV) gesteckten Grenzen[9] – dank der umweglosen Energieübertragung im Verein mit dem günstigen Einfluß auf Luftwechsel[10] und Wandfeuchte.[11]

Es ergab sich die Praxis, daß bei dieser Konstellation die Baugenehmigung erteilt wird ohne den sog. Wärmeschutznachweis, da der Tatbestand des § 11, Absatz 3 der WSV erfüllt ist, daß nämlich *»durch andere Maßnahmen die Ziele der Verordnung in gleichem Umfang erreicht werden«*. Auch der bei der Verlegung ungedämmter Heizrohre in Außenwänden oft angenommene Konflikt mit der Heizungsanlagenverordnung, nach der *»Rohrleitungen zu dämmen«* sind, ist gegenstandslos. Sie enthält nicht nur eine gleichlautende Ausnahmeregelung, sondern bereits ihr § 6, Absatz 2 besagt, daß die Auflage nicht gilt für *»Räume, die zum dauernden Aufenthalt von Menschen bestimmt sind«*.[12] Der hier erforderliche Dauerbetrieb bewirkt nämlich die Rohr-»Dämmung« über Wandtrocknung. Analoges trifft für *museal genutzte Räume* zu, in denen die Klimastabilisierung den Dauerbetrieb voraussetzt.[13]

Betrachtet man nun auch die bei trockenem Mauerwerk verbesserte Speicherung für die Solarstrahlung, so wird einerseits die bei Wandheizung so deutliche Energieeinsparung in ungedämmten Massivbauten erst völlig nachvollziehbar. Andererseits klärt sich aber auch, warum in Bauten, die nach neuerer Anschauung mit reduzierter Speicherfähigkeit der Gebäudehülle oder gar unter völligem Verzicht darauf (gedämmte Ständerbauweise) errichtet wurden, die Einsparung geringer ist.[14]

Hier werden die Grenzen des derzeitigen Standes der Technik sichtbar. Zum einen benennt dieser als Hauptfaktor der Energieeinsparung den »k-Wert« (Wärmedurchgangs-Koeffizient) der Wandbaustoffe[15] und definiert ihn, ohne Bezug zum Heizsystem, als Materialeigenschaft, obwohl die ihm zu Grunde liegende Wärmeleitfähigkeit durch Wandbeheizung herabgesetzt wird. Zum anderen wird kein Bezug zwischen den Verlusten durch Warmluftaustritt (an den Gebäudefugen und Öffnungen) und der notwendig hohen Raumlufttemperatur bei »Luft«-Heizung hergestellt, obwohl die »Wand«-Heizung, die ja die Lufttemperatur kaum anhebt, auch diese Verluste gering hält (s. Anm. 10).

Aus der Vielzahl der Projekte und der unendlichen Formenvielfalt der immer gleichen Fragestellung (»Wie kann der Wärmebedarf der Gebäudehülle auf möglichst einfache Weise gedeckt werden?«) ergab sich die oben angesprochene, deutliche Reduzierung des technischen Aufwands (»Sockelheizrohre anstelle von Sockelheizkörpern oder Wand- und Bodenschalen«), so daß heute normal geschulte Kräfte zur sachgemäßen Planung und Ausführung in der Lage sind, zwar ohne Spezialteile, jedoch unter Zurückstellung vieler den konventionellen Verfahren zugrunde liegender Normen[16] und Regeln. Die Anmerkung 4 besteht fast ganz aus Beispielen von Regeln, die durch die Praxis von Temperieranlagen widerlegt sind. In historischer Bausubstanz kann der Substanzverlust minimiert werden, wenn ein *Wandrestaurator* Voruntersuchungen für die Rohrwege macht und sie im Bedarfsfall sowohl präpariert als auch schließt.

Minimalauflagen: Exemplarische Beispiele

Typische Beispiele sind Projekte wie das Rathaus in Tittmoning, in dessen Tiefparterre 1992 die erste meßtechnische Bestätigung der thermischen Trockenlegung (an bis zu 1,8 m starkem Kalktuffmauerwerk mit je einer Heizrohrschleife pro Wandsockel) gelang,[17] das Kellerareal des Fürstenbaus des Oberhauses in Passau, wo über längere Strecken der anstehende Fels zur zu beheizenden Raumhülle gehört, der 11 m tief in den Berg vordringende Bergkeller des Heimatmuseums Miltenberg, der durch den Betrieb einer Sockelheizrohr-Schleife von einer »Tropfsteinhöhle« zum Ausstellungsraum »mutierte«, die Porzellanfabrik in Selb-Plößberg, in der bei der Schwammsanierung der Einsatz von Chemikalien minimiert wurde, die Papiermühle in Homburg am Main, in der der Korrosionsschutz der Großmaschinen durch Heizleitungen an ihren Sockeln erfolgt, die Kirchen von Obertraubling bei Regensburg und Aufkirchen bei Erding, in denen bei einem Raumvolumen von über 6000 m^3 Beheizung wie Trockenlegung durch Heizrohre an den Sockeln und Bankplattformrändern erfolgt (in Aufkirchen mit Messungen der Kirchenbaubehörde zu beiden Aufgabenstellungen), die ähnlich große Franziskanerkirche von Kelheim, die zum Orgelmuseum adaptiert wird, die Synagogen von Binswangen und Hainsfahrt in Schwaben oder das aus Betonfertigteilen bestehende Großdepot des Allgäuer Heimatmuseums in Kempten (3600 m^3).

Auch außerhalb Bayerns gibt es bereits Großbeispiele für Minimalanlagen wie die Klosterkirche von Frenswegen bei Nordhorn, die als Konzert- und Ausstellungshalle durch Zusammenfügen einer Beton-Nordwand, je einer Glasfassade als Ost- und Westwand, eines Trapezblechdaches, eines Betonteil-Bodens und der originalen gotischen Südwand wiedererrichtet wurde, das für Wohnnutzung adaptierte Kloster Brenkhausen bei Paderborn, das Museum »Preußen in Westfalen«, das durch Temperierung von zwei Kasernen des frühen 19. Jahrhunderts in den Städten Wesel und Minden entsteht (wobei in Wesel ein von Erdreich umgebener Kasemattenraum von 500 m^3 ohne Außenmaßnahmen bereits trocken wurde), das Gymnasium in Hattingen/Ruhr, wo ein direkter Vergleich mit Heizkörperheizung eine Energieeinsparung von mehr als 25% ergab. In Österreich sind die Museen in Purgstall am Erlauf und Mannersdorf am Leithagebirge repräsentativ, wie auch das Kartäuserkloster Mauerbach bei Wien, in dessen Lapidarium im Routinebetrieb Ausstellungs- und Veranstaltungsbedingungen hergestellt werden, während in sechs Mönchszellen im Rahmen des EUREKA-Projektes EUROCARE PREVENT ein Meßvergleich mit anderen Heizmethoden durchgeführt wird.

Museum und Baudenkmal: Die Analyse ergibt eine identische Interessenlage

Angesichts der Bedeutung, die die Oberfläche der Objekte als Zeugnisebene in der heutigen Museumsarbeit gewonnen hat,[18] können Maßnahmen zur Konservierung und Restaurierung nur dann fachgerecht sein, wenn sie die wissenschaftlich relevanten Spuren in der Oberfläche bewahren. Neben den Spuren der Herstellung und des Gebrauchs sind hier vor allem die Spuren der Alterung des Oberflächenmaterials anzusprechen, da sie sich während der ebenfalls altersbedingten, zugleich aber irreversiblen Formveränderung des Gegenstandes ergaben. Authentizität, die von einem »Dokument« erwartet wird, kann sich daher nur ergeben, wenn die Veränderungen seiner Form mit denen seiner Oberfläche auch nach erforderlichen Eingriffen im Einklang bleiben.

Modernen musealen Kriterien genügende Konservierung und Restaurierung ist daher stets zeitaufwendig, also mit hohen Kosten verbunden. Gerade bei kultur- und technikgeschichtlichen Objekten übersteigen diese *Kosten*, bezogen auf das Einzelobjekt, oft dessen »Marktwert«. Sie müssen aber dennoch in Kauf genommen werden, wenn das Stück zum ersten Mal seinen sinnvollen Platz in einer Ausstellung finden soll. Das aufwendig hergestellte Arbeitsergebnis sollte daher möglichst langfristigen Bestand haben, da es durch jede neue »Bearbeitung« gefährdet ist. Selbst der Transport eines Objektes stellt eine solche Gefährdung dar, da sich die dazu erforderliche Handhabung ja stets an der Oberfläche vollzieht. Im Idealfall sollten daher Restaurierungsarbeiten nicht wiederholt und Objektstandorte nicht aus »bloßen« konservatorischen Gründen gewechselt werden müssen. Der Museumsalltag zeigt jedoch, daß ohne Verbesserung des Objektumfeldes immer wieder neuer konservatorischer Handlungsbedarf entsteht.

Diese Problematik liegt in verschärfter Form im nicht bewohnten *Baudenkmal* und im *Freilichtmuseumsgebäude* vor. Hier bilden Architektur und Ausstattung eine Einheit, deren authentische Gesamtwirkung erst dann zum Tragen kommt, wenn zahllose historische Einzeloberflächen nicht nur materialgerecht konserviert und aufeinander abgestimmt worden sind, sondern dabei auch ihr Dokument-Charakter bewahrt blieb. In Ergänzung dieses Aufwandes wird in der Regel »aus konservatorischen Gründen« der völlige Verzicht auf Beheizung beschlossen. Selbst wenn heute übliche »Feuchteschutzmaßnahmen« wie Horizontalsperre, Maueraustausch, Sanierputz oder Zwangsbelüftung Bestandteil des Sanierungs- bzw. Aufbaukonzeptes waren, stellen sich in der Folgezeit häufig auf Feuchteeinwirkung zurückführbare Schäden ein wie Schimmel- und Pilzbefall, Abkreiden wasserlöslicher Farbschichten und Korrosion an der metallischen Ausstattung. Gerade das meist im gesamten Gebäude feststellbare flächige Auftreten solcher Feuchteschäden aber war in der Nutzungsphase trotz Fehlens derartiger Feuchteschutzmaßnahmen entweder unbekannt oder die Mängel beschränkten sich auf die erdberührenden Bauteile.

Betrachtet man diese Feststellung vor dem Hintergrund der *Wärmeabgabe der historischen Heiz- und Kochstätten*, so liegt die Vermutung nahe, daß der Feuchteschutz aus dem ständigen Angebot an Wärmestrahlung folgte, das während des ganzen Jahres von der kontinuierlich warmen mittleren Gebäudezone her auf die Außenwände einwirkte. Die günstige Gesamtwirkung läßt sich in der Formel »Behaglichkeit und Materialkonservierung durch warme Gebäudestruktur« zusammenfassen. Sie entstand durch das Zusammenwirken der energetisch relevanten Faktoren des historischen Bau- und Heiztechnik-Konzepts, das stets massive Bauteile kombinierte mit Wärmeübertragung durch Wärmestrahlung und Wärmeleitung und damit in krassem Gegensatz zum »modernen« Konzept steht (Leichtbau-Gebäudehülle, außengedämmt und »luft«-beheizt). Kachelöfen im Winter und historische Kochstellen im Sommer im Verein mit der Kaminachse und benachbarten wärmespeichernden Bauteilen hielten als großflächige Strahlungswärmequellen die massiven Außenbauteile trocken und verbesserten so deren Speicherfähigkeit für Heiz- und Sonnenwärme gleichermaßen, so daß sie eine auch physiologisch ausreichende Oberflächentemperatur bewahrten. Dies gilt sogar für Fachwerkhäuser bei »historischer« Ausfachung, die im Vergleich zu den modernen Leichtbaumaterialien – selbst bei Lehmbauweise – stets »schwer« war.

In Anbetracht der geänderten Nutzung des nicht mehr bewohnten Baudenkmals oder Freilichtmuseumsgebäudes ist nach – auch heute noch – weit verbreiteter Anschauung ein solches Mindest-Wärmeangebot nicht mehr erforderlich. Meist müssen jedoch bereits nach einem Jahr die ersten *»Instandhaltungs- und Pflegemaßnahmen«* vorgenommen werden, und es stellt sich ein wiederkehrender Bedarf heraus. Diese Maßnahmen gelten gemeinhin als selbstverständlich und unvermeidbar, obwohl sie auf das Fehlen jeglicher »Temperierung« des Bauwerks zurückgehen. Aus finanziellen Gründen können in der Regel jedoch mit diesen »Routinearbeiten« nicht mehr Fachleute betraut werden, sondern sie bleiben Laien überlassen, deren Auge für die Problematik nicht geschult wurde. Von Anfang an bergen sie daher die Gefahr schleichender Verfälschung gerade desjenigen Zustandes, der für die erste Präsentation aufwendig erzeugt wurde. All dies führte inzwischen dazu, daß die »thermische Baukonservierung« im Bereich der Freilichtmuseen zum Standard wurde. [19]

Der Großraum zeigt es exemplarisch: Nur die »warme Wand« erlaubt Behaglichkeit, Feuchte- und Staubschutz zugleich

Eine besondere Zuspitzung erfährt das aufgezeigte Dilemma bei *Versammlungsstätten*, da in ihnen zyklische Klimaveränderungen direkt aus der Nutzung und der dafür erforderlichen Beheizung folgen. Baudenkmäler mit ihrer originalen Ausstattung, insbesondere *Kirchen*, zeigen stets bereits wenige Jahre nach ihrer Restaurierung und Ausstattung mit einem dem Stand der Technik entsprechenden Heizsystem eine allgemeine Verschmutzung aller Oberflächen. Die Untersuchung von Dario Camuffo zur Verschmutzung von Wandmalereien in Abhängigkeit von der Wandtemperatur [20] klärte die mikrophysikalischen Grundlagen der Staubablagerung an Wänden. Man erkennt, daß sie zwangsläufige Folge der Wirkungsweise der »klassischen« Kirchenheizungssysteme ist: Die von diesen erzeugte, aus der Raummitte zur Decke und dann erst zu den kalten Wänden verlaufende Heizluftumwälzung führt zur Addition aller Faktoren der Staubablagerung. Generell benennt er die Situation *»warmer Fußboden, warme Raumluft, kalte Wand«* als den *»schlimmsten Fall, den es unbedingt zu vermeiden gilt«*. Dieses Ergebnis ergab sich bereits aus der Betrachtung der rein thermodynamischen Faktoren, ohne daß Camuffo die Wirkung des Wasserdampfes mit einbezog.

Bereits vor dem Hintergrund dieses »trockenen Staubtransports«, der bei Leinwandbildern zur irreversiblen Verschmutzung durch die Staubaufnahme des sich ständig bewegenden Sprungnetzes führt, ist das Festhalten an der bisherigen Anschauung schwer verständlich, nach der die Beheizung von Großräumen nur über Aufheizung und Umwälzung der Raumluftmasse möglich ist: *»Primär erfolgt die Erwärmung großer Räume durch die strömende Luft, welche die Wärme im Raum verteilt,...«*. Noch weniger verständlich ist dann aber der Zusatz: *»... und es ist von sekundärer Bedeutung, wie die Wärmeenergie in den Raum eingebracht wird, ob über Luft-, Bank- oder Fußbodenheizung.«* [21] oder die Aussage: *»Die Warmluftströme dienen der Beheizung des gesamten Kirchenraumes und damit auch der gesamten Raumschale, so daß bei entsprechend kontinuierlichem Betrieb* nur *eine zeitbedingte, aber eben* gleichmäßige Verschmutzung *auftritt.«* [22]

Beide Aussagen sind nicht nur seit Jahren durch *Kirchen mit Temperieranlagen* (Sockelbeheizung!) widerlegt. [23] In jedem Sommer werden sie auch dadurch ad absurdum geführt, daß beliebig große Kirchenräume – dank der höheren Wärmeabstrahlung der sommerlich warmen Außenwände und dank der ruhenden, weil gleich warmen Raumluft – bis in den Herbst hinein als angenehm warm empfunden werden, »obwohl« die Temperatur der Raumluft nicht höher als die der Wände ist, angesichts der bereits tiefen Nachttemperaturen dennoch von einem »Heizvorgang« ausgegangen werden muß. Bis zum Spätherbst nämlich schafft die äußere Zustrahlung am Tage den Ausgleich der Speicherverluste des Mauerwerks in der Nacht. Diese zyklische »Außenwandbeheizung« verhindert die Auskühlung des Großraumes also ohne Wärmetransport mit Hilfe der Raumluft.

Bezieht man aber den *Anstieg des Wasserdampfgehaltes* der Raumluft während der Nutzungsphase mit in die Betrachtung ein, was in der zitierten Literatur zur Kirchenheizung unterbleibt, wird der Einsatz der Raumluftmasse als Heizmedium völlig unverständlich. Gerade im Großraum bedingt die »Luft«-Heizung, über die unter Anmerkung 1 aufgezeigte Fehlerkette, einen *überhöhten Heizenergiebedarf* (hohe »interne Verluste«), so daß der Heizbetrieb wegen der hohen Kosten in der Regel nur kurzzeitig, in einer bestimmten Anheizzeit und während der Veranstaltung stattfindet. Aus dem *nichtkontinuierlichen Betrieb* aber resultiert gerade während der Nutzungsphase eine zweite Fehlerkette: Nicht nur mit Staub, sondern nun auch mit größeren Mengen *Wasserdampf* beladen,[24] jedoch mit bereits verringertem Wärmeinhalt, trifft die Heizluft auf Oberflächen, die wegen der Wärmeträgheit der sie tragenden Massen während des Heizvorganges kalt bleiben.

Dieser Sachverhalt gilt gleichermaßen für die unzähligen Einzeloberflächen einer Orgel, die Putze und Wandmalereien, die Malschicht der hölzernen Ausstattung wie, jedoch nur während der Anfangsphase, auch für Tafelbilder und für die »Bilder an der kalten Wand«, die Leinwandgemälde. An all diesen Oberflächen führt der unvermeidbare Feuchteniederschlag, neben der Begünstigung der bakteriellen Aktivität (Abbau von Bindemitteln) oder gar des Schimmelwachstums, zu verstärkter Staubhaftung und zu Gefügespannungen durch oft sogar gegenläufige Quellungsreaktionen in den Malschichten und Bildträgern. Die daraus resultierende unvermeidbare Schadensbildung läuft an Leinwandgemälden besonders rasch ab, nicht zuletzt deshalb, weil wegen der geringen Wärmeträgheit innerhalb kurzer Zeit ein Temperaturwechsel im Gesamtquerschnitt die Dampfdiffusion zusätzlich beeinflußt.[25]

Seit einigen Jahren, seit Erfahrungen mit dem Heizenergiebedarf der neueren Luftheizungen vorliegen, wird dieser *»Stoßbetrieb«* zur Energieeinsparung sogar *empfohlen*, wobei nicht nur die Diktion von Künzel und Holz[26] zeigt, wie schwierig die Argumentation vor den bisher zitierten konservatorisch relevanten Fakten ist. Das Ziel des Stoßbetriebs, eine »nicht zu niedrige *mittlere Raumluftfeuchte*« erweist sich als gänzlich irrelevant, da damit *ein*erseits das Feuchtemittel zwischen den Nutzungs- und Nichtnutzungsphasen gemeint ist, andrerseits aber die tatsächlich örtlich vorliegende, von der momentanen Materialtemperatur abhängige *Grenzschichtfeuchte* entscheidend ist, die an der Oberfläche eines betrachteten Gegenstandes vorliegt. Hierauf wird sogar hingewiesen, jedoch »unabhängig vom Heizbetrieb«.[27]

Claus Arendt wiederum riet zuvor aus konservatorischen Gründen, »um das ständige Schrumpfen und Dehnen der *oberflächennahen Ausstattungsschichten* zu verringern«, zum Dauerbetrieb oder zu einem möglichst geringen Temperaturunterschied zwischen Nutzungsphase und der übrigen Zeit.[28] »Nach eigenen Untersuchungen« jedoch wandelte sich seine Anschauung. Er nimmt nun ein träges Reaktionsverhalten des Materials an,[29] das für eine kurze, heftige Anheizphase »schadensfrei« ausgenutzt werden kann (wobei er stets von Putz und stärkeren Holzmassen ausgeht). Dennoch spricht er, wie die zuvor zitierte Quelle ohne Bezeichnung des Orts des Geschehens, von *Sorptionsvorgängen*, die den Feuchteausgleich bei Temperaturänderungen leisten. In der Anheizphase aber, in der die Wasserdampfabgabe einer größeren Personengruppe noch fehlt, kann ein ausgleichender Einfluß auf die auch hier gemeinte »mittlere Raumluftfeuchte« nur vom Feuchtehaushalt der Raumschale und der Ausstattung ausgehen, obwohl doch deren Reaktionsträgheit konservatorisch genutzt werden soll.

Auf drei weitere Aspekte wird in derartigen Quellen gar nicht eingegangen: Weder werden die bereits erwähnten schwächeren Malschichtträger erwähnt, deren »Reaktionszeit« vernachlässigbar ist, wie (ausgedünnte) Maltafeln oder gar Leinwände, noch die Kondensationsvorgänge, die beim Stoßbetrieb während der Messe naturgemäß stattfinden müssen. Ebensowenig wird die Tatsache diskutiert, daß die als Folge der Staubumwälzung stattfindende Schmutzaufnahme der Alterssprungnetze, die für Malschichten auf *allen* hygroskopischen Bildträgern gilt, irreversibel ist, daß also immer mindestens eine »Farbveränderung« (durch Betonung des Sprungnetzes) stattfindet sowie eine Begünstigung von Langzeitschäden durch die Einlagerung der im Staub enthaltenen Schadstoffe.

Präventive Konservierung: Die warme Gebäudestruktur wirkt als »Großvitrine«

Die bisher geführte Diskussion der bauphysikalischen und heiztechnischen Schadenspotentiale, die wegen der exemplarischen Bedeutung anhand von Großräumen geschah, läßt sich auch auf die »normalen« Raumsituationen in Museen, Baudenkmälern und Freilichtmuseen übertragen.

In Ergänzung sei zunächst das Problem angesprochen, im Winter bei Raumbeheizung eine ausreichend hohe und stabile relative Luftfeuchte halten zu können.

Bei »Luft«-Heizung entsteht grundsätzlich ein hoher Bedarf an Luftbefeuchtung, da die relative Luftfeuchte nicht nur durch die reine Temperaturerhöhung, sondern vor allem durch Verringerung der absoluten Raumluftfeuchte (der im Kubikmeter Raumluft enthaltenen Wasserdampfmenge) durch Wasserdampf*verdrängung* über die Fugen und Öffnungen herabgesetzt wird. Es ist hier aber nicht nur der bei konventioneller Lösung entstehende apparative Aufwand zu betrachten und die Abhängigkeit der Funktion der Klimatechnik von guter Geräte*wartung*. Zu allererst muß vielmehr erkannt werden, welch negativen Einfluß bereits die Normalfunktion des »Klima«-Geräts auf die Stabilität des Raumklimas hat. Zu den Kurzzeit-Klimaschwankungen, die bereits durch den (wegen der hohen Lufttemperatur) erhöhten Luftwechsel und durch die thermostatische Raumregelung des Heizsystems verursacht werden, kommen diejenigen, die aus der hygrostatischen Geräte*regelung* folgen. Der Einsatz eines Luftbefeuchters sollte daher nicht, wie überall üblich, die Standardlösung in der Heizperiode sein. Die langfristig bessere Maßnahme ist die Senkung der Lufttemperatur des Raumes selbst durch bessere Wärmeverteilung an den Außenwänden, also durch *Vermeidung des Umwegs des Heizenergietransports* über die Raumluft.

Bei *vorhandener Heizanlage* geschieht dies durch Umlenkung des Heizkörper-Heizluftkreislaufes in die Wandebene, zum Beispiel mit Hilfe von bodenlangen, vor den Heizkörpern montierten Vorhängen, die an keiner Stelle die Wand berühren oder mittels Ausstellungstafeln, die vor die Heizkörper gestellt werden, also durch Maßnahmen, die das Nachströmen der den Heizkörper nach oben verlassenden Heizluft nur mehr von seinen Seiten her erlauben. Da die Umwälzung der Raumluftmasse nun unterbleibt, erledigen sich auch die Probleme der Staubumwälzung und der Zugerscheinungen. Eine weitere Verbesserung entsteht, wenn an Außenwänden ohne Wärmeangebot Verlängerungen der nächstgelegenen Heizkörperzuleitungen auf Putz als Sockelheizrohre auf ganzer Wandlänge montiert werden und das ergänzte Gesamtsystem künftig in gleitendem Dauerbetrieb gehalten wird. Wenn bei derartig »entschärften« konventionellen Heizanlagen oder bei Temperieranlagen trotz zusätzlicher Luftwechselverminderung durch Fugenabdichtung und Luftwechselkontrolle (beispielsweise mittels kleiner Abluftventilatoren, die bei anhaltender Kälte abgeschaltet werden könnten), bei Frost noch Befeuchtungsbedarf besteht, so ist er im Vergleich zur Normalsituation gering und kann mit einem unterdimensionierten Befeuchter gedeckt werden, der dann, entsprechend dem kontinuierlichen Wasserdampfverlust, in Dauerlauf bleibt.

Zum Abschluß soll die grundsätzlich klimastabilisierende, *präventive Qualität* des alternativen Wärmeübertragungs-Prinzips »Wandheizung« verdeutlicht werden, die direkte Folge der optimierten Energienutzung ist. Dies gilt insbesondere für die Minimalform der Sockelheizrohr-Temperieranlagen.

Selbstregeleffekte bewirken die Pufferung von Schwankungen des äußeren *und* inneren Energieangebots, was bedeutet, daß die Überschußphasen dieses Angebotes durch »automatische« Zurücknahme der Heizleistung konsequent genutzt werden. Die Leistungsabsenkung geschieht auf einfachste Weise. Bei »Fremdwärme«-Einwirkung auf die Wand, deren Bestandteil die eingeputzten Heizrohre sind, kommt es im Gegensatz zur »Luft«-Heizung durch die kraftschlüssige Verbindung von Heizelement und Mauerwerk sofort zur Verzögerung des Wärmeflusses im Bauteil mit der Folge eines Wärmestaus an den Heizrohren und einer geringeren Abkühlung des Heizwassers. Daraus folgt eine höhere Rücklauftemperatur. Selbst wenn nur der Kesselthermostat des Wärmeerzeugers wirksam ist, weil die Außentemperatursteuerung ausgefallen, abgestellt oder gar nicht vorhanden ist, kommt es zur

Leistungsanpassung: Da die höhere Rücklauftemperatur eine geringere Leistungsanforderung bedeutet, verlängern sich »automatisch« die Stillstandzeiten des Kessels. Optimiert wird diese Selbstregelung, wenn der Kessel oder besser der Pufferspeicher einen Außenfühler nach Anmerkung 4 und die einzelnen Heizrohrschleifen je einen Rücklaufthermostat am Stockwerksverteiler erhalten.

Gleichermaßen bedeutsam für die konservatorische wie die physiologische Fragestellung, also für die museale wie die Wohnnutzung von Räumen, sind die Ergebnisse von Messungen mit Infrarot-Thermometer an der Raumseite von Außenwänden zur Darstellung von *Oberflächentemperaturen*, die sich beim Dauerbetrieb von Sockelheizrohren unter Putz ergeben.

Sie zeigen sowohl, daß bei Massivmauerwerk die Beschränkung auf Sockelheizrohre möglich ist, als auch, daß man sich ganz von Temperaturvorstellungen befreien muß, die man aus der eher zufälligen Beobachtung von konventioneller Beheizung hat. Bei 50 cm Ziegelmauerwerk und 3 m Raumhöhe lag zum Beispiel bei −10 °C Außentemperatur und einer mittleren Temperatur von 55 °C eines am Sockel verlegten Rohrpaares von je 18 mm Durchmesser eine ca. 30 cm hohe Zone vor mit Übertemperaturen zwischen 45 °C (auf dem 10 cm breiten Putzstreifen über dem Bodenbelag, der die Heizrohre abdeckt) und 21 °C an der Oberkante. Dann folgte bis ca. 1 m Höhe eine Zone, deren Oberflächentemperatur der in Raummitte gemessenen Raumtemperatur entsprach (im Beispielfall 20,5 °C), darüber bis 2 m Höhe ein Bereich mit einem Temperaturabfall bis 17 °C, darüber wieder ein leichter Temperaturanstieg bis auf 19 °C. Die Frieszone schließlich hatte durch die Abwärme der Sockelheizrohre des nächsten Stockwerks wieder 21 °C.

Diese fast homogene Wandoberflächentemperatur ist völlig konstant, da die Wärme ja Bestandteil des Festkörpers und nicht, wie sonst, des Gases Luft ist. Die für die Behaglichkeit relevante mittlere Strahlungstemperatur der Wand, aus der Mitte des Raumes mit Infrarot-Thermometer gemessen, lag bei 20,5 °C und stellt damit nicht nur die tatsächliche »Raum«-Temperatur, sondern auch die Raumlufttemperatur dar. Bei geschlossenen Fenstern lag die relative Raumluftfeuchte bei 40 %, was bedeutet, daß sie bei geringerer Leistung und entsprechender Raumtemperaturabsenkung auf 18,5 °C bei 45 % liegen würde.

Es werden immer wieder Bedenken bezüglich zu starker Austrocknung der Wandbaustoffe geäußert. In der Fachliteratur finden sich dagegen zahlreiche Hinweise auf die Schadenswirkung der Materialfeuchte. So wird Wasser generell als Träger der Baustoffkorrosion bezeichnet. Ferner wird auf die Minderung der Druckstabilität hingewiesen, da das eingelagerte Wasser im Mikrobereich als »Gleitmittel« wirkt, oder auf die Materialermüdung, hervorgerufen durch die Dampfdruckschwankungen im Kapillarsystem als Folge von Temperaturschwankungen. Man betrachte hier die von der Sonne fast täglich provozierten starken und sich rasch einstellenden Temperaturunterschiede an Fassaden. All dies wird durch »Temperierung« der Bauteile entweder gemildert oder gänzlich ausgeschlossen wie die nur mit (wechselnder) Feuchte mögliche Schadsalz-Aktivität. Es handelt sich daher nie um eine »zu starke« Austrocknung, sondern um die Herstellung und Aufrechterhaltung des natürlichen Trockenzustandes, der vom untemperierten Material im Sommer durch äußere Einwirkung (Sonne) und im Winter durch innere Einwirkung (Beheizung) immer wieder, zum Teil sprunghaft, durchlaufen wird.

Die Wandoberflächen-Temperaturen sind die Folge der Aktivität der sich an der Sockelzone erwärmenden geringen Luftmenge (siehe die Luft an einer sonnenbeschienenen Wand). Diese steigt, selbst im Großraum durch Strömungsprüfröhrchen noch in 2 m Höhe nachweisbar, mit geringer Übertemperatur gegenüber der Wandoberfläche mit entsprechend geringer Geschwindigkeit an dieser auf und stützt deren Oberflächentemperatur.

Stellt man sich die Oberfläche im mikroskopischen Bereich als feines Relief vor, so erkennt man, daß bei kontinuierlichem Auftrieb sehr kleine Luftmolekülmengen ausreichen, um mit nur geringfügig höherer Wärmeschwingung, also kleinem Energieinhalt, die Molekülschwingung der feinen (massearmen) Reliefspitzen auf einer Höhe zu halten, bei der, als Folge der Molekularbewegung, Wärmestrahlung in noch genügender Menge (etwa für »20 °C«) in den Raum hinein abgestrahlt wird. Hier zeigt sich noch einmal die Bedeutung der Untersuchung von Camuffo für die nachträgliche Erklärung der unerwarteten Effizienz direkter Beheizung von Wandsockeln (Anmerkung 20).

Besser verständlich wird auch die Tatsache, daß an der Wand hängende Gegenstände wie *Bilder* nicht verstauben und die Wand hinter ihnen nicht kälter ist. Die Anmerkung erklärt bereits die Staubfreiheit der Auftriebsluft, die vor dem Bild aufsteigt. Überträgt man die Vorstellung vom Oberflächenrelief auf die Oberfläche des Bildes, so sieht man, daß die Wärmeabstrahlung auch von der Bildrückseite zur Wand hin stattfindet. Auf diese Weise kann sich keine »Klimatasche« zwischen Bild und Wand bilden. Im Gegenteil kann die geringe Wärmestrahlung der Bildrückseite, wegen deren geringer Entfernung zur Wand, die Abkühlung der abgedeckten Wandfläche verhindern, analog zum Auftrieb an den freien Flächen.

Um die gesamte konservatorische Qualität dieses *kontinuierlichen Austauschs kleiner Energiemengen* nachvollziehen zu können, muß man sich an den bereits angesprochenen Zustand eines Raumes mit Massivmauerwerk im Herbst erinnern. Die bereits sehr tiefen Nachttemperaturen werden weder im Raum noch am Bild an der Wand bemerkt, da dank der Speicherung der Überschüsse des äußeren Energieangebots eine gleichförmige Wärmestrahlung von der Wandoberfläche in den Raum hinein abgegeben wird. Diese Wärmestrahlung wird durch die vor der Wand befindlichen Gegenstände nicht unwirksam gemacht, sondern von diesen absorbiert und wieder abgestrahlt, ohne daß die Gegenstände Schaden leiden.

Wie sich in einer genügenden Zahl von Beispielen zeigte, können im Winter bei Massivmauerwerk mittlere Wandoberflächentemperaturen von 20 °C gegen Frost gehalten werden mit einem eingemörtelten Sockelheizrohrpaar bei mittleren Rohrtemperaturen von 60 °C. Man vergleiche die großen Energiemengen, die von einem Heizkörper an große Luftmengen abgegeben werden, ihr Ziel, die Wandoberfläche, jedoch nicht erreichen, wie die Spuren des Luftweges, die Staubablagerungen an Decken und in Fensterfugen, beweisen.

Die Quintessenz der Erfahrung mit Temperieranlagen für den musealen Bereich lautet: Einfache Maßnahmen zur Luftwechselkontrolle in Verbindung mit der direkten Beheizung der Gebäudestruktur mit Hilfe von Sockelheizrohren bewirken eine feuchtegeschützte Architektur, die, wie eine *Großvitrine*, unmittelbar die präventive Konservierung von Ausstattung und Sammlung leistet.

Anmerkungen

1 Prinzipielle *Mängel der »Luft«-Heizung*: Um eine zu starke Wärmeabstrahlung des menschlichen Körpers gegen ihm parallele Raumhüllflächen (Wände) zu verhindern, müssen deren *Oberflächen* erwärmt werden. Konventionelle Heizsysteme versuchen dies auf dem Umweg über die Raumluft. Jede Steigerung der *Lufttemperatur* aber bedeutet eine Steigerung des Luftdrucks und eine Erhöhung des Temperaturunterschieds zur Außenluft, wodurch zwangsläufig ein erhöhter *Luftwechsel* entsteht, also eine Erhöhung der Energieverluste durch verstärkten Austritt von Warmluft (mit dem darin enthaltenen Wasserdampf!) an Fugen und Öffnungen des Gebäudes (»externe« Energieverluste). Die eklatante, jedoch allgemein unterschätzte Bedeutung dieser »Lüftungswärmeverluste« wird deutlich beim Vergleich der Raumlufttemperaturen: Ein »historisch«, also durch Wärmestrahlung und Wärmeleitung beheizter Raum hat bei 20 °C *»Raumtemperatur«* eine gleich hohe Raumlufttemperatur. Ein »konventionell«, also durch Luftaufheizung beheizter Raum mit gleicher Anzeige auf dem Thermometer hat eine wesentlich darüber liegende Raumlufttemperatur, da einen 60 °C heißen Heizkörper die Luft mit mindestens 50 °C verläßt. Wegen der großen Masse der zu erwärmenden Bauteile müssen große Mengen warmer Luft bewegt werden, wenn diese nicht – wie bei der Sockelleistenheizung – den Wandflächen direkt angeboten wird, zumindest auf ganzer Länge der Wandsockel. Die durch Heizkörper, Luftheizregister, Bank- oder Fußbodenheizung aufgeheizte Luft steigt auf und führt damit – im Gegensatz zu allen Strahlungsheizungen – die aufgenommene Energie aus der Raumzone fort, in der sich die Personen befinden (»interne« Energieverluste).
Zugleich *kühlt* sie durch ihre bloße Bewegung die Körperoberfläche, da die Temperatur der Haut bis zu 32 °C, die der Kleidung bis zu 26 °C beträgt.
Da aber bei einer derartigen »Luft«-Heizung die *Einatmungsluft* an der 100 m² großen Lungenoberfläche keine Kühlwirkung für das Blut mehr hat,

sondern im Gegenteil effizient Wärme überträgt, während der Stoffwechsel weiter Wärme produziert, wird der Körper, um die Kerntemperatur nicht über 37 +/− 0,5 °C ansteigen zu lassen, zu einer *Dauer-Kühlleistung* gezwungen. Die Hautgefäße werden erweitert, die Herzschlagfrequenz gesteigert und die Schweißdrüsen aktiviert, um den Wegfall der Kühltätigkeit der Lunge durch verstärkte Wärmeabgabe an der Haut zu kompensieren. Diese Körperreaktion ist bei »historischen« Heiztechniken im Bedarfsfall (nahe Position zur Wärmequelle oder unnötig große Momentanleistung der Wärmequelle) sinnvoll, da bei ihnen Wärmestrahlung in ruhender Luft vorherrscht. Bei den heute üblichen Heiztechniken jedoch, zu deren Funktion die Zwangsbewegung der Raumluft unabdingbar ist, wird die Kühlleistung so stark, daß *Behaglichkeit* nicht entstehen kann. Der Versuch, diese Zugerscheinungen durch »Verbesserung« der Heizwirkung, also Erhöhung der Lufttemperatur zu kompensieren, vergrößert nicht nur zwangsläufig die Energieverluste, sondern auch die physiologische Beeinträchtigung. Dennoch sind die Beschwerden der Betroffenen in der Fachwelt auch heute noch kaum Anlaß zum Umdenken, da wegen der Effizienz der *»Lungenheizung«* ein starkes Wärmegefühl vorherrscht (*»es ist warm«*) und das Raumthermometer nur das Mittel aus der wesentlich überhöhten (Einatmungs-)Lufttemperatur und den zum Teil wesentlich zu niedrigen Oberflächentemperaturen der Raumhüllflächen anzeigen kann. Die Zugerscheinungen werden überhaupt nicht erfaßt. Da jedoch die Luftumwälzung einen Teil des Bodenstaubes ständig in Kopfhöhe hält, sollten allein die Qualen der Hausstauballergiker bereits ausreichender Handlungsanlaß sein.

Gerade in diesem Zusammenhang ist die kurze *Geschichte des Heizkörpers* von Bedeutung: Der abstrakte Gedanke, analog zur Wasserversorgung Wärme von einer Erzeugungsstelle an eine Verbrauchsstelle zu leiten, gewann erst in der zweiten Hälfte des 19. Jahrhunderts breiteren Raum. Die Analogie war jedoch nie stichhaltig, da im Gegensatz zur Kaltwasserleitung die Abwärme einer Heißwasserleitung Wärmeakkumulation im umgebenden Material hervorruft und daher, wie zu Beginn der Verwendung von Heizrohren im 18. Jahrhundert und analog dem Grundkonzept der Methode der »Temperierung«, bauphysikalisch optimal zum »Heizen« genutzt werden kann. Der Rippenheizkörper wurde erst von Rietschel und seinen Schülern propagiert – in völliger Verkennung der physiologischen, bauphysikalischen und energetischen Folgen. Rietschel war seit 1885 Inhaber des ersten Lehrstuhls für Heizung und Lüftung und leistete, wie es in Heiztechnik-Lehrbüchern und Abhandlungen zur Heiztechnikgeschichte zu lesen ist, die »wissenschaftliche Untermauerung« der Heiztechnik. Nur so läßt sich verstehen, daß nach über 100 Jahren auch der heutige Stand der Technik noch am Prinzip der »Luft«-Heizung festhält.

2 Henning Großeschmidt: Konservierung, Restaurierung, Klimatisierung. In: Zehn Jahre Museumsarbeit in Bayern. (Hg.) Abteilung Nichtstaatliche Museen am Bayerischen Nationalmuseum. Straubing 1986, S. 46–54

3 Die Praxis zeigt, daß der Jahresenergiebedarf für einen weder am Boden, noch an den Außenwänden isolierten Altbau-Keller von 100 m² und 2,6 m Höhe bei 20 °C ca. 15 000 kWh pro Jahr beträgt. Die dafür erforderlichen 1 360 l Öl kosten ca. DM 680,–. Die Kosten für eine konventionelle »Sanierung« (ca. 180 m² »Sanier«-Putz, 100 m² Estrich) würde ohne Außenmaßnahmen bereits ca. DM 12 500,– betragen, ohne daß jedoch die Salzaktivität beendet, die Raumluftfeuchte gesenkt und die Raumtemperatur ausreichend erhöht wäre.

4 Wegen der optimalen Energienutzung genügen Wärmeerzeuger kleiner Leistung (Museum 4–8 Watt pro m³ umbauten Raum, Wohnnutzung 10–15 Watt pro m³), wegen der geringen Momentananforderung in Verbindung mit Pufferspeichern, die zu kurze Brennerlaufzeiten verhindern. Häufig werden Dachzentralen angelegt. Die Erzeuger-Regelung erfolgt über einen Temperaturfühler unter Außenputz der Nordwand. Das gesamte Leitungsnetz, also auch die Abwärme von Steig- und Verbindungsleitungen, ist Bestandteil des Konzeptes der Wärmeverteilung. Die einzelnen Heizrohrschleifen können sich über mehrere Räume einer Gebäudeseite erstrecken (und mit einfachen Rücklauf-Thermostaten geregelt werden), da der Wärmebedarf einer Raumfolge primär von der Zustrahlung auf die gemeinsame Außenwand bestimmt wird. Eine Einzelraumregelung ist im Museum daher nicht sinnvoll, im Wohnbereich nicht erforderlich, da, wie im Sommer ohne Heizbetrieb, auch höhere Wandtemperaturen bei – im Vergleich zur Lungentemperatur – »geringer« Lufttemperatur als angenehm empfunden werden. Eine Temperaturabsenkung in untergeordneten Räumen ist bei direkter Bauteilbeheizung energetisch kaum relevant.
Eine *Bodenbehandlung* erfolgt nur, wenn sie statisch erforderlich ist. Die Funktionen von »Wärmedämmung« und »Feuchtesperre« ergeben sich ohne Zusatzmaßnahmen durch den Wärmefluß von den vier Wandsockeln aus. In *Großräumen* wird zusätzlich zur Montage der Sockelheizrohre der Boden in Felder von max. 50 m² aufgeteilt durch Rohrschleifen im Verlegemörtel aufgenommener Plattenreihen bzw. zwischen den Lagerhölzern eines erneuerten Holzbelags. In *Kirchen* werden entsprechende Schleifen im Mörtelbett unter den Plattenreihen entlang der Stützen oder unter Mörtel auf dem Bodenbelag unter den Rändern der Bankplattformen ver-

legt. In *Freilichtmuseumsgebäuden* genügen in der Regel Einrohr-Ringleitungen an den erd- und außenluftberührten Wandsockeln.
Bei der Unterputzmontage stellen sich viele Regeln als theoretische Annahmen heraus: Bewährt haben sich weiche Kupferrohre (Rolle 25 m, *Weichlötung* mit elektrischer Lötzange). Da bei diesem Material Biegungen bis zum rechten Winkel mit der Biegezange herstellbar sind, fallen nur wenige Lötstellen an. Der Putz übernimmt nach dem Abbinden die Aufgabe der Rohrhalterung auf optimale Weise, da er sich dem Rohr auf ganzer Länge seitlich anformt. Daher hat die Stärke der Putzüberdeckung keine Bedeutung, und es genügen einfachste Montagehilfen ohne Polsterung wie der unverzinkte Rohrhaken, ohne Dübel in eine Bohrung bzw. in die Mörtelfuge geschlagen. Auch halboffene Blechschellen bedingen nur geringe Querschnittserhöhung. Eine Geräuschbildung tritt weder durch Fließen des Wassers, noch durch Dehnungsbewegungen auf. Beides wird bei der kraftschlüssigen Montage schon durch die Massenträgheit des beheizten Materials verhindert (hoher »thermischer Wechselstrom-Widerstand«).
Putzrisse durch Wärmedehnung eingeputzter Heizrohre treten bei Metallrohren ebenfalls nicht auf, da der geringe Ausdehnungskoeffizient selbst bei größeren Temperaturunterschieden und Rohrlängen nur geringe Bewegungen hervorruft (Beispiele: Bei Kupfer mit $\alpha = 0{,}017$ mm/(m x K) würde ein Heizwasser-Temperaturunterschied von 60 K bei einer Rohrlänge von 10 m 10,2 mm Längenänderung hervorrufen, an beiden Rohrenden also nur je 5 mm; bei Stahl wären es 3,6 mm, bei Kunststoff jedoch 2,4 cm). Die Verwendung von Putzträgerstreifen über Rohrschlitzen ist daher nicht nur überflüssig, sondern durch Hohlraumbildung auch leistungsmindernd.

5 Maria Ranacher prägte den Begriff der »kalten Wand« zur Bezeichnung der Außenwand als Hängefläche in konventionell beheizten Museen. Maria Ranacher: Bilder an der kalten Wand; Oberflächentemperaturmessungen an Wänden und Bildern als Neuansatz für konservatorisch richtige Klimatisierung in Gemäldegalerien. In: Linzer Werkstattgespräche 3, Neue Wege der Klimatisierung im Altbau. Bauphysik in Bezug auf die Sanierung historischer Gebäude. (Hg.) Stadtmuseum Nordico. Linz 1992, S. 76–121

6 M. Kaufmann: Studien zur Problematik der speziellen Klimasituation am Leinwandbild. In: Zeitschrift für Kunsttechnologie und Konservierung, Heft 1, (1991), S. 59–73. Systematisch werden hier Klimamessungen an Bildvorderseiten und -rückseiten an Außen- und Innenwänden verglichen.

7 Gustav Berger, William Russell: The new stress tests on canvas paintings and some of their implications on the preservation of paintings. In: Preprints ICOM Committee for Conservation, Kopenhagen, Bd. 2, (1984), S. 7–9. Erste Vorstellung der Meßergebnisse zu Spannungsveränderungen in Leinwandbildern, die durch Schwankungen des Raumklimas hervorgerufen wurden.
Gustav Berger, William Russell: Untersuchungen zum Einfluß der Umwelt auf die Erhaltung von Leinwandgemälden. In: Restauro Heft 3, (1989), S. 194: *»4. Der Mechanismus des Verfalls: Unsere Versuche hatten gezeigt, daß bereits geringe* Schwankungen, *besonders der Temperatur, bedeutende* Spannungsveränderungen *[in der Leinwand] hervorrufen. Temperaturschwankungen von 3–5 °C hatten [solche] von 50 bis 100 % zur Folge. In späteren Versuchen wurden wiederholt Spannungsveränderungen von mehr als 1 500 % registriert.«* S. 200: *»Diese* [Temperaturschwankungen] *ergeben sich beispielsweise durch Zentralheizungen oder Klimaanlagen oder sogar durch das Ein- und Ausschalten der Beleuchtung.«*
Volker Schaible: Überlegungen zum Phänomen der Schüsselbildung an Leinwandgemälden. In: Zeitschrift für Kunsttechnologie und Konservierung, Heft 2, (1990). S. 246: *»Die bei Desorptionsvorgängen* [Wasserdampfabgabe bei Temperaturanstieg] *frei werdenden Spannungen sind häufig* dreimal größer *als diejenigen bei Feuchtigkeitsaufnahme* [bei Temperaturabfall]«. S. 248: *»Jede äußere Klimaveränderung* [im Raum] *macht sich* sofort *im Alterssprungnetz* [der Malschicht] *bemerkbar.«*
Alfons Huber: Klimaschwankungen und ihre Auswirkungen auf Kunst- und Kulturgut in öffentlichen Sammlungen. In: Linzer Werkstattgespräche 3, wie Anm. 5, S. 128: »(Nach Hoadley kommt es) *bei Holzwerkstücken im konstruktiven Verband* (Orgel!), *welche Schwankungszyklen ausgesetzt sind, zu irreversiblem Schwund bzw. zu Rißbildungen durch Stauchung der Zellwände. Fast alle der aus Holz bestehenden Objekte der Sammlung alter Musikinstrumente* [des Kunsthistorischen Museums Wien] *zeigen die erwähnten Schadensbilder, die in Ergänzung mit der Klimadokumentation eine eindeutige Sprache sprechen.«*

8 Allen späteren Varianten lagen die damals bahnbrechenden Erfahrungen zugrunde, die die Landesstelle im Winter 1982/1983 im Pilotprojekt Heimatmuseum Starnberg mit dem »Temperiersystem« des 1988 verstorbenen Architekten Karl Assmann machen konnte. Seine *»Wand-Temperierschale«*, die aus einfachsten handelsüblichen Teilen der Wandverkleidungs- und Heiztechnik bestand, basierte auf der Erkenntnis, daß die *Hypokaustenheizung* eine Wandheizung war.
1976 wurden auf der Saalburg Heizversuche an rekonstruierten Hypokaustenheizungen durchgeführt. Sie klärten vollständig Art und Weg des Heiz-

mediums. Der *Rauch* eines Holzfeuers trat aus dem Präfurnium (dem außenliegenden »Vor-Ofen«) in das Hypokaustum (den Hohlraum unter dem Fußboden), durchströmte dieses, um dann mit ca. 60 °C in die Tubulatur einzutreten (die auf den Außenwänden montierten, den Putz tragenden Hohlziegelflächen), sammelte sich in einem Querkanal im Deckenaufbau und verließ mit einer Temperatur von nur mehr 20 °C das Haus durch Tonrohre, die durch die Dachhaut führten. Die gesamten Hohlstrukturen hinter dem Präfurnium stellten also einen einzigen »Kamin« dar, dessen raumseitige Wandung durch die Zierschichten der Raumschale (Bodenbelag und Wandgestaltung mit ihren Tragschichten) und dessen »Außenwand« durch die Wärmeverlustflächen selbst (Erdboden, Außenwände) gebildet wurden. Da die Ausdehnung der »Heizfläche« exakt der Größe der »Wärmebedarfsflächen« entsprach, konnte das Heizmedium in geringer Menge und langsamer Strömungsgeschwindigkeit, also mit geringer Leistung, dank seiner idealen, völlig umweglosen Führung, selbst den maximalen Wärmebedarf von Thermen bei Frost decken. H. Hüser: Wärmetechnische Messungen an einer Hypokaustenheizung in der Saalburg. In: Saalburg-Jahrbuch Nr. 36, (1979), S. 12–30

9 Die *Wärmeschutzverordnung* vom 1. Januar 1995 gibt als »maximale Werte des auf das beheizte Bauwerksvolumen bezogenen Jahres-Heizwärmebedarfs in Abhängigkeit vom Verhältnis A/V« (Verhältnis von Gebäudenutzfläche zu Bauwerksvolumen) einen Bereich von 17,3 bis 32,0 kWh pro m^3 und Jahr an, bezogen auf normale Raumhöhen 54 bis 100 kWh pro m^2 und Jahr (bei Öl oder Erdgas als Energieträger sind dies 5 bis 10 l bzw. m^3 pro m^2 Raumfläche). Bei konventioneller Beheizung gelten diese Werte nur für die beheizten Flächen. Temperieranlagen dagegen beheizen die gesamten Geschoßflächen, was bei Vergleichen meist übersehen wird. Bei Gebäuden mit großen Raumhöhen und großen Verkehrsflächen ist ausschließlich der Bezug auf die Kubatur sinnvoll, wie der Salzstadel am Brücktor in Regensburg eindrucksvoll zeigt: Bezogen auf das vollständig beheizte Volumen liegt der Verbrauch, unter Anrechnung der Beleuchtungsabwärme mit ca. 17,9 kWh/(m^3 x a) an der Untergrenze des zulässigen Verbrauchs. Das IWU-Institut, Darmstadt, dagegen »wies« in einem Schreiben an die Stadt Regensburg (12.7.1996) unter Bezug auf die reinen Nutzflächen »nach«, daß bereits ohne Anrechnung der Fremdwärme die Obergrenze mit 179,02 kWh/m^2 weit überschritten sei.

10 So tritt aus einem Raum mit 20 °C »Raumtemperatur« durch ein geöffnetes Kippfenster über einem 60 °C heißen Heizkörper Heizluft mit ca. 50 °C aus, während es im »wandgeheizten« Raum mit gleicher Thermometeranzeige eine geringere Luftmenge mit 30 °C geringerer Temperatur ist. In einer Parameterstudie der Technischen Universität Wien, die sich mit dem Vergleich der Lüftungswärmeverluste von Wand- und Luftheizung in Abhängigkeit von der Luftwechselrate befaßte, konnte rechnerisch nachgewiesen werden, daß der diesbezügliche Vorteil der Wandheizung mit der Intensität der Raumnutzung größer wird, eine für Museen wie Wohn- oder Bürobauten gleichermaßen bedeutsame Tatsache. Klaus Krec, Erich Panzhauser: Fenster, Außenwände, Lüftung. In: Linzer Werkstattgespräche 3, wie Anm. 5, S. 54–75

11 In der Tabelle »Wärmeleitzahl von Baustoffen im Betriebszustand bei 20 °C« lauten die Werte (in Watt pro Meter und Grad) für massives Ziegelmauerwerk 0,7 (innen) bzw. 0,87 (außen), wobei von ca. 1,5 % Feuchtegehalt ausgegangen wird (s. Anm. 12). Dagegen die Werte der *trockenen Einzelbestandteile*: Ziegelstein, je nach Dichte, 0,38 bis 0,52, Zement in Pulverform 0,07, normal verunreinigter Sand 0,33. Für *trockenes*, beheiztes Ziegelmauerwerk kann daher ein Mittelwert von 0,4 W/(m x K) angenommen werden. Siehe H. Recknagel, E. Sprenger, W. Hönmann, E.-R. Schramek (Hg.): Taschenbuch für Heizung und Klimatechnik. München 1992, S. 118

12 §11, Absatz 3 WSV vom 16.08.1994: *»Die nach Landesrecht zuständigen Stellen lassen auf Antrag Ausnahmen von dieser Verordnung zu, soweit* durch andere Maßnahmen *die Ziele dieser Verordnung* [Senkung des Jahres-Heizwärmebedarfs] *in gleichem Umfang erreicht werden.«* §11 Heizungsanlagenverordnung vom 1.1.1995: *»Die nach Landesrecht zuständigen Stellen können auf Antrag Ausnahmen von dieser Verordnung zulassen, soweit die Energieverluste durch andere technische Maßnahmen in gleichem Umfang begrenzt werden wie nach dieser Verordnung.«* Angesichts der physikalischen Fakten und der für derartige Befunde vorgesehenen Ausnahmeparagraphen kommt es in der Praxis nicht zu formellen Genehmigungsverfahren. Die Behörden weisen vielmehr darauf hin, daß das neue Baurecht von der gemeinsamen Verantwortung von Bauherr und Architekt in Fragen der Energieeinsparung ausgeht.

13 Dieser Zusammenhang wurde 1994 im Fall des Siebold-Museums Würzburg auch von der Obersten Baubehörde im Bayerischen Staatsministerium des Inneren aufgezeigt, in ihrer Antwort auf eine entsprechende Anfrage des Fachingenieurs.

14 Die aus der k-Wert-Betrachtung abgeleitete moderne Bauweise birgt zwei Fehlerquellen. Einerseits macht die Wärmedämmung die Nutzung der *Solarstrahlung* unmöglich, obwohl selbst die Nordwand noch am 20. Dezember (kürzester Tag) über 7 Stunden durch diffuse Strahlung eine relevante

Zustrahlung erfährt (22 bis 51 Watt pro m^2 nach VDI-Richtlinie 2078). Die Relevanz erhellt sich jedoch erst, wenn man den Wärmebedarf einer Massivbauwand, bei durch Trocknung halbierter Wärmeleitfähigkeit, mit diesem Angebot vergleicht (Vollziegelwand von 36,5 cm, beidseitig verputzt, bei –10/+20 °C: Q = 0,40/0,41 x 30 = 29,2 Watt pro m^2). Daß die übrigen Gebäudeseiten zu anderen Zeiten desselben Tages wesentlich mehr Strahlung empfangen und in anderen Monaten Strahlungsmenge und -zeit höher liegen, ist allgemein bekannt. Andererseits ist durch die Porosierung des modernen Leichtziegels die Speicherfähigkeit des »Wärmeschutz«-Mauerwerks generell stark geschwächt. Vergleicht man demnach die Zeitspannen, in denen die Heizanlagen in den beiden Gebäudetypen laufen müssen, so stellt man fest, daß in gedämmten Leichtbauten früher im Jahr mit der Beheizung begonnen und später aufgehört wird, sowie in Kälteperioden außerhalb der Heizperiode trotz hoher saisonaler Sonneneinstrahlung immer wieder angeheizt werden muß.

15 In konventionell beheizten Gebäuden kühlen die Außenbauteile im Winter an ihrer raumseitigen Oberfläche unter die Raumlufttemperatur ab und es stellt sich durch Kondensat in ihren Poren der, nach allgemeiner Anschauung unvermeidbare, »praktische Feuchtegehalt« ein. Dieser bildet die Basis des *»k-Wertes«* in Form eines Feuchtegehaltes in %, bezogen auf Volumen oder Masse der Baustoffe. Er wird als baustofftypisch angenommen, da er laut Definition *»bei der Untersuchung genügend ausgetrockneter Bauten, die zum dauernden Aufenthalt von Menschen dienen, in 90% aller Fälle nicht* überschritten *wurde.«* Harald Buss: Aktuelles Tabellenhandbuch Feuchte, Wärme, Schall. Kissing 1987, S. 215

16 Die gemeinsame Verantwortung aller am Bauwesen Beteiligten wird deutlich, wenn man die »Hinweise für den Anwender von DIN-Normen« liest: Sie *»stehen jedermann zur Anwendung* frei. *Sie* sollen *sich als anerkannte Regeln der Technik* einführen. *DIN-Normen sind* nicht die einzige, *sondern* eine *Erkenntnisquelle für technisch ordnungsgemäßes Verhalten im Regelfall. Sie können nur den zum Zeitpunkt der jeweiligen Ausgabe herrschenden Stand der Technik berücksichtigen. Durch das Anwenden von Normen entzieht sich niemand der* Verantwortung *für eigenes Handeln. Jeder handelt insoweit auf eigene Gefahr. Jeder, der beim Anwenden einer DIN-Norm auf eine* Unrichtigkeit *oder eine Möglichkeit einer unrichtigen Auslegung stößt, wird gebeten, dies dem Deutschen Institut für Normung unverzüglich mitzuteilen, damit etwaige Mängel beseitigt werden können.«* Deutsches Institut für Normung (Hg.): DIN-Taschenbuch 114. Köln 1988, S. 9

17 Im Mai 1992, nach neun Monaten »Fundamentbeheizung«, war der Durchfeuchtungsgrad des überschweren, stark salzbelasteten Mauerwerks in den äußeren unteren Testbereichen über Gelände (ca. 2 m von den Sockelheizrohren des Tiefparterres entfernt) um bis zu 60 % zurückgegangen, ohne daß weitere Schäden durch die Bodensalze auftraten. Im »Vorabbericht« für die Stadt Tittmoning (Institut für Gebäudeanalyse und Sanierungsplanung GmbH, München, 4.6.1992) wurde geraten, zur Förderung des weiteren Austrocknens die Sockelzonen zunächst unverputzt zu lassen, wobei *»zusätzlich die Funktionstüchtigkeit der* Fundamentbeheizung *gewährleistet sein muß.«* Die Untersuchung fand im Rahmen des Forschungsprojektes »Diagnose und Therapie überhöhter Feuchte-/ Salzbelastung in historischen Mauerwerkskomplexen« statt, gefördert vom Bundesministerium für Forschung und Technologie. Dennoch wurde das Projekt nicht in den Abschlußbericht des Forschungsvorhabens aufgenommen.
Statt dessen erschien dort ein Bericht desselben Instituts über einen zum Beweis des Gegenteils vorgenommenen Laborversuch, der die Wirkung eines elektrischen Heizkabels von 28 Watt Leistung und 1 m Länge untersuchte, das im Sockel einer gleichlangen, in einem Stall in einem Wassertrog aufgebauten Testwand von 36 cm Stärke in 26 cm Höhe eingemörtelt war. Zwei Aussagen belegen auch hier die Wirksamkeit des Prinzips (die in der Kirche von Neuenschwand/Opf. ein Jahr zuvor unter realistischen Bedingungen bei Betrieb einer Kabelschleife von 40 W/m eintrat): *»Schon in einer Höhe von ca. 0,6 m* über *dem Heizkabel machte sich der Einfluß der Beheizung praktisch nicht mehr bemerkbar.« und »Generell ist über den Meßzeitraum* [von sieben Monaten] *insgesamt ein leichter Anstieg der Raumluftfeuchte zu verzeichnen.«*
Da sich dank der zylindrischen Isothermen auch *unterhalb* eines Heizelements die Temperatur erhöht, kann man aus den Angaben entnehmen, daß am Sockel eine Temperaturerhöhung auf einer ca. 80 cm hohen Fläche eingetreten war und daß durch die »Tauchsiederwirkung« der unteren Sockelzone ständig Wasser aus dem Trog in den Raum verdunstete. Claus Arendt: Abschlußbericht zum Forschungsvorhaben BAU 5030 A, Diagnose und Therapie überhöhter Feuchte-/Salzbelastung in historischen Mauerwerkskomplexen. München 1994

18 Albrecht A. Gribl: »Spurensicherung« im Museum – Vom Gebrauchsgegenstand zum Museumsobjekt. In: Information Nr. 3, (Hg.) Bayerisches Nationalmuseum, Abteilung Nichtstaatliche Museen, (1984); S. 2–6

19 Christian Müller-Straten: Freilichtmuseen zwischen Marketing, Konservierung und Kostensenken. In: Museum Aktuell, Nr. 9, (1996). Unter den von

Müller-Straten aus dem Vergleich Europäischer Freilichtmuseen abgeleiteten »Acht Forderungen an Freilichtmuseen« lautet die fünfte: *»Kein Freilichtmuseum ohne* Temperierung *und regelmäßige Raumkontrollen«* (S. 181). Die Erfahrungen mit untemperierten Gebäuden faßt er unter dem Stichwort »Kostensenken« in dem Satz zusammen: *»Werden die Gebäude nicht ganzjährig klimatisiert, fallen ständig hohe Restaurierungskosten an.«* (S. 184)

20 In seiner Untersuchung liefert Camuffo – ohne Kenntnis von Temperieranlagen – die mikrophysikalische Basis zum Verständnis der Langzeitbeobachtungen in Großräumen mit sockelbeheizten Außenwänden: Die *Temperierwirkung, die der von der* schmalen Sockelzone ausgehende schwache Auftrieb auf der Wandfläche ausübt, wird möglich, da bereits bei einem Temperaturunterschied von 0,1 °C zwischen Wandfläche und anliegender Luft in der Grenzschicht eine gegenseitige Beeinflussung in Form von Energieübertragung stattfindet. Die 15 °C Übertemperatur, die ein Sockelstreifen von 10 cm Höhe mit z. B. 30 °C Oberflächentemperatur gegenüber einer Wandflächentemperatur von 15 °C hat, liegt 150fach über dem energetisch noch relevanten Temperaturunterschied, so daß bei Dauerbetrieb der nachgewiesene Einfluß auf *höhere Wandpartien*, unter Einbeziehung der Aspekte Senkung der Wärmeleitfähigkeit und Verbesserung der Wärmeakkumulation in der trocknenden Putzschicht, nachvollziehbar wird.
Das *Ausbleiben der Verschmutzung* wird verständlich, wenn man den im Vergleich zu Heizkörperrippen geringen Einfluß betrachtet, den ein warmer Wandstreifen auf die berührende Luft hat, so daß also sowohl die Menge, als auch die Geschwindigkeit der Luft, verglichen mit der, die einen Heizkörper verläßt, klein ist, die Bedingungen für Staubtransport also schlecht sind. Dank der geringen Luftgeschwindigkeit des Auftriebs wiederum, die derjenigen der Staubpartikel entspricht, stoßen die Sockeloberflächenmoleküle mit ihrer erhöhten kinetischen Energie die schwereren, die Verstaubung verursachenden Staubmoleküle aus dem schwachen Auftriebsstrom heraus. Hinzu kommt die hier nicht erwähnte generelle Verschlechterung der Staubhaftung an der gesamten Wandfläche durch ihre Trocknung und durch ihren während der Nutzungsphase gegebenen Kondensatschutz, beides aus der Dauertemperierung folgend. Dario Camuffo: Wall Temperature and the Soiling of Murals. In: Museum Management and Curatorship, Bd. 10, (1991), S. 373–383

21 H. Künzel, D. Holz: Bauphysikalische Untersuchungen in unbeheizten und beheizten Gebäuden alter Bauart (Teil A). Bericht aus dem Fraunhofer-Institut für Bauphysik FB 32/1991. Stuttgart 1991, S. 84

22 Claus Arendt: Kirchenheizung. In: Denkmalpflege Informationen, (Hg.) Bayerisches Landesamt für Denkmalpflege, Ausgabe A Nr. 36, (1983), S. 15

23 Die seit 1992 zur Feuchtesanierung und Raumtemperierung in Betrieb gegangenen *Kirchen-Temperieranlagen*, vor allem die seit November 1993 ununterbrochen temperierte Kirche von Obertraubling bei Regensburg als erster Großraum (6300 m³), stellen eine »Gegenwelt« zur gesamten *Fachliteratur* über Kirchenheizung dar. Die dort angesprochenen konservatorischen Risiken der Beheizung (historischer) Großräume werden generell als unvermeidbar, häufig wiederum (s. Anm. 21 und 22), einschließlich der Verstaubung, als wenig gravierend bezeichnet. Lediglich ihre Entschärfung sei möglich, stets aber nur mit großem technischen Aufwand (Regelung, Vermehrung der Austrittsstellen bei Luftheizung) und hohem Energiebedarf (Dauerbetrieb) erreichbar. Dagegen treten diese Risiken in Kirchen mit Temperieranlage gar nicht erst auf: Zur Trockenlegung *und* Beheizung reicht die *»warme Wanne«* aus, die sich an der Sockel- und Bodenzone ausbildet durch den Dauerbetrieb der Heizrohre an den Außenwandsockeln und Stützenreihen oder Bankinselrändern. Die *Luftbewegung* (s. Anm. 20) beschränkt sich auf den von den Sockeln ausgehenden minimalen Auftrieb, der die Temperierung der Wandflächen ohne Staubablagerung leistet. Die relative Luftfeuchte gleitet im Jahr zwischen 50 und 65 %. Die *Orgel* muß nicht mehr neu gestimmt werden. Nur der geschädigte Bereich des *Wandverputzes* wird beseitigt und nur ergänzt, etwa mit Kalkmörtel, obwohl über die Sockelbeheizung hinaus keinerlei Maßnahmen gegen aufsteigende Feuchte und Schadsalze vorgenommen werden. Der originale *Boden* kann bewahrt werden, sieht man von den Plattenreihen längs der Stützen ab. Im Beispiel Obertraubling liegen die *Jahresenergiekosten* bei Erdgaseinsatz bei ca. DM 1,25 pro m³.

24 a) *Dampfanreicherung* der Raumluft durch Personen: Bei einer Lufttemperatur von 20 °C gibt der sitzende Mensch bei leichter Tätigkeit (wie Zuhören) über Atmung und Hautoberfläche ca. *40 g Wasser pro Stunde* ab, 100 Personen also 4 l!
b) *Staubanreicherung* der Raumluft bei »Luft«-Heizung im Großraum: Von den nicht beheizten, also kalten Außenwänden strömt ständig die sich abkühlende Raumluft herab, fließt dann raumwärts über den immer wieder neu verstaubten Boden und ergänzt die aus der mittleren Zone des Raumes aufsteigende Heizluft, sei es auf dem Weg zu den Bodenöffnungen einer Luftheizung (deren Staubfilter nur den direkt angezogenen, nicht aber den indirekt mitbewegten Teil der Luft reinigen können), sei es über die Bodenfläche über einer Fußbodenheizung oder über die Bankpodestzone bei einer Bankheizung.

25 Bei *Leinwandgemälden* läuft die Reaktion auf *Klimaschwankungen* immer sofort ab, da der Bildträger wegen seiner geringen Masse keinerlei Pufferwirkung hat, ferner der Zugriff der Schadensfaktoren sowohl beim Bildträger wie auch bei der Malschicht immer gleichzeitig auf beiden Seiten und auf der gesamten Bildfläche gegeben ist. So wird die Leinwand nicht nur von der Rückseite, sondern – wegen des stets auf der gesamten Bildfläche vorliegenden offenen Alterssprungnetzes der Malschicht – über die Fugen der Malschichtschollen auch von der Vorderseite beeinflußt. Die Malschicht selber erfährt die Einflüsse *direkt* nicht nur an der Oberfläche und bei Schüsselbildung auf der Rückseite an den Schollenkanten, sondern dort immer am gesamten Malschichtquerschnitt gleichzeitig. *Indirekt* schließlich – im Gegensatz zu Holzbildträgern – auch auf der gesamten Rückseite, verzögert zum Beispiel bei Feuchteeinwirkung durch die Diffusion in der Leinwandstruktur. Darüber hinaus reagieren Leinwand, Malschichtschollen und die Schichten der Malschicht unabhängig und zum Teil gegenläufig.

26 *»Dabei sind vor allem* Schwankungen der rel. Luftfeuchte *in Betracht zu ziehen, da diese* Quell- und Schwindvorgänge *zur Folge haben können... Durch instationäres Heizen... treten infolge von* Sorptionsvorgängen *kleinere Schwankungen der rel. Feuchte auf... als zu erwarten wäre. Durch Desorption* [was gibt in der Aufheizphase vor der Messe Wasser ab, wenn nicht die zu schützende Ausstattung?] *wird die Senkung der Raumluftfeuchte beim Aufheizen reduziert und gleichermaßen der Feuchteanstieg* [der Raumluftfeuchte!] *beim Abkühlen nach Abschalten der Heizung* [wieder büßt die Ausstattung]*... Nach den neuen Untersuchungsergebnissen* [von Arendt, vgl. Anm. 29, S. 50]*... ist eine rasche Temperaturerhöhung für die Zeitdauer der Raumnutzung* [zweckmäßig]*... Die langfristig sich einstellende* mittlere Raumluftfeuchte *hängt nämlich von der mittleren Raumlufttemperatur* [gemeint sind die konservatorisch irrelevanten Mittel zwischen Nutzungs- und Nichtnutzungsphase] *und der Außenluftfeuchte ab. Je niedriger die Lufttemperatur bei instationär beheizten Räumen in der Zeit der Nichtnutzung ist, desto höher kann... die Temperatur während der Nutzungszeit gewählt werden,* ohne zu niedrige Luftfeuchte befürchten zu müssen.« Künzel, Holz, wie Anm. 21, S. 86

27 Auf diesen Zusammenhang weisen Künzel und Holz zwar hin, aber nicht, um damit das Dilemma jeder Art der Raumluft-Beheizung aufzuzeigen: *»Die hygrothermische Beanspruchung von Holzeinrichtungen, Putz- und Malschichten* [Leinwandgemälde?] *durch die genannte Art der Beheizung ist als* unkritisch *zu betrachten. Eine andere... Situation kann entstehen, wenn durch Sonnenbestrahlung, Beleuchtung* oder Warmluftströmung *partiell Erhöhungen der Oberflächentemperatur und dadurch Erniedrigungen der Luftfeuchte in der* Oberflächengrenzschicht *einer wertvollen Ausstattung auftreten. Diese* unabhängig vom Heizbetrieb [?] *möglichen Einflüsse können zu Schädigungen führen und* müssen generell beachtet werden.« *(S. 87)*

28 Claus Arendt: Kirchenheizung. In: Denkmalpflege Informationen, (Hg.) Bayerisches Landesamt für Denkmalpflege, Ausgabe A Nr. 36, (1983), S. 19. Arendt rät ferner, mit Blick auf die Mißbrauchsgefahr einer nach üblicher Planung ausgelegten Kirchenheizung, zur Unterdimensionierung: *»Der Vorzug dieser* [aus der geringen Maximalleistung resultierenden] *›automatisch‹ gleitenden Maximaltemperatur* [maximalen Raumtemperatur] *liegt in ihrem eigenen langsamen Verändern«.* Gerade dies aber ist das Ergebnis der Wirkungsweise von Heizrohr-Temperieranlagen, die von der Landesstelle in Projekten mit konservatorischer Anforderung empfohlen werden.

29 Claus Arendt: Heizung: Problemfall historische Räume, Folge 4. In: Bausubstanz Nr. 3, (1992), S. 51: *»Die* Aufheizzeit [bei nichtkontinuierlichem Heizbetrieb] *wird deshalb wichtig, weil zwar die aufgeheizte Raumluft in ihrer Feuchte unmittelbar auf Temperaturschwankungen reagiert,* nicht aber das Material. *Erwärmung und Abkühlung während dieser... Reaktionszeit bleiben also schadensfrei unberücksichtigt.«* S. 52: *»Gilt es ausschließlich, einzelne Ausstattungsstücke zu schützen, kann die stoßweise Beheizung bei kurzer Heizdauer die unübliche und verkannte Lösung der geringsten Feuchtebelastung bringen, da das Holz* [?] *diesen raschen Wechsel der Luftfeuchte nicht wahrnimmt. Dieses Verhalten gilt nicht für jede Malschicht und jeden Untergrund* [!].«

Alexander Wießmann

Grundlagen der Museumsarbeit:
Erhaltung und Pflege von Sammlungsbeständen

Jedes Sammlungsobjekt trägt an seiner Oberfläche eine Reihe von Spuren, die nicht einfach »Schmutz« darstellen, sondern Zeichen der Herstellung, des Gebrauchs, der Pflege, der Alterung und der Veränderung während der Nutzung sind. Für das Museum sind diese Spuren sprechende Zeugnisse vergangener Zeiten und daher unverzichtbare Quellen für »Geschichten«, die dieser Gegenstand »erlebt« hat. Diese historischen Spuren zu bewahren, ist oberstes Gebot der Museumsarbeit.

Aus verschiedensten Gründen befinden sich in den Sammlungen desolate Objekte, deren Erhalt mehr oder weniger gefährdet ist. Jede unsachgemäße Handhabung, etwa bei Transport oder bei wohlmeinenden Reinigungsarbeiten, fördert den Zerstörungsprozeß bzw. verändert das noch nicht konservierte Sammlungsstück und kann dadurch zu gravierender Wertminderung führen.[1]

Für sachgemäße Lösungen fehlt den bayerischen Museen in der Regel das fachkundige Personal, sei es direkt am eigenen Haus oder als freiberufliche Restauratoren in der näheren Umgebung. Die Situation wird dadurch noch verschärft, daß die Sammlungsbestände der Museen fast alle denkbaren Materialien umfassen, die einen jeweils spezialisierten Restaurator erfordern.

Nachdem die Restaurierungsabteilung der Landesstelle für die nichtstaatlichen Museen 1987 personell erweitert und 1991 in die themenbezogenen Referate »Klimastabilisierung und Raumtemperierung« und in »Konservierung und Restaurierung« getrennt wurden, konnte nun jeder der beiden Fachreferenten auf seinem Gebiet intensiver fachspezifische Methoden weiterentwickeln und vor Ort realisieren. Durch die langjährige Betreuungsarbeit dieses Referates ist es gelungen, einerseits das Bewußtsein vor Ort für diese Problematik zu sensibilisieren, andererseits sozusagen ein Netz freischaffender Restauratoren verschiedener Spezialgebiete im gesamten bayerischen Raum aufzubauen. Trotzdem ist eine flächendeckende, fachkundige Betreuung der Museen immer noch das erstrebenswerte Ziel, damit konservatorische Maßnahmen rechtzeitig erkannt und sinnvoll, das heißt objektgerecht und kostengünstig durchgeführt werden können.

Daher ist es umso erfreulicher, daß die Museumsleiter und -mitarbeiter selber inzwischen gewisse konservatorische Standards fraglos akzeptieren. Was vor wenigen Jahren noch viel Aufklärungsarbeit und Überzeugungskraft bedurfte, ist heute selbstverständliches Allgemeingut geworden:

- die Bedeutung der authentischen Oberfläche der Objekte, daher
- vorsichtiger Umgang mit den Sammlungsbeständen.
- In der Regel nur konservatorische Maßnahmen und
- restauratorische Eingriffe nur dann, wenn sie zum Erhalt des Gegenstandes notwendig sind und dann nur in minimalster Art und Weise.

Die Situation vor Ort hat sich in dieser Hinsicht grundlegend gebessert, doch mit neuen Sammelgebieten, wie etwa den technischen Kulturgütern, stellen sich dem Museumspersonal auch neue Aufgaben. Diese überwiegend großformatigen Objekte sind, sobald sie ins Museum kommen, historische Quellen einer vergangenen Zeit, die es für die Zukunft mit der gleichen Sorgfalt zu bewahren gilt wie auch die sozusagen anerkannten, klassischen Kulturgüter.

Im Vorfeld der Teileröffnung des Europäischen Industriemuseums für Porzellan in Selb-Plößberg 1996 hatte die Landesstelle die Gelegenheit, in einer Art Pilotprojekt bestandserhaltene Maßnahmen exemplarisch an einer Großzahl von Maschinen und Geräten durchführen zu können. Methoden, Vorgehensweise und Ergebnisse dieser Aktion sollen hier detailliert vorgestellt werden, da die in Selb-Plößberg gemachten Erfahrungen

Die Abbildung macht deutlich, vor welchen Problemen der Restaurator bei der Behandlung technischer Kulturgüter steht.

einerseits beispielhaft, andererseits aber auch übertragbar sind auf ähnliche Problemfälle im Bereich der Industriedenkmale.

Beispiel: Europäisches Industriemuseum für Porzellan in Selb-Plößberg

In enger Zusammenarbeit mit der Landesstelle wurde am 26. Juli 1996 der erste Bauabschnitt des »Europäischen Industriemuseums für Porzellan« in Selb-Plößberg eröffnet. Hier werden in einem Teilbereich der ehemaligen Zeidler'schen Porzellanfabrik Herstellungsprozesse mit Maschinen aus stillgelegten Porzellanfabriken dargestellt. Man versuchte, die verschrottete Originalausstattung durch die neuerworbenen historischen Maschinen zu setzen, um den Fabrikationsprozeß erläutern zu können.

Von Beginn an wurde das Projekt von Restauratoren betreut, und so konnten die Konservierungsarbeiten langfristig und detailliert geplant und über mehrere Jahre hindurch realisiert werden. Mit der dortigen Betreuung hat die Landesstelle interessantes, zukunftsträchtiges Neuland betreten. Auch »Maschinen«, inzwischen anerkannte kulturhistorische Zeugnisse, sollten mit der gleichen Sorgfalt und unter entsprechenden Grundsätzen bearbeitet werden, wie sie in den kunst- und kulturgeschichtlichen Museen seit langem für Gemälde, Skulpturen oder Textilien etc. gelten.

Neben der historischen und technischen Aufarbeitung der Objekte und Maschinen, der Ausstellungsplanung und Katalogisierung, erfolgte zunächst eine ausführliche Dokumentation, zum Beispiel über Alterung, Zustand und Grad der Beschädigung, durch qualifizierte Restauratoren. Umfassend wurde der Zustand photographisch, evtl. auch zeichnerisch und schriftlich festgehalten.

Vor Beginn der eigentlichen Planung mußten zahlreiche neue Aspekte überdacht und im Arbeitsteam analysiert werden. Beim technischen

Kulturgut ist zum Beispiel das Thema »Funktionalität« unter verschiedensten Blickwinkeln zu sehen. Dicht gefolgt von der Frage des äußeren Erscheinungsbildes: Ist ein Objekt geprägt durch Spuren von Gebrauch, Herstellung, Alter, Einsatzweise, modernisierenden Eingriffen oder Reparaturen u.a.? Welcher authentische Charakter ist zu vermitteln, muß bewußt erhalten oder darf in den angetroffenen Zustand verändernd eingegriffen werden? Antworten diesbezüglich erfordern eine intensive Auseinandersetzung der Fachkräfte vor Ort. In Selb-Plößberg wurden bei der Auswahl der Konservierungsmethoden folgende Grundsätze bestimmend:

- Bei den Maschinen ist es wichtig, eben diese angetroffene Oberfläche weitestgehend zu erhalten. Nur Beeinträchtigungen durch Stillstand und Deponierung (Korrosion, Schmutz) werden schonend beseitigt.
- Jede Art von Verschönerung oder Pflegemaßnahmen, wie sie vom einstigen Wartungspersonal durchgeführt wurden, oder Maßnahmen wie sie von Lehrlingswerkstätten, Kundendiensten oder in der Metallverarbeitung beschäftigten Handwerkern zur sogenannten betriebsfähigen Inbetriebnahme vorgeschlagen werden, unterbleiben (zum Beispiel Neulackierung, Sandstrahlen, Einsatz von grober Stahlwolle, Drahtbürste, Winkelschleifgerät).
- Erhalten bleiben Gebrauchsspuren und Patina, damit Aussagen über die einstige Funktion der Maschine ablesbar sind. So ist es etwa unerläßlich, verharzte Reste von Schmiermaterialien und eingetrocknete Läufer von Öl auf den Maschinen unbedingt zu bewahren. Es gibt jedoch das Problem, daß man Maschinen bevor sie ausgemustert werden, nicht mehr wartet oder reinigt. Die Ablagerungen sind nicht mehr charakteristisch für den Gebrauch. Außer-

Maschinenteil: links Vorzustand mit Ölverschmutzungen, rechts Endzustand nach Reinigung und Festigung

dem ergibt sich ein höchst unerfreuliches, gar ungepflegtes Bild. So hat man sich in Selb-Plößberg darauf geeinigt, die Maschinen im Zustand »Freitagnachmittag« zu präsentieren, so als ob die Maschinen gerade nach der letzten Arbeitsstunde geputzt worden wären.

- Probleme verursachten die vielen unterschiedlichen Materialien an den Maschinen, deren Alterungsverhalten noch völlig unbekannt ist; wie etwa bei Förderbändern aus Kunststoff.
- Ein weiteres Ziel war, daß Maschinen unterschiedlicher Erhaltungszustände ein einheitliches Bild ergeben sollten. Gerade im Bereich der »Massemühle«, einem damals sorgfältigst gepflegtem Fabrikationsraum, standen niemals Maschinen in ungepflegtem oder korrodiertem Zustand, denn dies hätte zur Verunreinigung der Porzellanmasse geführt. Um den sauberen und homogenen Eindruck wiederzugeben, waren also gerade an den Maschinen der Massemühle nun umfangreiche Restaurierungsmaßnahmen nötig.
- Zum Konzept gehörte auch, daß einzelne Maschinen zu Vorführungszwecken zeitweise in Bewegung gesetzt werden sollten, wie das Schwungrad, die tonnenschweren Trommelmühlen der Massemühle oder eine Dampfmaschine mit Transmissionsriemen bzw. eine Schaukeltransportanlage. Bei der Realisierung ist man von zwei wesentlichen Aspekten ausgegangen: Erstens galt es zu prüfen, ob Exponate aus didaktischen Gründen wirklich in Funktion gezeigt werden müssen. Soweit sich dies als unbedingt erforderlich erweist und vom Exponat selbst her verantwortet werden kann, ist es zweitens unerläßlich, durch geschultes Restaurierungspersonal die einzelnen Maschinen einer ständigen Kontrolle zu unterziehen. Nur so können natürliche Abnutzungsvorgänge und deren Folgen für die Originalsubstanz und Funktion minimiert werden.

Wie konnte das hier formulierte komplexe Präsentationsziel in die Praxis umgesetzt werden? Funktionieren kann eine, dem so modifizierten musealen Anspruch genügende Restaurierung nur dann, wenn alle Beteiligten aufs beste harmonieren und die Bereitschaft zur Absprache und Zusammenarbeit vorhanden ist. So wurden in Selb-Plößberg unter Anleitung der Landesstelle in Abstimmung mit der Museumsseite mit qualifizierten freiberuflichen Metallrestauratoren mehrwöchige Konservierungsaktionen durchgeführt. Die »Nichtrestauratoren« wurden zunächst nur im Bereich des ungefaßten Eisens an den Maschinen eingewiesen, später konnten sie dann auch den komplizierten Fassungsbereich übernehmen.

An dieser Stelle sei ein kurzer Exkurs zum Thema »Konservierungsaktionen« erlaubt. In Bayern wurden zum Beispiel 1993 in 18 von der Landesstelle betreuten Museen umfangreiche Konservierungsmaßnahmen durchgeführt. Je nachdem, in welchem Bereich der Sammlung die größte Gefährdung vorliegt, werden zum Beispiel abplatzende Malschichten auf Gemälden oder Skulpturen, unsachgemäß gelagerte Textilien, Korrosion auf Metallen oder andere Schadensbilder festgestellt, daraufhin organisiert die Landesstelle eine Konservierungsaktion. Dabei arbeiten zwei bis vier freiberufliche Restauratoren vor Ort manchmal mehrere Wochen, wenn Museumspersonal anwesend ist mit diesem auch zusammen. Hierbei werden zunächst die Objekte bearbeitet, die stark vom Verlust der Substanz bedroht sind, die aus irgendwelchen Gründen transportiert werden müssen und die als Objekte für die kommende Dauerausstellung vorgesehen sind. Vorteil der Konservierungsaktion im Vergleich zur Vergabe an Einzelrestauratoren: Transport, Verpackung, Versicherungskosten fallen nicht an und die Objekte sind keinen Klimaschwankungen ausgesetzt. Im Fall von Selb-Plößberg waren die Objekte nicht transportabel. Die vor Ort stattfindende Aktion wird nicht zuletzt auch durch die örtliche Presse der Öffentlichkeit mitgeteilt und somit auf den für den Erhalt der Sammlung notwendigen finanziellen und personellen Bedarf aufmerksam gemacht.

Im Folgenden noch einige weitere Aspekte zum (beinahe) Idealfall Selb-Plößberg: 1992 wurden eigene Werkstattgebäude für Restaurierung und Konservierung und für die Anfertigung der Ausstellungsarchitektur eröffnet. Die Werkstatt für Metallrestaurierung liegt im Erdgeschoß, im ersten Stock darüber befindet sich in großzügigen Räumlichkeiten die Werkstatt für Holzarbeiten. Beide Werkstätten sind weitgehend mit modernem Arbeitsmaterial, Werkzeugen und Maschinen

Blick in den Teil der Restaurierungswerkstatt des Europäischen Industriemuseums für Porzellan in Selb-Plößberg, in dem die Großmaschinen vor der Reinigung zerlegt werden.

ausgestattet. Das Depot für Museumsexponate und die Werkstätten liegen nebeneinander, was die Betreuung aller Objekte vereinfacht. Da im Juli 1996 der neueröffnete Gebäudeteil für die Ausstellung baulich und klimatisch fertiggestellt wurde, mußten vorerst die klimatisch unzureichenden Bedingungen im Depot belassen und mit einfachen Mitteln konservatorische Verbesserungen geschaffen werden. Bereits restaurierte Maschinen wurden in einem mittels Folienkäfig abgetrennten Bereich gelagert. Durch einen Luftentfeuchter konnten dort verbesserte relative Luftfeuchtigkeitswerte geschaffen werden. Doch man sollte nicht verschweigen, daß die Lagerung in einem ungedämmten, untemperierbaren Depot erneut Korrosionsprodukte auftreten ließ.

Die Einrichtung der Werkstatt für Metallrestaurierung, bestehend aus einem Großraum und einem kleinen Raum, der vorwiegend für das Arbeiten mit Chemikalien ausgestattet ist, wurde in enger Absprache mit der Landesstelle geplant. Das Einfahrtstor liegt in der Nähe des Depoteingangs. Im Demontagebereich für große Maschinen wurde unter der Decke eine Laufkatze angebracht und der Boden mit Hirnholzparkett belegt. Ein Bodenbelag mit Spaltplatten, wie in der übrigen Werkstatt, würde beim Absenken schwerer Lasten oder beim Zerlegen von Maschinen bald Beschädigungen aufweisen. Für die weitere Feinbehandlung zerlegter oder kleinerer Maschinen sind an den Wänden Werkbänke aufgestellt. Die Elektroverteilung und die Absauganlage wurde auf die einzelnen Arbeitsplätze hin ausgerichtet. Die Absauganlage und ein sich außerhalb der Werkstätten befindliches Lager für Lösungsmittel gewährleisten die Voraussetzung für den sicheren Umgang mit gesundheitsgefährdenden Arbeitsmaterialien. Gabelstabler und Hubwagen sind für schwere Arbeiten vorhanden.

Da die Fabrikgebäude selbst wichtige Bestandteile des Museumskonzeptes sind, werden Ausstattungsgegenstände (Metallsprossenfenster usw.) ebenfalls durch die Museumswerkstätten sachgerecht bearbeitet. Durch diese Möglichkeit kann das Museumsprojekt in erheblichen Teilen mit kontinuierlich hoher Qualität realisiert werden und dies sogar kostengünstig.

Bei ungefaßtem Eisen wird in vereinfachter Form folgendermaßen vorgegangen: zunächst werden von den Objekten Staub, Schmutz und loser Rost mit kurzflorigen Pinseln abgenommen. Die weitere Reinigung erfolgt mit Lösemitteln. Abschließend wird die Oberfläche mit geeigneten Überzügen gegen Korrosion geschützt. Läßt sich das Niveau dieser Restaurierung halten, kann die Plößberger Werkstatt dank ihrer Ausstattung, vor allem dank der sorgfältigen Arbeitsweise über die Region hinaus eine Vorbildfunktion einnehmen und Anlaufstelle, auch in Fragen der Konservierung, für kleinere Museen werden.

Beispiel: Terrakottagruppe »Christus und drei Jünger«

Aus dem Bereich der Skulpturen stammt das folgende Beispiel musealer Konservierung, das aufzeigen soll, mit welch einfachen und minimalen restauratorischen Eingriffen man heute im Museum arbeitet, um möglichst wenig an den erhaltenen Kunst- und Kulturobjekten zu manipulieren.

Es handelt sich um eine Ölbergdarstellung aus der Mitte des 15. Jahrhunderts aus dem empfindlichen Material Terrakotta, die sich im Museum im Haus des Gastes in Hilpoltstein befindet. Von diesem Ölberg haben sich noch vier halblebensgroße Terrakottaskulpturen erhalten: Christus und drei Jünger. Außerdem gehören noch 21 Reliefplatten dazu, deren Zusammenhang mit dem Ölberg noch nicht geklärt ist. Diese sind zum Teil farbig glasiert und zum Teil tonfarbig. Die tonfarbigen Teile des Ölbergs zeigen Personen, Tiere und Gebäude, die später mit einer ölhaltigen Farbe überzogen wurden. Eine detailierte Untersuchung der noch vorhandenen Quellen und eine Veröffentlichung des gesamten Ölbergkomplexes steht noch aus.

Sicherungen mit Japanpapier wurden vor Ort durchgeführt, um die Transportfähigkeit der Skulptur zur Werkstatt des Restaurators herzustellen.

Hier soll auf die an der Figur des Christus notwendig gewordenen Maßnahmen eingegangen werden. Die Terrakottafigur, die mit einer Ölharzfarbenfassung versehen ist, war möglicherweise ursprünglich nicht für eine farbige Fassung konzipiert. Augenscheinlich wurden die Skulpturen Ende des 19. Jahrhunderts mit einer ölharzgebundenen Farbe gefaßt. Zu Beginn des 20. Jahrhunderts nochmals von Laienhand mit pigmentierter Ölharzfarbe und Firnis »übermalt« (zahlreiche Läufer).

Da der Ölberg im Freien aufgestellt war, sind durch Sonneneinstrahlung die verschiedenen Fassungen untrennbar miteinander verbacken. Die Skulptur ist mittig in zwei etwa gleich große Hälften auseindergebrochen. An den Bruchkanten gingen große Teile der Originalsubstanz verloren, bis auf einige feine Risse im Ton ist die Figur stabil. Die Oberfläche war stark verschmutzt und mit Mörtelspuren versetzt. Durch Krepierungen ist die Fassung teilweise grau geworden. An vielen Stellen stehen Farbschollen hoch. Für die Ausführung der Konservierungsmaßnahmen wählte man zwei freiberufliche Restauratorinnen aus den Bereichen Fassung und Kunstgewerbe, die in ständiger gegenseitiger Absprache und in engem Kontakt mit der Landesstelle die Arbeiten ausführten.

Nach Rücksprache mit allen Beteiligten entschloß man sich, nicht zuletzt aufgrund des geringen Finanzrahmens, die Figur in ihrer angetroffenen Erscheinungsform zu belassen. An einem Musterstück wurde die Vorgehensweise erprobt und festgelegt, nämlich eine rein museale Konservierung. Da der Ölberg in einem klimatisch stabilen Museumsraum zur Aufstellung kommen wird, sollte lediglich eine Oberflächenschmutzabnahme und eine Festigung der Fassung die Figuren in ihrem Bestand konsolidieren. Fehlstellen wurden nicht geschlossen, ebenso keine bildhauerischen Ergänzungen durchgeführt, um mit diesen Entscheidungen keinerlei Maßnahmen für spätere Jahre vorwegzunehmen.

Für den Transport in die Werkstatt war eine Notsicherung der Fassung erforderlich. Den losen Schmutz entfernte man mittels weichem Pinsel. Die hochstehende Fassung wurde mit Hasenleim, nach vorsichtiger Erwärmung der Farbschollen, angedrückt und gefestigt. Kleinere Risse im Ton

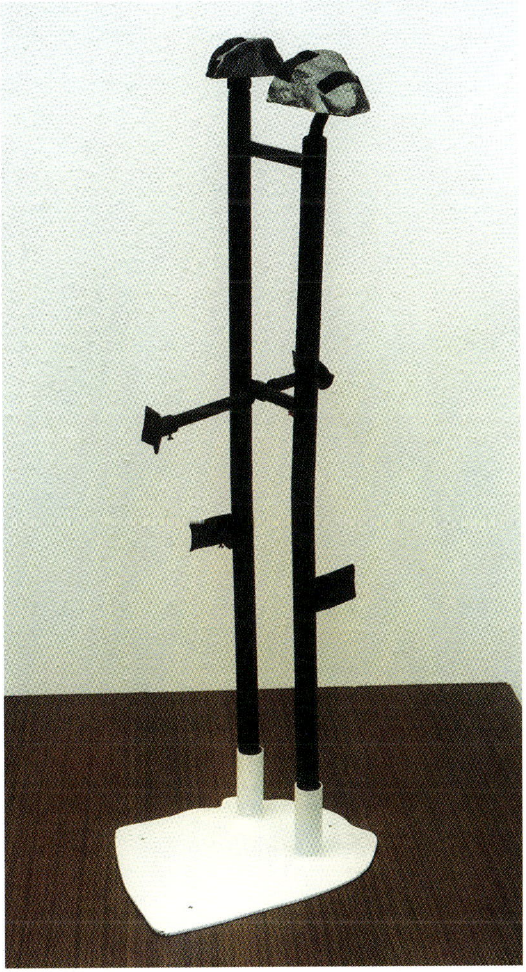

Das Montagegestell, das zur Stabilisierung der Skulptur dient: oben die Polsterungen für die Schultern

wurden mit Nitrocellulose gefestigt. Reinigung und Festigung hatten mehr oder minder in einem Schritt zu erfolgen.

Bei der Aufstellung im Museum entschloß man sich, die beiden auseinandergebrochenen Teile nicht zu verkleben, sondern ein Montagegerüst zu bauen. Außerdem kann, bedingt durch das Gerüst die Skulptur auf jedem beliebigen feststehenden Sockel plaziert werden. Beim Einbau eines statisch tragfähigen Elements mußten die Kräfte der beiden nicht verklebten Terrakottateile mittels eines Innengestells auf eine Bodenplatte abge-

Detail des Rohrinnengestells von Abbildung S. 123 (alle Teile schraubbar), nachdem es bereits im Inneren der Christusfigur justiert wurde.

leitet werden. Folgende Schritte waren dabei notwendig:

Über eine Negativform aus Kunstharz konnte eine Arbeitsform des Innenbereichs der Schultern hergestellt werden. Mittels schraubbarer Gestänge und zusätzlicher Verstrebung (um das Kippmoment abzufangen) erhielten die Teile der Skulptur ihre feste Verbindung mit der stabilen Bodenplatte. Alle Stahlteile wurden verzinkt und lackiert. Die Auflage- und Berührungspunkte zwischen der Montage und der Originalsubstanz kaschierte man mit Korkzwischenlagen bzw. Filzstreifen. Das Gerüst ermöglicht es, daß die Skulptur jederzeit in einem neuen Zusammenhang präsentiert werden kann.

Diese beiden Beispiele musealer Konservierung machen deutlich, daß zum Erhalt von Sammlungsgegenständen aus unterschiedlichen Materialien, Bereichen und aus verschiedensten Zeiten sehr differenzierte konservatorische und restauratorische Maßnahmen ausgeübt werden. Zu klären sind stets einige Fragen, die direkt das zu behandelnde Stück betreffen: Was soll mit diesem Gegenstand geschehen, kommt er in das Depot, wird er ausgestellt, wenn ja, welche Aussage wird angestrebt? Die Antworten auf diese Fragen geben dem Restaurator den Weg für seine weitere Arbeit vor, deren Grundlage seinerseits eine genaue Analyse und Bestandserfassung ist. Eine Verknüpfung beider Ergebnisse bestimmt die Vorgehensweise, die dann in Absprache mit dem Träger und der Landesstelle erfolgen kann. Oberstes Gebot ist stets, den Erhalt der Museumsbestände zu ermöglichen und dabei eine optimale Pflege zu gewährleisten.

Anmerkungen

1 Siehe hierzu Henning Großeschmidt: Konservierung, Restaurierung, Klimatisierung. In: 10 Jahre Abteilung Nichtstaatliche Museen. Straubing/München 1986

Die fertig restaurierte Christusfigur in der Ausstellung

Viktor Pröstler

EDV-gestützte Inventarisation

Probleme – Nutzen – Perspektiven

Stellenwert der Inventarisation

Aufgabe der Museen ist es, die materielle Produktion vergangener Zeit nach bestimmten Gesichtspunkten zu sammeln, wissenschaftlich zu bearbeiten, in ihrem Bestand zu sichern, für spätere Generationen zu bewahren und nach modernsten Erkenntnissen zu präsentieren. Da in den letzten Jahren das Interesse des Publikums immer größer wurde, kamen die Museen in einen Zielkonflikt. Einerseits sollten die Objekte möglichst intensiv erforscht und bearbeitet, andererseits extensiv vermittelt werden. Keines dieser Ziele kann gleichzeitig erreicht werden.

Da nun die Aufgabenverteilung in einem Museum nicht primär in den Händen des Museumsleiters liegt, sondern in der Regel von jenen bestimmt wird, die über die Verteilung der Gelder verfügen, den Museumsträgern, wird das Museum an seiner Publicity gemessen. Die Leistungsfähigkeit und Effizienz eines Museums wird deshalb aus naheliegenden Gründen nach seinen Besucherzahlen, seiner Ausstellungstätigkeit und der Präsenz in den Medien beurteilt. Wissenschaftliche Grundlagenforschung – Inventarisation kann und muß als solche bezeichnet werden – tritt häufig in den Hintergrund. Allerdings muß man sagen, daß sich in letzter Zeit ein Wandel angebahnt hat.

Das Museum gilt manchmal als »kultureller Verwertungsbetrieb«, dessen Sammlung Rohstofflieferant für Ausstellungen ist und dessen Wert sich nach dem Umsatz bemißt. Wissenschaftliche Arbeit spielt hierbei keine oder nur eine geringe Rolle, denn Arrangement und Marketing einer Ausstellung beeinflussen die Berichterstattung und die Besucherzahlen in weit höherem Maße. So ist es nur folgerichtig, daß für Ausstellungsarchitektur und Werbung wesentlich höhere Geldbeträge zur Verfügung gestellt werden als für die wissenschaftliche Bearbeitung. Dies ist bei allen großen Ausstellungen die Regel.

Vorbereitung und Durchführung repräsentativer Ausstellungen binden wissenschaftliche Arbeitskraft, die Inventarisation der Museumsbestände – Grundlage jeder Museumsarbeit – hingegen droht allmählich zu versiegen. In den 70er Jahren haben Politiker den Ausstellungsbetrieb als ein Mittel der Selbstdarstellung kennen und schätzen gelernt. Diese einseitige Fixierung der Museen auf ihre Ausstellungs- und Vermittlungsfunktion führte zu einer eklatanten Verschlechterung der Qualität der Inventare. Das gegenwärtige Niveau der wissenschaftlichen Bestandsbearbeitung in den Museen liegt vielfach deutlich niedriger als vor dem 2. Weltkrieg.

Nur ein grundsätzlicher Umdenkungsprozeß, der die Inventarisation kunst- und kulturgeschichtlicher Objekte als Grundlagenforschung ansieht, ohne die jede weiterführende Forschung auf Dauer verkümmern muß, kann dieser Entwicklung entgegenwirken. Die Einführung neuer Arbeitsverfahren, die den zeitlichen Aufwand der Inventarisierung und die Austauschbarkeit der Datenbestände im Sinne der Wissenschaft ermöglichen, bietet eine gute Chance, dieses Problem sinnvoll und angemessen zu lösen.

Grundlagen der Vermittlung – die wissenschaftliche Inventarisation

Der Schwerpunkt eines Museums liegt, wie oben ausgeführt wurde, heute meist in der Vermittlungstätigkeit – das Museum als Bildungseinrichtung. Ausstellungen – Sonder- wie auch Dauerausstellungen – sind das Medium, um Informationen zu übermitteln, sie dürfen aber nicht zu rein ästhetischen und repräsentativen Vehikeln verkümmern. Aus diesem Grund ist es wichtig, etwas über die ausgestellten Objekte zu wissen. Nur durch eine intensive Beschäftigung mit den Objekten kann man gültige und den Besucher interessierende Aussagen treffen. Der Museumsmann oder Ausstellungsmacher muß sich zuerst mit den Exponaten beschäftigen. Nur wer seinen Bestand kennt, wer weiß, was in der Schausammlung und in den Depots vorhanden ist, kann ein schlüssiges Konzept für eine Dauer- oder Wechselaustellung unter modernsten didaktischen und museumspädagogischen Überlegungen erstellen. Es lassen sich darüber hinaus zielgerichtet und prioritätsbewußt die dringend erforderlichen restauratorischen und konservatorischen Maßnahmen einleiten.

Sinn und Zweck einer wissenschaftlichen Inventarisation liegt nicht allein im gesicherten juristisch relevanten Nachweis von Objekten, in deren Quantität und Qualität, sondern vor allem in der wissenschaftlich-erforschenden Bearbeitung eines Gegenstandes.

Mit der wissenschaftlichen Inventarisation werden vornehmlich folgende Aufgaben erfüllt:

- Identifizierung und Definition des Gegenstandes (Inventarnummer, Objektbezeichnung, Darstellung)
- Bestimmung der Beschaffenheit des Gegenstandes (Material, Technik)
- Beschreibung von Form, Inhalt und Funktion des Gegenstandes
- der historische Zusammenhang (Datierung, Herstellungs- und Verwendungsort, Vorbesitzer)
- Nachweis und Klärung der Besitzverhältnisse
- restauratorischer und konservatorischer Zustand des Gegenstandes

Inventarisierung mit Hilfe des Computers

Internationale Entwicklung

• USA

Die überwiegende Mehrzahl der US-amerikanischen Museen befinden sich in privater Trägerschaft. Ihnen fehlt fast jegliche staatliche Hilfe. Finanzielle Unterstützung und Koordination der EDV-Projekte fanden nicht statt. Resultat dieser Entwicklung war, daß jedes Museum sein eigenes, meist sehr modernes System hatte, aber die einzelnen Museen untereinander meist inkompatibel waren, das heißt ihre gesamten Daten konnten nicht ausgetauscht werden.

Darüber hinaus kommt hinzu, daß die in den USA kommerziell angebotene Software für Museen auf die Arbeit der sogenannten »registrars« zugeschnitten ist und deshalb vor allem Formulare für verwaltungsmäßige Belange beinhaltet. Der für eine wissenschaftliche Bestandserschließung nötige Funktionsumfang ist meist nicht gegeben.

• Großbritannien

Die 1976 gegründete »Museum Documentation Association« (MDA) leistete Vorbildliches auf dem Gebiet der Dokumentation. Sie entwickelte und vertrieb zunächst Inventarkarten, die bereits für einen späteren Computereinsatz geeignet waren. Bald darauf folgte der Einsatz eines speziellen Software-Programmes für die museale Dokumentation.

• Kanada

1977 wurde eine Zentraldatenbank, das »Canadian Heritage Information Network«, gegründet. Daran angeschlossen waren die wichtigsten Museen des Landes (ca. 80). Da für die Erfassung der Bestände noch kein einheitliches Regelwerk entwickelt war, konnten die jeweiligen Museen nur ihren eigenen Datenbestand nutzen.

• Frankreich

In unserem westlichen Nachbarland ist die Dokumentation der Kulturgüter eine Aufgabe des Staates, der auch in diesem Bereich eine zentralistische Lösung anstrebt. Museen und Denkmalpflege sind gesetzlich zur Mitarbeit verpflichtet.

• Schweiz

Die »Datenbank Schweizerischer Kulturgüter« (DSK) berät und betreut die Museen bei der Einführung der EDV-gestützten Inventarisation. Es wurde ein Dokumentations-Standard für gemischte Sammlungen erarbeitet, um die Erfassung der kulturhistorischen Güter auf eine gemeinsame Basis zu stellen.

Die Situation in der Bundesrepublik Deutschland

In der Bundesrepublik Deutschland gibt es eine Vielzahl von Aktivitäten und Projekten auf dem Gebiet der EDV-gestützten Inventarisation. Diese untereinander meist inkompatiblen Systeme können aber selten miteinander kommunizieren. Eine bundesweite Beratung ist auf Grund der Kulturhoheit der Länder die Ausnahme. Einzig wäre in diesem Zusammenhang das »Institut für Museumskunde« (IfM) an den Staatlichen Museen zu Berlin – Preußischer Kulturbesitz zu nennen, das als eine von den Ländern finanzierte Forschungs- und Versuchsanstalt zu bezeichnen wäre.

Die im internationalen Vergleich minimalst besetzte Dokumentationsabteilung des IfM (die EDV-Abteilung der Smithsonian Institution verfügt über ca. 100 Mitarbeiter und am Canadian Heritage Information Network sind ca. 40 Mitarbeiter beschäftigt) sollte länderübergreifende Beratung im Bereich der Museumsdatenbanken und der Terminologie übernehmen. Realisiert wurde das Projekt »Kleine Museen« in Zusammenarbeit mit dem rheinischen und westfälischen Museumsamt. Es handelt sich hierbei um eine retrospektive Übertragung vorhandener Karteikarten (ca. 70 000) in das Datenbankprogramm GOS. Aus dem vorhandenen Datenbestand wurde zum Feld Objektbezeichnung eine hierarchische Grobklassifikation mit ca. 10 000 Deskriptoren erstellt.

Neben dem Institut für Museumskunde gibt es noch andere länderübergreifende Organisationen und Institutionen, die Hilfestellungen im Bereich der EDV-gestützten Inventarisation bieten. Hier wäre die Fachgruppe »Dokumentation« beim Deutschen Museumsbund zu nennen, die einen »Datenfeldkatalog zur Grundinventarisation« erstellte, der an alle deutschen Museen verschickt wurde. Der Datenfeldkatalog soll dem Museum helfen, seine Objekte in strukturierter Form zu erfassen. Darüber hinaus sollen durch eine gewisse Normierung bei der Ansetzung der Einträge vergleich- und austauschbare Daten erreicht werden.

Eine weitere bundesweit operierende Fachinstitution ist das Bildarchiv Foto Marburg, das für die strukturierte Erfassung kunst- und kulturhistorischer Objekte das Regelwerk MIDAS (Marburger Informations-, Dokumentations- und Administrations-System) publizierte. Hierzu gehört auch das kommerziell angebotene Datenbankprogramm HIDA (HIerarchischer Dokument Administrator).

Die regionalen Museumsämter – staatliche Einrichtungen zur Museumsbetreuung – und regionalen Museumsverbände, von denen sich einige mit der Problematik des Einsatzes von Informationstechnik befassen, handeln im Rahmen der Kulturhoheit der Länder, ihre Empfehlungen gelten nur für das jeweilige Bundesland.

Die Situation in Bayern

Da schon einige Museen Datenverarbeitung einsetzen, andere sich noch im Planungsstadium befinden, ist eine verstärkte Nachfrage nach Beratung sowohl bei Hard- und Software, als auch bei Problemen der Organisation, Planung und Systematisierung der eingegebenen Daten festzustellen.

Aufgabe und Ziel der Landesstelle für die nichtstaatlichen Museen in Bayern ist es, im Sinne des gesetzlichen Beratungsauftrages ausreichende und fundierte Voraussetzungen zu schaffen, um die bedeutenden kulturhistorischen Bestände in den nichtstaatlichen Museen in Bayern nach einem standardisierten System mit Hilfe der EDV wissenschaftlich zu erfassen.

Deshalb muß die EDV-gestützte Inventarisation auf eine Basis gestellt werden, die von vergleichbaren Grundlagen ausgeht. Es muß vermieden werden, daß jeder für sich sein eigenes *Programm* und seine eigene *Terminologie* entwickelt. Deshalb empfahl die Landesstelle für die nichtstaatlichen Museen schon frühzeitig das hierarchische Datenbankprogramm HIDA.

Zur Zeit arbeiten ca. 65 nichtstaatliche Museen mit dem von der Landesstelle empfohlenen System. Die an den einzelnen Museen erstellten Inventare werden zusätzlich an der Landesstelle gespeichert; das heißt, es wird *dezentral* erfaßt und zusätzlich *zentral* gespeichert. Momentan verzeichnet der Zentralcomputer über 170 000 Dokumente.

Seit Anfang 1991 wird das in Bayern benutzte System auch von der Landesstelle für Museumswesen in Sachsen empfohlen und seit 1993 auch in Niedersachsen, Westfalen und Hamburg. Zum ersten Mal kommt damit ein aus der alltäglichen Arbeit der Inventarisation erwachsenes Instrument – Datenstruktur und einheitliche Terminologie – nicht nur in einem Bundesland zum Einsatz.

Anläßlich der Neuauflage des bayerischen Museumsführers wurde an ca. 930 Museen ein Fragebogen verschickt, der auch einige Fragen zur Inventarisation allgemein und speziell zum EDV-Einsatz an Museen enthielt. Hierdurch konnten nun zu obigen Fragestellungen erstmals genaue Zahlen ermittelt werden.

Es zeigte sich, daß zwar 460 Museen – dies entspricht 58% – angaben, über ein Inventar zu verfügen, aber nur 169 unter ihnen besitzen ein wissenschaftliches Inventar. An immerhin 145 Museen, oder 19% aller bayerischen Museen, wird EDV-gestützt inventarisiert; 74%, das sind 576 Museen, erfassen ihre Bestände ohne Hilfe des Computers, bei 7% erfolgt die Inventarisation zumindest teilweise mit elektronischer Datenverarbeitung. (Abb. rechts)

Sieht man sich die verwendeten Datenbankprogramme an, so stellt man fest, daß die meisten Museen mit dem von der Landesstelle empfohlenen Programm HIDA arbeiten. Darüber hinaus kommen Standarddatenbanken wie dBASE, Filemaker oder Lars zur Anwendung. 17 Museen gaben an, über eine Eigenentwicklung zu verfügen und 26 Einrichtungen sind sogar der Ansicht, computergestützte Bestandserfassung mit Textverarbeitungsprogrammen durchführen zu können. (Abb. unten)

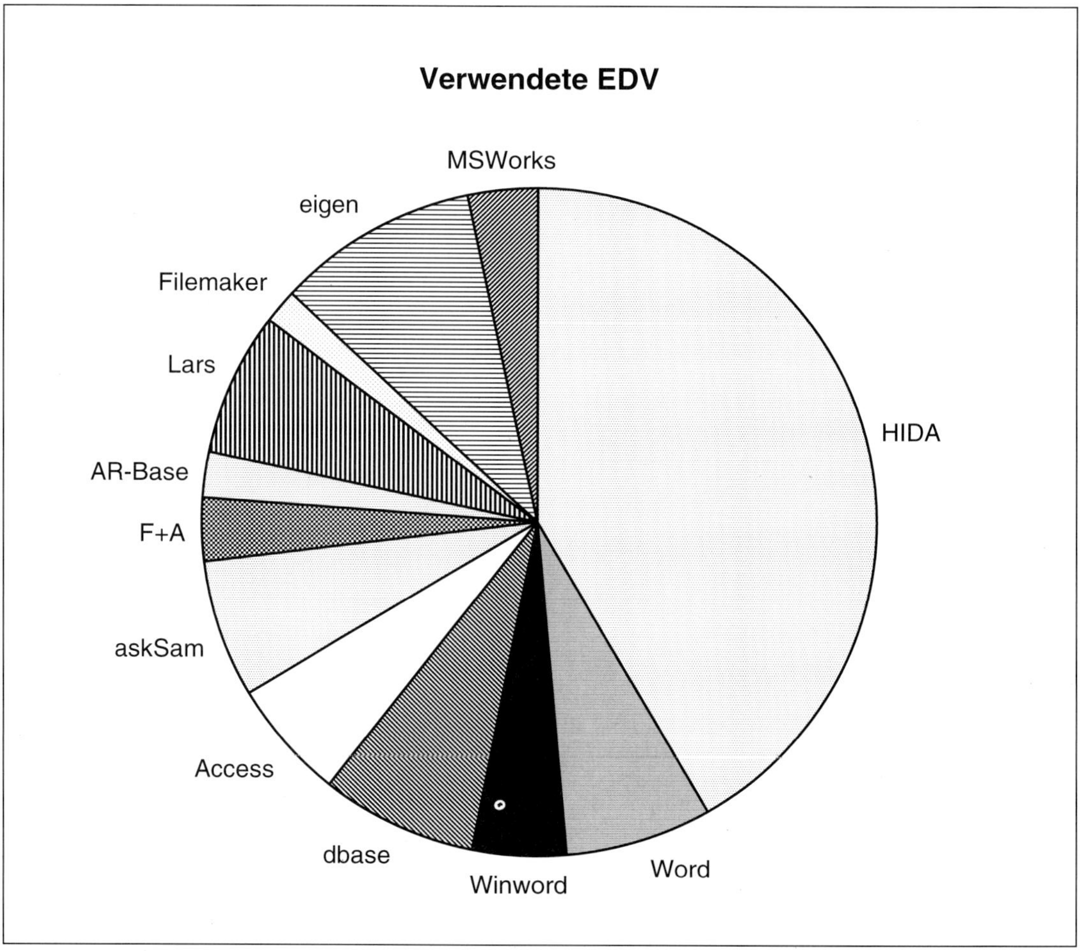

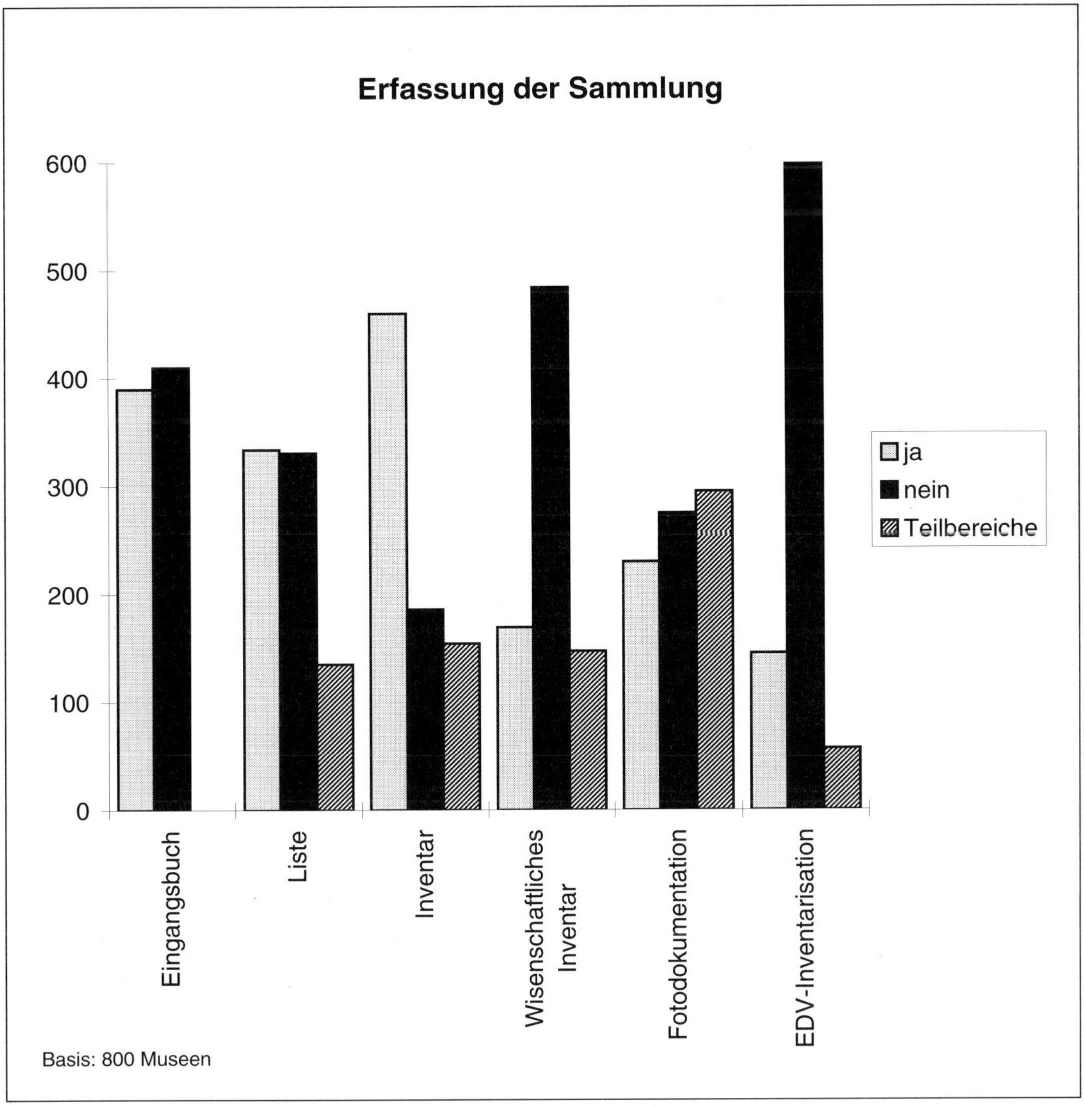

Das Terminologieproblem

Der Kernpunkt einer jeden Datenbankanwendung ist das Terminologieproblem – ohne einen kontrollierten Wortschatz ist ein EDV-Einsatz nicht sinnvoll. Ein Computer kann zwar Wörter und vorgegebene Zeichenfolgen richtig verarbeiten, eine assoziative Herangehensweise ist bis heute noch nicht möglich. Deshalb müssen die zu verarbeitenden Daten computergerecht aufbereitet und terminologisch kontrolliert werden, das heißt, die Daten müssen in eine Dokumentations- oder Systemsprache überführt werden. *»Eine Dokumentationssprache ist eine Menge sprachlicher Ausdrücke (Bezeichnungen), die, nach bestimmten Regeln angewendet, der Beschreibung von Dokumenten zum Zweck des Speicherns und einer gezielten Wiederauffindung (Retrieval) dient. Dokumentationssprachen können dargestellt werden durch Schlagwortsysteme, Thesauri und Klassifikationen.«* (DIN 1463, Teil 1, Punkt 2.1)

• Schlagwortsysteme

Bei den Schlagwortsystemen handelt es sich um numerische oder alphanumerische Dateien, die entweder durch den Benutzer erweiterbar sind (offenes System) oder auf einem festen Wortschatz basieren und nicht verändert werden können (geschlossenes System).

• Klassifikationen

Bei einer Klassifikation handelt es sich um eine systematische Einordnung in Klassen. Sie basiert meist auf einer künstlich sprachlichen Basis und dient als Hilfsmittel zur vollständigen Ordnung von Gegenständen oder des Wissens über Gegenstände. Sie ist monohierarchisch strukturiert und relativ starr. Eine der bekanntesten, heute noch benutzten Klassifikationen ist die von Carl von Linné erstellte über das Pflanzen- und Tierreich. Auch die »Systematik kulturhistorischer Sachgüter« von Walter Trachsler gehört in die Gruppe der Klassifikationen. Es ist dies eine sog. Dezimalklassifikation; dies ist ein Ordnungsschema, das sich bei der Einteilung der Gesamtheit der Gegenstände einer Zehnerteilung bedient.

• Thesauri

Nach der Definition der oben angeführten DIN-Norm ist *»ein Thesaurus im Bereich der Information und Dokumentation eine geordnete Zusammenstellung von Begriffen und ihren (vorwiegend natürlichsprachlichen) Bezeichnungen, die in einem Dokumentationsgebiet zum Indexieren, Speichern und Wiederauffinden dient.*
Er ist durch folgende Merkmale gekennzeichnet:

a) Begriffe und Bezeichnungen werden eindeutig aufeinander bezogen (›terminologische Kontrolle‹) indem
   - *Synonyme möglichst vollständig erfaßt werden,*
   - *Homonyme und Polyseme besonders gekennzeichnet werden,*
   - *für jeden Begriff eine Bezeichnung (Vorzugsbenennung, Begriffsnummer oder Notation) festgelegt wird, die den Begriff eindeutig vertritt,*

b) Beziehungen zwischen Begriffen (repräsentiert durch ihre Bezeichnungen) werden dargestellt.«

Für die Bestandserschließung kulturhistorischer Sammlungen existieren schon einige Begriffswerke. Nachfolgend sei exemplarisch auf die deutschsprachigen im Museumsbereich benutzten oder benutzbaren Systematiken eingegangen:

- Die oben schon genannte »Systematik kulturhistorischer Sachgüter« von Walter Trachsler ist nach funktionalen Gesichtspunkten aufgebaut und topographisch begrenzt, da sie auf dem Bestand des Schweizerischen Landesmuseums basiert. Somit ist der Anwenderkreis allein durch die benutzte Terminologie auf den süddeutschen Sprachraum beschränkt.
- Bei dem am Institut für Museumskunde in Berlin durchgeführten Projekt »Kleine Museen« (Zeitraum 1984–1987) in Zusammenarbeit mit den Museumsämtern Rheinland und Westfalen-Lippe, wurden ca. 65 000 existierende Karteikarten in den Computer eingegeben. Zum Feld Objektbezeichnung wurde eine Grobklassifikation mit über 10 000 Einträgen erstellt. Diese sich am real vorkommenden Museumsbestand orientierende Thesaurusdatei wurde aber nicht publiziert und allgemein zugänglich gemacht.
- Im Rahmen des »Sonderprogramms Inventarisierung« des Hessischen Museumsverbandes entstand die »Systematik zur Inventarisierung«. Dieses an die Klassifikation von Walter Trachsler erinnernde Ordnungssystem ist hierarchisch nach funktionalen Gesichtspunkten aufgebaut und in 18 Bereiche mit drei Untergruppen gegliedert. Es soll den Museen bei der Inventarisation der heterogenen und umfangreichen Bestände helfen, diese systematisch einzuordnen.
- An der Landesstelle für die nichtstaatlichen Museen in Bayern war man sich von Anfang an über die Wichtigkeit eines hierarchischen Ordnungs- und Suchsystems im klaren. Man entschloß sich nach einer Praxiserprobung für einen nach formalen Gesichtspunkten aufgebauten Thesaurus zum Feld Objektbezeichnung – der Oberbegriffsdatei. Da diese Systematik nicht am grünen Tisch entworfen wurde,

sondern aus der täglichen Inventarisierungspraxis heraus wuchs, wurde die Akzeptanz der Begrifflichkeit erhöht und somit gleichzeitig Datenkonsistenz erreicht. Diesen bis zu sieben Stufen umfassenden Thesaurus gibt es sowohl digital auf Datenträgern als auch in gedruckter Form. Der Ausdruck enthält ein systematisches und alphabetisches Register zum schnellen Auffinden von Objekten.

An der Landesstelle entstanden weiterhin im Laufe der Zeit spezielle, von Fachleuten erstellte Klassifikationen zu bestimmten Sachgruppen (Gefäße, Bestecke und Uhren). Diese, teilweise als »Abfallprodukt« der Oberbegriffsdatei resultierenden Regelwerke sind als praktische Hilfe für die einzelnen Museen zu sehen. Die umfangreiche und kostenintensive Thesaurusarbeit kann, allein bedingt durch die Materialfülle der Museen, nicht eine Institution allein leisten. Alle im Museumsbereich Tätigen – insbesonders die regionalen Museumsämter und die großen Spezialsammlungen – sind aufgerufen, auf diesem Gebiet zusammenzuarbeiten.

Internet und Museum

Eines der großen Themen der Fach- und Tagespresse der letzten Zeit ist unter dem Schlagwort »Datenautobahn« zu fassen. Der Informations-Highway ist in aller Munde, wird von den einen abgelehnt und von den anderen euphorisch begrüßt. Mit diesem Medium tritt neben Funk, Fernsehen und Printmedium ein weiterer, in diesem Fall oft multimedialer Informationsträger hinzu, der von jedermann auf »einfache« Weise genutzt werden kann.

Aber das neue Medium ist noch mit allerlei Kinderkrankheiten behaftet, so daß des öfteren Verbindungen zusammenbrechen, Programme abstürzen oder Ladezeiten ins unermeßliche steigen. Stau auf der Datenautobahn ist ein alltägliches Problem, das viele Benutzer nervt und Zweifel an den schnellen Kommunikationswegen aufkommen läßt. Doch trotz all dieser Schwierigkeiten boomt der Markt, und das schon jetzt unübersichtliche Angebot wird immer größer. Allein in Deutschland gibt es ca. eine Million Onlineanschlüsse; monatlich kommen über 25 000 neue hinzu. Mitte 1995 sind weltweit etwa sieben Millionen Rechner (sog. Hosts) im Internet, die von geschätzten 50 Millionen Teilnehmern genutzt werden.

Vielfach wird das Internet mit dem World Wide Web (www) mit seiner graphischen Oberfläche gleichgesetzt. Daß dem aber bei weitem nicht so ist, soll eine Übersicht der im Internet angebotenen Dienste verdeutlichen:

- Electronic Mail

Der elektonische Nachrichtenversand zwischen zwei Computerbenutzern über Netzwerke ermöglicht nicht nur das Übermitteln von reinen Textdaten, sondern bietet auch die Möglichkeit des Versands von Graphik- und Tondateien wie auch ausführbarer Programme. Der große Vorteil von E-Mail liegt im Gegensatz zur normalen Post in der schnellen Übermittlung. In der Regel dauert der weltweite Versand nur einige Sekunden.

- NetNews

Dies ist ein neues interaktives und weltweites Konferenzsystem und Diskussionsmedium mit einer Vielzahl von Themen aus allen Lebensbereichen (ca. 4 500 Diskussionslisten). Hier finden sich auch Diskussionsforen zu kulturhistorischen Problemen, die von Interessierten per E-Mail abonniert werden können.

- Telnet

Mit Telnet, einer rein textbasierten Anwendung, kann man auf fremde Rechner zugreifen und deren Programme und Daten für sich nutzbar machen. So benutzen z.B. viele Bibliotheken Telnet, um damit den Zugriff auf ihre Kataloge (OPAC = Online Public Access Catalog) zu ermöglichen.

- FTP

Das File Transfer Protocol (FTP) erlaubt den systemunabhängigen Transfer beliebiger Daten zwischen zwei Rechnern. Eine unüberschaubare Menge an Software (Public Domain, Freeware und Shareware), Texten zu Hunderten von Themen,

Bildern, Sounds – kurz: alles was elektronisch speicherbar ist – ist auf weit verstreuten Rechnern verfügbar.

Der Star unter den Internetdiensten ist zweifellos das oben angesprochen World Wide Web. Eine graphisch orientierte Benutzeroberfläche, die es ermöglicht, Bilder, Videosequenzen und Tonmaterial in ein Dokument zu integrieren. Damit vollzog sich im Internet eine allgemeine Wandlung vom textlich orientierten zum visuellen System und diese gelungene Integration von Bild, Text und Ton ermöglichte die explosionsartige Verbreitung des www.

Nutzungsmöglichkeiten des Internets für die Museen

Da mittlerweise viele Museen mit einem PC ausgestattet sind, und dieses Gerät bei der täglichen Arbeit – wie Inventarisation, Bürokommunikation, Katalogerstellung usw. – gute Dienste erwiesen hat, ist es nun durch einen Anschluß an ein Datennetz möglich, auf Informationen von Tausenden von Fachkollegen zuzugreifen.

In nationalen und internationalen *Diskussionsforen* kann man sich weltweit über museumsbezogene Themen informieren, Fragen stellen und sachbezogene Beiträge lesen. Vorsicht ist allerdings geboten, denn die Informationsflut der verschiedenen Diskussionslisten ist immens; hier ist der einzelne gefordert, die für ihn relevanten Informationen herauszufiltern.

Ein weiteres unschätzbares Hilfsmittel bei der täglichen Museumsarbeit ist die *Online-Recherche in Bibliotheksbeständen*. Allerdings ist oft die Langsamkeit der Datensuche und -übertragung ein Hauptproblem der Bibliotheksrecherche. Hinzu kommt, daß gefundene Bücher nicht über das Internet ausgeliehen werden können und hier nach wie vor der konventionelle Weg der Ausleihe beschritten werden muß.

Eine andere, und wie ich finde, für die Museen sehr wichtige Internetnutzung ist die Präsentation des eigenen Hauses in sog. *Web-Seiten*. Schon weit über 2 000 Museen sind mit einer eigenen Adresse im www vertreten. Die Home-Page des Museums bietet aber in der Regel nur dürftige Basisinformationen wie Adresse, Telephonnummer und Öffnungszeiten an. Die Selbstdarstellung des eigenen Hauses sollte nicht im Vordergrund stehen, sondern die Besucherinformation. So können durch gezielte Hinweise über Sonderausstellungen oder Sammlungsschwerpunkte bis hin zu kulturellen Angeboten der Stadt oder des Umlandes, gezielt Besucher oder sogar Reisegruppen angesprochen werden. Für den Fachwissenschaftler und den interessierten Laien wäre eine Recherche in den Museumsdaten von besonderem Interesse.

All dies ist heute schon ohne großen finanziellen Aufwand zu leisten. So können www-Seiten aus einer gewöhnlichen Textverarbeitung generiert und im Internet abgelegt werden. Neben einigen Museen und Institutionen, die interessierten Museen kostenlosen Plattenplatz auf ihren Servern anbieten, gibt es spezielle Dienstleister, die dies gegen eine geringe Gebühr übernehmen.

Literaturauswahl

Bayerisches Landesamt für Denkmalpflege (Hg.): Inventarisation, Dokumentation und Pflege von Museumsgut. München 1978

Bergbau- und Industriemuseum Ostbayern/Haus der Bayerischen Geschichte (Hgg.): EDV-Inventarisation kulturgeschichtlicher Realien. Kolloquium im Bergbau- und Industriemuseum Ostbayern. Kümmersbruck 1990

Bergbau- und Industriemuseum Ostbayern/Haus der Bayerischen Geschichte/Landesstelle für die nichtstaatlichen Museen (Hgg.): EDV-Tage Theuern 1990. Tagungsbericht. München 1991

Bergbau- und Industriemuseum Ostbayern/Haus der Bayerischen Geschichte/Landesstelle für die nichtstaatlichen Museen (Hgg.): EDV-Tage Theuern 1991. Tagungsbericht. München 1992

Bergbau- und Industriemuseum Ostbayern/Haus der Bayerischen Geschichte/Landesstelle für die nichtstaatlichen Museen (Hgg.): EDV-Tage Theuern 1992. Tagungsbericht. München 1993

Bergbau- und Industriemuseum Ostbayern/Haus der Bayerischen Geschichte/Landesstelle für die nichtstaatlichen Museen (Hgg.): EDV-Tage Theuern 1993. Tagungsbericht. München 1994

Bergbau- und Industriemuseum Ostbayern/Haus der Bayerischen Geschichte/Landesstelle für die nichtstaatlichen Museen (Hgg.): EDV-Tage Theuern 1994. Tagungsbericht. München 1995

Bergbau- und Industriemuseum Ostbayern/Haus der Bayerischen Geschichte/Landesstelle für die nichtstaatlichen Museen (Hgg.): EDV-Tage Theuern 1995. Tagungsbericht. München 1996

Bernhardt, Günter: Organisatorische Grundlagen der EDV-gestützten Bestandserfassung in westfälischen Museen. in: Aus westfälischen Museen, H. 2, 1990, S. 31–34

Clemens, Hans H.: Konventionelle und computergestützte Inventarisierung und Katalogisierung in den Museen der DDR. in: Mitteilungen aus dem Museumswesen Baden-Württembergs, Museumsblatt 2. Tübingen 1990

Clemens, Hans H./Wolters, Christof: Sammeln, Erforschen, Bewahren und Vermitteln. Das Sammlungsmanagement auf dem Weg vom Papier zum Computer. Mitteilungen und Berichte aus dem Institut für Museumskunde, H.6. Berlin 1996

Datenbank Schweizerischer Kulturgüter (Hg.): Dokumentations-Standard für Sammlungen mit volkskundlichen und kulturhistorischen Objekten. Bern 1972

Dudley, Dorothy H./Wilkinson, Irma Bezold u.a. (Hgg.): Museum Registration Methods. Washington D.C. 1979

Fuger, Walter: Sicherheit durch Inventarisation und Dokumentation. in: Sicherung, Versicherung und Dokumentation von Museumsgut. München 1983, S. 24–26

Fuger, Walter: Inventarisation und Dokumentation. In: 10 Jahre Museumsarbeit in Bayern. Straubing 1986, S. 28–32

Geschke, Alexander: Nutzung elektronischer Bilder im Museum. Materialien aus dem Institut für Museumskunde, H. 42. Berlin 1995

Hessischer Museumsverband (Hg.): Bibliographie zur Inventarisierung im Museum. 2. Aufl. Kassel 1992

Hessischer Museumsverband (Hg.): Systematik zur Inventarisierung kulturgeschichtlicher Bestände im Museum. Kassel 1993

Heusinger, Lutz: Marburger Informations-, Dokumentations- und Administrations-System (MIDAS). München 1989

Holm, Stuart A.: Facts & Artefacts. How to document a Museum Collection. Cambridge 1991

Joachim, Hermann: Praktische Tips zur EDV-gestützten Inventarisierung. In: Mitteilungen aus dem Museumswesen Baden-Württembergs, Museumsblatt 2. Tübingen 1990, S. 30–33

Knorr, Heinz Arno: Inventarisation und Sammlung in den Heimatmuseen. Halle/Saale 1957

Landesstelle für die nichtstaatlichen Museen in Bayern (Hg.): Inventarisation als Grundlage der Museumsarbeit. München 1992

Leistner, Gerhard: Arbeitshinweise zur wissenschaftlichen Inventarisierung im Rahmen des Sonderprogrammes Inventarisation. In: Aus Museen und Sammlungen in Baden-Württemberg, Museumsmagazin, H. 4. Stuttgart 1989, S. 52–75

Light, Richard B./Roberts, Andrew D./Stewart, Jennifer D. (Hgg.): Museum Documentation Systems: Development und Applications. Kent 1986

Marinescu, Johann: Elektronische Datenverarbeitung im Dienste der Museumsbetreuung. Eine neue Informationstechnik. In: Aus Museen und Sammlungen in Baden-Württemberg, Museumsmagazin, H. 4. Stuttgart 1989, S.29–32

Michael, Ingrid/Pröstler, Viktor: Schreibanweisungen zur EDV-gestützten Inventarisation mit HIDA. Landesstelle für die nichtstaatlichen Museen, Stand: Juni 1995. München 1995

Museumsverband für Niedersachsen und Bremen e.V. (Hg.): Inventarisieren der Museumsbestände mit der IDM-Karteikarte. Hannover 1994

Neuffer, Eduard: Computer im Museum? In: Mitteilungen aus dem Museumswesen Baden-Württembergs, Museumsblatt 2. Tübingen 1990, S. 3–6

Pröstler, Viktor: EDV und Museum. In: Information 12 der Landesstelle für die nichtstaatlichen Museen. München (o.J.), S. 3–6

Pröstler, Viktor: EDV-gestützte Inventarisierung am Beispiel MIDAS. In: EDV-Inventarisation kulturgeschichtlicher Realien, Kolloquium im Bergbau- und Industriemuseum Ostbayern. Tagungsband 1989, S. 17–20

Pröstler, Viktor: EDV-gestützte Inventarisation und Inventarverbund. Bestandsaufnahme und Perspektive. In: EDV-Tage Theuern 1990, Kolloquiumsbericht, S. 25–31

Pröstler, Viktor (Bearb.): Datenfeldkatalog zur Grundinventarisation. Ein Bericht der »Arbeitsgruppe Dokumentation« des Deutschen Museumsbundes. Karlsruhe 1993

Rheinisches Museumsamt, Landschaftsverband Rheinland (Hg.): Inventarisierung. Schriften des Rheinischen Museumsamtes Nr. 33. Bonn 1985

Roberts, Andrew D.: Planning the Documentation of Museum Collections. Cambridge 1985

Roberts, Andrew D.: Collections Management for Museums. Leeds 1988

Saro, Carlos/Wolters, Christof: EDV-gestützte Bestandserschließung in kleinen und mittleren Museen. Materialien aus dem Institut für Museumskunde, H. 24. Berlin 1988

Sekretariat der Deutschen Bischofskonferenz (Hg.): Inventarisation von Denkmälern und Kulturgütern als kirchliche Aufgabe. Bonn 1991

Sunderland, Jane / Sarasan, Lenore: Was muß man alles tun, um den Computer im Museum erfolgreich einzusetzen? Materialien aus dem Institut für Museumskunde, H.30. Berlin 1990

Spengler, Eckehard W.: Inventarisierung und EDV-gestützte Dokumentation kulturgeschichtlicher Sachgüter in rheinischen Regionalmuseen. In: Rheinisches Jahrbuch für Volkskunde, 28. Band, 1989/90

Westfälisches Museumsamt, Landschaftsverband Westfalen-Lippe (Hg.): Materialien zur Inventarisierung kulturhistorischer Sammlungsbestände. Münster 1992

Westfälisches Museumsamt, Landschaftsverband Westfalen-Lippe (Hg.): Inventarisierung – Dokumentation – Bestandsbewahrung. Münster 1996

Wolters, Christof: Wie muß man seine Daten formulieren bzw. strukturieren, damit ein Computer etwas Vernünftiges damit anfangen kann? Materialien aus dem Institut für Museumskunde, H. 33. Berlin 1991

Wolters, Christof: Computereinsatz im Museum: Normen und Standards und ihr Preis. Mitteilungen und Berichte aus dem Institut für Museumskunde, H. 1. Berlin 1994

Erfahrungen in der Museumspräsentation

Durch die Art der Objektmontage soll das Herausschleudern von Massenprodukten aus Kunststoff aus einem Extruder sichtbar gemacht werden.
Museum der Deutschen Spielzeugindustrie, Neustadt bei Coburg

Rudolf Werner

Inneneinrichtung im Museum: Herausforderung und Aufgabe für den Gestalter

Beim ersten Besuch eines Museums mag in vielen Fällen die innenarchitektonische Gestaltung stärker als die Sammlungsbestände selbst das Bild der jeweiligen Ausstellung prägen. Das Auge des Betrachters bleibt zunächst primär an formenreichen Vitrinenlandschaften, komplexen Graphiken und raumgreifenden Inszenierungen hängen. Da der Besucher meist die Hülle vor dem Inhalt wahrnimmt, besteht die Gefahr, daß die innenarchitektonische Ausstattung in Konkurrenz zu den ausgestellten Objekten tritt und in vereinzelten Fällen diese auch »erschlägt«.

Um diesen »Konkurrenzkampf« zu vermeiden, ist eine enge Zusammenarbeit zwischen den Gestaltern und den Konzepterarbeitern erforderlich. Inhaltliche Vorgaben durch ein gut durchdachtes Ausstellungskonzept sind Grundvoraussetzung für eine gestalterische Umsetzung. Je differenzierter und aussagekräftiger dieses vorliegt, umso größer ist für den Innenarchitekten und Graphiker die Möglichkeit, gestalterische Formen zu finden, die diese thematischen Inhalte hervorheben und sichtbar machen.

Fehlen konzeptionelle Überlegungen, besteht die Gefahr, daß die museale Präsentation entweder in beliebiger Art und Weise realisiert wird oder daß die Innenarchitektur in prachtvoller Selbstdarstellung selber zum Exponat wird. Läßt man die Neueinrichtungen bayerischer Museen der letzten Jahre Revue passieren, so kann man feststellen, daß sich die Voraussetzungen für eine gestalterische Planung auf Grund konsequent erarbeiteter wissenschaftlicher Ausstellungskonzepte verbessert haben.

Nach wie vor haben die Gestalter auf dem Museumssektor zusätzliche Probleme zu bewältigen: Das beginnt bei der Auseinandersetzung mit dem Gebäude selbst, das in den meisten Fällen unter Denkmalschutz steht. Architektonische Eingriffe zugunsten der neuen Funktion als Museum können, wenn überhaupt, nur unter größten Schwierigkeiten durchgeführt werden. Es endet schließlich bei den hohen konservatorischen Ansprüchen an die museale Inneneinrichtung: stabiles Klima (siehe den Beitrag von H. Großeschmidt), fachgerechte Beleuchtung (siehe den Beitrag von R. Köhnlein), Vermeidung schädlicher Lichtquellen, Staubdichtigkeit etc.

Der Schwerpunkt der gestalterischen Arbeit liegt nach wie vor in der Gestaltung des Vitrinenbaus, wenn man nicht auf Fertigvitrinen zurückgreifen möchte. Sonderanfertigungen sind häufig kostengünstiger und können individuell auf die spezielle Sammlung und die jeweilige räumliche Situation hin entwickelt werden. In den letzten

Visualisierung eines weltweiten »Exportschlagers«: Immenstädter Käse wurde bis nach Übersee exportiert. Heimatmuseum Hofmühle, Immenstadt im Allgäu

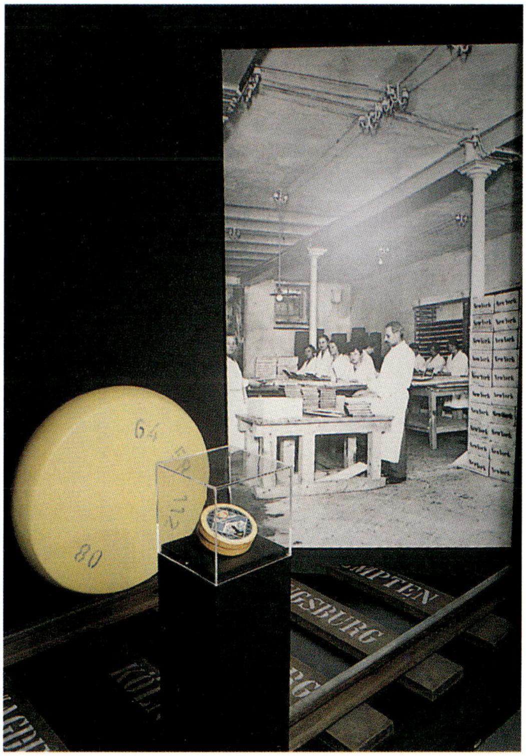

Eine nachgestellte Jahrmarktssituation ermöglicht die Präsentation einer umfangreichen Sammlung an Hausrat, eine attraktive Form einer sogenannten Studiensammlung.

zehn Jahren wurde hierbei immer häufiger Stahl- statt Holzmaterial verwendet.

Nahezu ausnahmslos wird versucht, in der Tat biologisch zu bauen und ungiftige, biologisch unbedenkliche Materialien vor allem in den Bereichen Holz-Plattenmaterial, Holzschutzmittel, Farben, Bodenbeläge, Klebestoffe, Karton und Papier zu verwenden. Aus ökologischen und finanziellen Gründen sind exotische Hölzer beim musealen Innenausbau weitgehend verschwunden.

Um größtmögliche Transparenz in den Ausstellungsräumen zu gewährleisten, kamen neben dem bereits genannten Stahl häufiger Plexiglas und immer mehr reine Verglasungen zum Einsatz. Die Vitrinen selbst wurden früher mehr als Verwahrmöbel gesehen, heute führt man eher eine raumbezogene Vitrinengestaltung, im Sinne von Schaufenstern, durch. Eine Vielfalt an drucktechnischen Möglichkeiten gewährt außerdem eine ansprechende grafische Präsentation, insbeson-

Symbolische Darstellung des Konsumartikels »Spargel«: früher eine Delikatesse für das gehobene Bürgertum, heute Konservenware auch für wenig Geld zu erwerben. Schrobenhausen, Europäisches Spargelmuseum

dere im Hinblick auf kostengünstige Lösungen. Die Entwicklung bei den Computern und vor allem bei den Laserdruckern kommt gerade den kleineren Museen sehr entgegen. Der Einsatz von aufwendigen High-Tech-Anlagen, Video- und Computeranimationen in Schausammlungen ist durch die immer noch hohen Kosten (noch) eher selten.

Die Vitrineninnengestaltung ist immer wieder eine nicht zu unterschätzende gestalterische Aufgabe. Dabei geht es nicht nur um eine reine Aneinanderreihung der Exponate oder um gefälliges Dekorieren. Auch hier sollen durch anschauliche Kombination von Exponat, Text und Bildtafeln »sprechende« Aussagen bereits durch die Gestaltung geschaffen werden. Daher verzichtet man des öfteren auf die früher üblichen, durchlaufenden Fachböden.

Wurden vor wenigen Jahren kräftige Farbtöne gegen pastellige Töne nur akzentuierend im Museum eingesetzt, so steht die museale Inneneinrichtung heutzutage vermehrt unter dem Motto »Mut zur Farbe«. Überhaupt ist man bei der Gestaltung generell phantasievoller geworden: Ausstellungsobjekte werden durch ungewöhnliche und unkonventionelle Kombinationen in Szene gesetzt, wobei auch die bewußte Steuerung des natürlichen und künstlichen Lichtes immer mehr zum Gestaltungsfaktor wurde. Der Besucher soll während seines Rundganges durchaus irritiert werden, bekannte Sehgewohnheiten verlassen, um dadurch einen neuen Zugang zu den Schaustücken zu erlangen. Die Inszenierung hat sich von der figuralen Puppe bis hin zum raumgreifenden Bühnenbild entwickelt; neuerdings ist die Tendenz wieder rückläufig, einerseits scheut man die hohen Kosten und die Kurzlebigkeit solcher Präsentationsformen, andererseits wird immer häufiger der didaktische Wert und Inhalt von Inszenie-

Das Thema »Gefangenschaft« wird mit einfachen photographischen und inszenatorischen Mitteln dem Besucher nahe gebracht. Grafenwöhr, 1. Oberpfälzer Kultur- und Militärmuseum

Die Inszenierung zum Bereich »Ackerbodenbearbeitung« ist sowohl im Innern der Museumsräume als auch außerhalb des Gebäudes zu betrachten. Schrobenhausen, Europäisches Spargelmuseum

Heterogene Sammlungsbestände zum Thema »Kinder« werden geordnet in einer Vitrine präsentiert. Erding, Städtisches Heimatmuseum

rungen hinterfragt. Trotzdem ist der Ruf nach der Erlebniswelt im Museum in den letzten Jahren laut geblieben.

Mit den Inszenierungen kamen neue Gestalterpersönlichkeiten in das Museum: Neben den Innenarchitekten und Graphikern wurden nun Bühnenbildner, vereinzelt auch Künstler mit der Aufgabe betreut, komplexe Inhalte auf künstlerische Art und Weise zu visualisieren. Die so entstandenen »Raumkunstwerke« nehmen viel Platz ein, obwohl sie nur wenige originale Exponate einbeziehen. Um dennoch die reichhaltigen Bestände präsentieren zu können, entstanden sogenannte »begehbare Studiensammlungen«.

Anhand einiger exemplarischer Museumspräsentationen sollen im Folgenden Tendenzen und Entwicklungen in der Gestaltung musealer Einrichtungen schlaglichtartig aufgezeigt werden.

Arzberg-Bergnersreuth Volkskundliches Gerätemuseum

Bauwerk: Ehemalige Scheune
Planungszeit: 1 Jahr
Eröffnungsjahr: 1992
Museal genutzte Fläche: ca. 800 m²
Einrichtungskosten: ca. DM 575 000,–
Innenarchitekt: Landesstelle
Graphik: Atelier & Friends, Grafenau – München

Blick auf den Bereich »Holztransport im Winter«

Das Volkskundliche Gerätemuseum Arzberg-Bergnersreuth gliedert sich in ein ehemaliges landwirtschaftliches Anwesen, in einen Freilichtbereich und in eine Scheune, die im Inneren zu modernen Ausstellungsräumen umgebaut wurde und die nun eine Geräteausstellung zu den Themen »Transportwesen«, »Landwirtschaft« und »Konservierung im Haushalt« beinhaltet.

Um die Anforderungen eines besucherfreundlichen Museums in der ehemaligen Scheune zu erfüllen, wurden die verschiedenen Ebenen im Erdgeschoß durch behindertengerechte Rampen miteinander verbunden. Eine filigrane Stahlkonstruktion – aus statischen Gründen notwendig – erhält die Transparenz der Räume und ordnet sich der alten Ständerbauweise unter. Die geringe Deckenhöhe wurde durch ein entsprechendes Beleuchtungssystem optisch weitestgehend aufgehoben.

In der Präsentation versuchte man, den regionalen Charakter der Sammlungsbestände zu betonen, indem man die Fichtelgebirgslandschaft in abstrakter Darstellung als Hintergrund für die Exponate wählte. Auch die Ausstellungsflächen am Boden weisen farblich und strukturell unterschiedliche Steinschüttungen aus der Region auf. Die Exponate werden zum Teil zugunsten einer dynamischen Darstellung auf schrägen Ebenen präsentiert.

Abteilung Transportwesen: Abtransport von »Granitblöcken«, Kopien aus bemaltem Styropor

Bayreuth
Richard-Wagner-Museum

Bauwerk: Haus Wahnfried
Planungszeit: 1 1/2 Jahre
Eröffnungsjahr: 1976
Museal genutzte Fläche: ca. 500 m² Schausammlung
Einrichtungskosten: ca. DM 250 000,–
Innenarchitekt: Lindner und Jahn, Donndorf/Bayreuth und Landesstelle

Bayreuth
Franz-Liszt-Museum

Bauwerk: Sterbehaus von Franz Liszt
Planungszeit: 2 Jahre
Eröffnungsjahr: 1993
Museal genutzte Fläche: 150 m²
Einrichtungskosten: DM 200 000,–
Innenarchitekt: Landesstelle

Für die Vitrinengestaltung und die Profilleisten der mit Stoff bespannten Wandpaneele wurde in den 70er Jahren im Richard-Wagner-Museum noch Mahagoniholz verwendet.

Die Einrichtung des Franz-Liszt-Museums, Anfang der 90er Jahre, lehnt sich bewußt an die gestalterischen Vorgaben des Richard-Wagner-Museums an unter Verwendung anderer Materialien.

Das ehemalige Wohnhaus des Musikers Franz Liszt, in dem er 1886 verstarb, beherbergt seit 1993 eine Gedenkstääte zu Ehren dieses Bayreuther Sohnes. Es handelt sich um eines der jüngeren Museen in Bayreuth. Das Gebäude liegt in unmittelbarer Nachbarschaft zum Richard-Wagner-Museum und zum Jean-Paul-Museum. Aus diesem Grunde entschied sich der Träger, die Innenausstattung dieser neuen Gedenkstätte gestalterisch an die der beiden älteren anzupassen.

Das »Vorbild«, das vor 20 Jahren entstandene Richard-Wagner-Museum, war ganz im Stil der klassizistischen Villa »Haus Wahnfried« eingerichtet worden. Materialwahl und Farbgebung erinnern an Modeströmungen aus der Zeit des Komponisten.

In abstrahierter Form wurde eine Wandvertäfelung entworfen. Sie ist in einem dezenten Blaugrau gestrichen und mit senkrecht verlaufenden Profilleisten und einer oberen Gesimsabschlußleiste, beide aus Massivholz gefertigt, versehen. Einerseits dient die Verkleidung den Exponaten als Hintergrund und schafft somit eine optisch eigenständige Präsentationsebene, gleichzeitig beherbergt sie auch die in Bodennähe verlaufende Temperierung.

Hatte man in den 70er Jahren für die Museumseinrichtung noch edles, exotisches Mahagoniholz verarbeitet, so kam in der Gestaltung des Franz-Liszt-Museums aus Gründen des Artenschutzes nun gebeiztes Buchenholz zur Verwendung. Als klassizistische Reminiszenz wurde zusätzlich in das Profil eine schmale Messingleiste eingelassen.

Füssen
Museum der Stadt Füssen, Kreuzgang St. Mang

Bauwerk: Ehemaliges Benediktinerkloster St. Mang
Planungszeit: 2 Jahre
Eröffnungsjahr: 1995
Museal genutzte Fläche: 150 m^2
Einrichtungskosten: ca. DM 300 000,–
Innenarchitekt: Dipl.-Ing. Werner Lehrburger, Füssen und Landesstelle
Graphik: Atelier & Friends, Grafenau – München

Das Museum der Stadt Füssen ist im ehemaligen Kloster St. Mang, einem Gebäude des Baumeisters Johann Herkommer aus dem frühen 18. Jahrhundert, untergebracht. Neben den ersten Abteilungen zur Klostergeschichte sowie zum Lauten- und Geigenmacherhandwerk gehören eine Kapelle und verschiedene Repräsentationsräume des Klosters zum Museum.

Zwei Flügel des Kreuzganges sind in den Museumsrundgang integriert, da sie die wechselvolle Baugeschichte der Abtei in eindrucksvoller Weise sichtbar machen. Als nämlich 1972 Renovierungsarbeiten durchgeführt wurden, entdeckte man eine romanische Portalanlage, was umfassende Ausgrabungen nach sich zog. Hierbei entdeckte man Reste zeitlich unterschiedlicher Bauphasen von der mittelalterlichen bis zur barocken Anlage.

Für den abgegrabenen Kreuzgang stellte sich die Aufgabe, einen möglichst transparenten Steg zu entwickeln, der einerseits die romanischen Funde sichtbar läßt, der andererseits aber auch die verschiedenen Museumsräume erschließt. Die Gestalter entwickelten eine Lauffläche aus einem 50 cm breiten Streifen aus sandgestrahlten Betonplatten, die seitlich von Gitterrosten eingefaßt wird. Am Geländer sind Erläuterungstafeln zu den Grabungsfunden angebracht.

Ein zurückhaltend transparent gestalteter Steg ermöglicht die Besichtigung des Kreuzganges, ohne die Ausgrabungsstätte zu beeinträchtigen.

*Rechts:
Blick in die freigelegte romanische Portalanlage mit Zugang zur Krypta*

*Links:
Die Nordwand des Kreuzganges mit Resten der gotischen Fresken*

Kulmbach-Blaich
Bayerisches Brauereimuseum Kulmbach

Bauwerk: Mönchshof-Brauerei
Planungszeit: 3 Jahre
Eröffnungsjahr: 1994
Museal genutzte Fläche: ca. 400 m^2
Einrichtungskosten: ca. DM 900 000,–
Innenarchitekt: Peter Rudolf, Zwiesel
Graphik: Atelier & Friends, Grafenau – München

Auf dem Großphoto abgebildete Objekte werden dreidimensional in den Ausstellungsraum »weitergeführt«: Faßwagen und Wellblechdach.

Eine historische Brauerei bietet den Rahmen für das Bayerische Brauereimuseum in Kulmbach, in einer der wichtigsten bierproduzierenden Städte Bayerns. Bei der Neueinrichtung des Museums in dem historischen Gebäudetrakt des ehemaligen Malzlagers blieb die originale Raumhülle unangetastet.

Ursprüngliche Produktionsstätten, wie zum Beispiel das Kupfersudhaus und zwei Silos in situ, wurden in den Museumsrundgang miteingebunden. Weitere originale architektonische Versatzstücke (wie zum Beispiel alte Eisenfenster) baute man in Rauminszenierungen ein und kombinierte sie mit neuzeitlichen Material- und Gestaltungselementen.

Hinzu kommen Großphotos, um illusionistische Effekte zu erzeugen und ursprüngliche Betriebssituation und Arbeitsatmosphäre der Zeit um die Jahrhundertwende nachzustellen. Das Bierbrauen in einem computergesteuerten High-Tech-Unternehmen wird dem Besucher mittels einer eigens produzierten Multivisionsschau nahegebracht.

Blick in die Abteilung »Büttnerei«: ein neues Wellblechdach als nachempfundene Dachsituation einer Produktionsstätte

Passau
Oberhausmuseum,
Abteilung »Zunft und Handwerk«

Bauwerk: Oberhaus »Fürstenbaukeller«
Planungszeit: 3 Jahre
Eröffnungsjahr: 1996
Museal genutzte Fläche: ca. 280 m²
Einrichtungskosten: ca. DM 400 000,–
Innenarchitekt: Peter Rudolf, Zwiesel
Graphfik: Atelier & Friends,
Grafenau – München

Das Oberhausmuseum in Passau zählt mit seinen umfangreichen Sammlungsbeständen und mehr als 50 Ausstellungsräumen zu den größten kommunalen Museen Deutschlands. Hoch über den Dächern Passaus thront das Museum auf dem Georgsberg in der Veste Oberhaus, deren Ursprünge bis in das 13. Jahrhundert zurückreichen. Seit 1991 wird es nach einem umfassenden Konzept neu eingerichtet.

Technisch-konstruktive Vitrinengestaltung als bewußter Kontrast zum historischen Sichtmauerwerk

Blick in das 11m hohe Kellergewölbe

Die jüngste Abteilung umfaßt die Bereiche »Zunft und Handwerk«, die in den historischen Räumen des Fürstenbaukellers im Oberhaus untergebracht wurden. Für den Gestalter stellte sich die schwierige, aber auch reizvolle Aufgabe, das historische Erscheinungsbild des Baudenkmals nicht zu verändern und trotzdem die für Ausstellungszwecke notwendigen technischen Einbauten zufriedenstellend unterzubringen.

Da keine Elektroinstallationen in das Sichtmauerwerk verlegt werden durften, entschloß man sich für eine sichtbare, offene Verkabelung. Bodenstelen mit eingebauten Steckdosen dienen der Stromversorgung von Vitrinen und Infotafeln.

Auch die Konstruktion der Vitrinen, Infotafeln und Podeste ist bewußt technisch-konstruktiv gehalten. Hierbei wurden Rundrohre, Profile und Blech verwendet. Somit steht die museale Gestaltung einerseits im Gegensatz zur architektonischen Hülle, andererseits entsteht hierdurch auch eine Symbiose aus ungleichen Strukturen und Materialien.

Pfaffenhofen an der Ilm
Museum im Mesnerhaus

Bauwerk: Ehemaliges Mesnerhaus
Planungszeit: 2 Jahre
Eröffnungsjahr: 1978
Museal genutzte Fläche: 120 m^2
Einrichtungskosten: ca. DM 100 000,–
Innenarchitekt: Landesstelle

Einbauten aus Plexiglas geben den kleinen Museumsräumen größtmögliche Transparenz

Das Museum im Mesnerhaus, mit seiner fast zwanzig Jahre alten Innenausstattung, erscheint hier als Beispiel für eine sehr frühe Verwendung des damals neuartigen Materials »Plexiglas«.

Der Innenarchitekt stand bei der Neugestaltung des Museums vor dem Problem, in einer äußerst beengten Raumsituation die umfangreichen Bestände zur religiösen Kunst – kleinteilige und kleinfigurige Exponate – konservatorisch fachgerecht und zugleich diebstahlsicher zu präsentieren.

Man entschied sich bei der Materialwahl für Plexiglas, um den kleinen Räumen eine weitestgehende Transparenz zu bewahren und somit eine leichte, freundliche Atmosphäre zu schaffen. Die konstruktiven Teile der Vitrinen und Schaukästen, der Sockel für Skulpturen und für Tischvitrinen wurden aus diesem, in der Museumsgestaltung der 70er Jahre ungewöhnlichen Material gestaltet.

Befürchtungen, das Plexiglas verkratze schnell oder werde mit der Zeit matt und unansehnlich, haben sich in nunmehr fast zwei Jahrzehnten als nicht begründet erwiesen.

Regen
Niederbayerisches Landwirtschaftsmuseum

Bauwerk: Ehemaliges Bezirksamtsgebäude
Planungszeit: 2 Jahre
Eröffnungsjahr: 1988
Museal genutzte Fläche: 2 000 m²
Einrichtungskosten: ca. DM 850 000,–
Innenarchitekt und Graphiker: Michael Hoffer, München

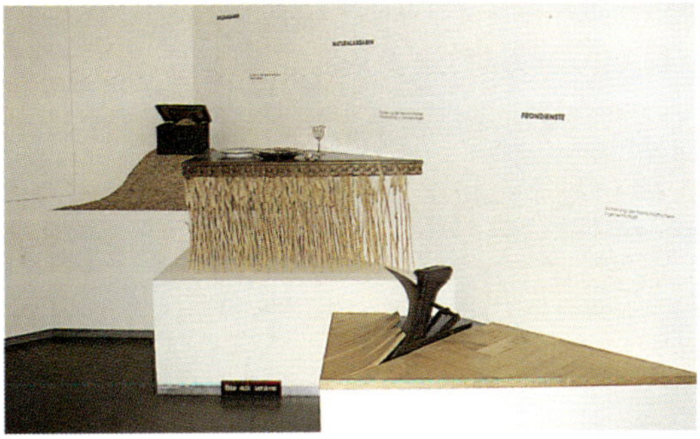

Symbolische Darstellung verschiedener Leistungen der Abgabepflichtigen an ihre Feudalherren: Geldkassette auf Getreidehaufen, Getreidefeld, Pflugschar

Das Landwirtschaftsmuseum der Stadt Regen dokumentiert die niederbayerische Agrar- und Sozialgeschichte vom 18. bis ins 20. Jahrhundert. Ziel des Museums war es, den Strukturwandel der Landwirtschaft aufzuzeigen.

Allein mit Geräten sind Prozesse nicht darstellbar. Man bediente sich in den Kernzonen des Museumsrundganges unterschiedlichster Inszenierungen, Symbole und künstlerischer Gestaltungselemente, um den gesellschaftlichen, wirtschaftlichen und sozialgeschichtlichen Überbau verständlich zu machen.

Der Objekteinsatz hierfür war spärlich. Dafür wurden die reichen Sammlungsbestände in einer Studiensammlung zugänglich gemacht. Die Texte sind knapp gehalten und wurden ohne Zwischenträger direkt auf die Wandverkleidungen aufgesiebt. Die gesamte Inneneinrichtung ist zurückhaltend gestaltet und hat dienenden Charakter.

Es entstand ein anspruchsvoller Geschichtslehrpfad, dessen zwei- und dreidimensionalen »Bilder« die schwierige Materie didaktisch gut übersetzen.

Die Bewohner als Träger bestimmter sozialer Rollen sind als Silhouetten dargestellt.

Thurnau
Töpfermuseum

Bauwerk: Ehemalige Lateinschule
Planungszeit: ca. 17 Jahre
Eröffnungsjahr: 1977, 1982, 1986, 1994
Museal genutzte Fläche: ca. 550 m²
Einrichtungskosten: ca. DM 700 000,–
Innenarchitekt: Landesstelle
Graphiker: Atelier Lothar Nebl, Grafenau

Die Vitrinen der 80er Jahre wurden überwiegend aus einheimischem Naturholz gefertigt.

Das oberfränkische Spezialmuseum präsentiert seine Bestände in einem der ältesten Häuser in Thurnau, in der ehemaligen Lateinschule aus der 2. Hälfte des 16. Jahrhunderts. Seit 17 Jahren wird das Museum in Etappen, Abteilung für Abteilung, neugestaltet.

Bei den ersten Ausstellungsbereichen zur Geschichte der Thurnauer Töpfereien, über Herstellung und Produktionsvielfalt einzelner Werkstätten legte der Museumsträger besonderen Wert auf die Verwendung von naturbelassenem Holz. Die Form der Vitrinen wurde einfach und traditionell gewählt. Diese erscheinen als »Einzelmöbel« und wollen eine warme, angenehme Atmosphäre erzeugen. Die Farbgebung der Rückwände, Texttafeln und Sockel wurde in den 80er Jahren zurückhaltend in Pastelltönen gewählt.

Bei der Neuaufstellung von zeitgenössischer Keramik und von Werken einzelner Keramikkünstler verzichtete man auf das bisherige Vitrinensystem. Statt dessen baute man großzügige Vitrinen in die Dachschrägen ein, die einen sog. Schaufenstercharakter besitzen. Das Vitrineninnenleben ist auf ein dreieckiges Modulsystem aufgebaut. Die Farbgebung ist ganz auf einen schwarz-weiß Kontrast abgestimmt, wodurch die farbigen Exponate eine stärkere Wirkung erzielen.

Der Innenausbau eines Museums über einen Zeitraum von 17 Jahren zeigt, daß man sich nicht sklavisch an eine einmal festgelegte Gestaltung halten muß, sondern daß es sinnvoll und möglich ist, auch innerhalb eines einzigen Gebäudes themenbezogen neue, zum Teil konträre gestalterische Wege zu betreten.

Klare Formen, starke Kontraste in der Farbigkeit prägen hier die Gestaltung der 90er Jahre.

Tirschenreuth
Oberpfälzer Fischereimuseum

Bauwerk: Ehemalige Knabenschule
Planungszeit: 3 Jahre
Eröffnungsjahr: 1993
Museal genutzte Fläche: ca. 650 m^2
Einrichtungskosten: ca. DM 1 250 000,–
Innenarchitekt: Peter Rudolf, Zwiesel
Graphik: Atelier & Friends, Grafenau – München

In der Abteilung »Alte Teichwirtschaft«: Schnitt durch eine Dammanlage mit altem Entwässerungssystem

1993 wurde das Museum zur Teichwirtschaft und Flußfischerei in der Oberpfalz eröffnet. Ziel war es, naturkundliche Themen und aktuelle Fragen des Naturschutzes in lebendiger Art und Weise dem Besucher nahezubringen.

Die Verblendung der Aquarien mit lebenden Fischen mittels blau lackiertem Industrie-Wellblech

Mit dem Einbau von vier großen Aquarien mit Fischen, Uferbepflanzung sowie mit präparierten Gräsern ist es gelungen, eine lebendige Inszenierung zu schaffen. Hoher technischer Aufwand und damit verbunden hohe investive Kosten waren für die Realisierung notwendig. Die Gestalter bewiesen Mut zur Farbigkeit und zu ungewohnten Materialien, wie etwa blau lackiertes Industriewellblech.

Grundlage für diese Art der musealen Inszenierung ist auch hier das notwendige Ausstellungskonzept, das zum Beispiel die Besucher in die Perspektive eines Fisches versetzen will.

Inszenierung einer Unterwassersituation mit einheimischen Fischpräparaten

Wörth am Main Schiffahrts- und Schiffbaumuseum

Bauwerk: St. Wolfgangskirche
Planungszeit: ca. 2 Jahre
Eröffnungsjahr: 1991
Museal genutzte Fläche: 400 m^2
Einrichtungskosten: ca. DM 640 000,– (ohne Laufstegeinbau)
Innenarchitekt: Architekturbüro Trojan, Darmstadt
Graphik: Ambrosius, Gemünden

Die aus musealen Gründen notwendigen technischen Einbauten erinnern an Schiffsstege und -reling

Das unterfränkische Museum zur Geschichte der Mainschiffahrt und der Schiffbautechnologie befindet sich in einem ungewöhnlichen Gebäude: es wurde 1991 in der Anfang dieses Jahrhunderts profanierten Wolfgangskirche untergebracht.

In der Auseinandersetzung mit dem Baudenkmal gelang es den Gestaltern, mit Hilfe einer leichten Stahlkonstruktion, den ehemals barocken Saalbau in einen multifunktionalen Raum für Ausstellungen und Konzertveranstaltungen zu verwandeln und dennoch den ursprünglichen Raumeindruck nicht zu zerstören.

Die Umfunktionierung des Kirchenraumes in einen Museumsraum erfolgte durch den Einbau eines sog. Laufstegs, der an eine Schiffsarchitektur erinnern soll und gleichzeitig zusätzliche Ausstellungsfläche bietet. Ein technisches Thema wird auf diese Weise auch in seiner äußeren Gestalt technisch präsentiert: Form und Inhalt ergänzen sich.

Für diese Idee und den zurückhaltenden Eingriff in ein sakrales Baudenkmal erhielten die Architekten 1991 den Preis des Bundes der deutschen Architekten.

Blick von der ersten Empore in das Gewölbe des Chorraumes der ehemaligen Wolfgangskirche

Wolframs-Eschenbach Museum Wolfram von Eschenbach

Bauwerk: Ehemaliges Rathaus
Planungszeit: 3 Jahre
Eröffnungsjahr: 1995
Museal genutzte Fläche: ca. 170 m²
Einrichtungskosten: ca. DM 580 000,–
Innenarchitekur und Graphik: Michael Hoffer, München

Rechts: Installation zur Frage: Kann man Literatur ausstellen?

Unten links: Raum 3 »Parzival«: König Artus und die Tafelrunde, angedeutet durch das Zelt aus Stangen, Zeltbahnen (bedruckt mit Texten), einem Dach sowie durch das Tischtuch am Boden

Unten rechts: Raum 8 »Willehalm«: Überdimensionale Schilde – Zitat- und Textträger – künden vom Glanz, aber auch von Grausamkeit, Leid und Tod des Rittertums. Der Boden ist »bepflastert« von namenlosen gefallenen Rittern.

Raum 4 »Parzival 2«: Motiv dieses Raumes ist die Verwandtschaft der Geschlechter. Das Mobile in der Mitte, durch das man hindurchgehen und es damit zum Schwingen bringen kann, deutet das System der Verwandschaften an.

Eine museale Einrichtung ganz ungewohnter Art stellt das Museum in Wolframs-Eschenbach dar. Dem größten deutschsprachigen Epiker des Mittelalters (hat um 1200 gelebt) ist in seiner Heimatstadt im ehemaligen Rathaus, einem Fachwerkbau aus dem 17. Jahrhundert, ein Literatur-Museum gewidmet.

Was macht man, wenn man keine Exponate besitzt und dazu noch »Literatur« präsentieren möchte? Mit dieser schwierigen Aufgabe trat man an einen Bühnenbildner heran, der Erfahrungen mit künstlerischen und musealen Installationen hat.

Nach jahrelangen Überlegungen gab das Konzeptteam dem Gestalter schließlich jeweils ein Leitthema aus einem Werk des mittelalterlichen Dichters für ein raumgreifendes Szenarium vor. Zitate oder Figuren aus Wolframs Epen und Romanen wurden in phantasievolle Inszenierungen umgesetzt. Die Gedenkstätte kommt ohne herkömmliche Vitrinen und Schaukästen aus, jeder Raum stellt eine Art »Gesamtkunstwerk« dar.

Rainer Köhnlein

»Licht und Schaden«
Erfahrungen mit der Ausstellungsbeleuchtung in bayerischen Museen

Der Mensch benötigt Licht, um seine Umgebung wahrzunehmen. Über die Augen werden die meisten Informationen aufgenommen und im Gehirn weiter verarbeitet. Im Museum wird Licht für die Wahrnehmung der präsentierten Objekte und zur Informationsvermittlung benötigt.

Jeder Ausstellungsraum ist in der Regel mit Fenstern ausgestattet, und das Tageslicht beleuchtet den Raum. Die dort ausgestellten Objekte wären, berücksichtigt man einmal nicht konservatorische Belange, während der Öffnungszeiten im Sommer bei nicht zu großen Räumen sicher ausreichend beleuchtet. Während des Winters und bei bedecktem Himmel jedoch erschienen die Sammlungsbestände eher in trübem Licht, die Räume präsentierten sich düster und unfreundlich.

Museumsbeleuchtung will aber die Exponate im wahrsten Sinne des Wortes »ins rechte Licht« rücken. Unsachgemäßer Umgang bei der Beleuchtung im Museum kann jedoch den Objekten schaden, sie in manchen Fällen sogar zerstören. Aus konservatorischen Überlegungen heraus ist es deshalb notwendig, Beleuchtung im Museum, sowohl in Ausstellungs- wie auch in Depoträumen, genau zu steuern und das Tageslicht nur bedingt zuzulassen. Denn das natürliche Licht enthält nicht sichtbare Strahlungsbereiche, die ultraviolette und die Infrarotstrahlung. Diese verursachen bei Objekten aus organischen Materialien (wie zum Beispiel Papier, Textilien oder Leder) Lichtschäden, wie Ausbleichen, Vergilben oder Risse durch Austrocknen. Um diese Schäden zu vermeiden, bedarf es des gezielten Einsatzes von künstlichem Licht, das wesentlich leichter steuerbar ist als das Tageslicht. Aber auch Kunstlicht kann die Objekte gefährden, da je nach Wahl des Leuchtmittels schädigende UV- und Infrarot-Strahlungen abgegeben werden.

Wenden wir uns kurz dem Besucher zu. Bekanntermaßen fühlen sich Museumsbesucher wohler, wenn sie sich nicht in einem Dunkelraum mit ausschließlichem Kunstlicht befinden, sondern wenn die Möglichkeit besteht, nach draußen zu blicken und die Umgebung auch außerhalb des Museumsgebäudes miteinzubeziehen.

Sowohl für die Sammlungsbestände als auch für die Besucher bietet sich daher als optimale Lösung eine wohl überlegte Kombination aus beidem, aus Tages- und Kunstlicht an, wobei die Intensität des natürlichen Lichtes reduziert werden muß. Dies ermöglicht eine gleichmäßige Ausleuchtung der Objekte in den Schauräumen mit nur geringen unterschiedlichen Helligkeitsstufen. Denn bei variierender Helligkeit müssen sich die Augen des Besuchers immer wieder anpassen, was besonders bei älteren Menschen schnell zu Ermüdungserscheinungen führt und somit ihr Interesse an der Ausstellung erlahmen läßt.

Mit der Beleuchtung kann das inhaltliche und gestalterische Konzept einer Ausstellung verstärkt werden. Je nach Absicht kann individuell mit Licht ein einzelnes Objekt hervorgehoben, eine Inszenierung akzentuiert oder ein größerer Bereich gleichmäßig ausgeleuchtet werden. Während sich in den bayerischen Museen seit einigen Jahren eher eine gleichmäßige Ausleuchtung der Objekte etabliert hat, hebt man anderswo durch gezielte Punktstrahler das einzelne Objekt hervor, um durch Lichtführung und -stärke eine konzeptionelle Dramaturgie mit Licht und Schatten zu erzeugen. Welche Art ist die richtige? Beantworten kann man diese Frage nicht allgemein. Jede Beleuchtungssituation ist einzeln zu betrachten und die Ausleuchtungsmöglichkeiten sind je nach Absicht der Gestaltung auf ihre Wirkung zu prüfen. Ob die überwiegend gleichmäßige Beleuchtung sinnvoll ist, kann man durchaus in Frage stellen.

Die Beleuchtungsindustrie bietet den Museen eine Vielzahl von Produkten an, doch welche sind für Ausstellungen wirklich geeignet? Die gängigsten Beleuchtungsarten für Räume, Vitrinen und Texttafeln – speziell in den kleineren Heimat- und Stadtmuseen in Bayern – werden nachfolgend exemplarisch beschrieben und kritisch erörtert.

Raumbeleuchtung
Planung und Realisierung

Mit der technischen Entwicklung und dem gehobenen Lebensstandard in den letzten zehn Jahren hat sich der Anspruch an die elektrische Ausstattung nicht nur in Museumsgebäuden enorm gesteigert. Wo früher nur eine Deckenleuchte als Raumlicht diente, benötigt man heute ganze Beleuchtungsanlagen mit zahlreichen Leuchten und natürlich mit entsprechenden Stromanschlüssen. Neue Bauvorschriften und komfortablere technische Lösungen für Beleuchtungs-, Alarm- und Brandschutzanlagen sowie zunehmend Video-Überwachung erfordern oftmals aufwendige Installationen.

In denkmalgeschützten Gebäuden sind die hierfür notwendigen elektrischen Versorgungsleitungen nicht so einfach zu verlegen wie in einem Neubau. Auf die originale Bausubstanz mit ihren historischen Wandfassungen, Putzflächen, Mauern oder Holzgefachen ist generell Rücksicht zu nehmen. So kann es geschehen, daß zum Beispiel Mauerschlitze an einer besonders erhaltungswürdigen Wand oder Decke, eventuell mit historisch bedeutender Fassung, geschlagen werden oder der Deckenauslaß für das Stromkabel genau mittig in einem originalen Holzbalken plaziert wird. Um dies zu vermeiden, empfiehlt es sich, rechtzeitig einen Restaurator einzuschalten, der vor Sanierungsbeginn die Bausubstanz auf historische Spuren untersucht und die Ergebnisse dokumentiert.

Auf der Grundlage dieser Befunduntersuchung wird mit dem Restaurator dann eine sinnvolle Führung der elektrischen Leitungen geplant, um die Anzahl der notwendigen Wandschlitze zu reduzieren. Ist eine Leitungsführung in der Wand oder durch die Decke nicht möglich, so finden sich Alternativen im neu erbauten Boden (Bodensteckdosen), in nicht mehr benützten Kaminen, oder die Kabelführung wird bewußt sichtbar gehalten, zum Beispiel in Metallmantelrohren auf der Wand und in Bodennähe als Ringleitung geführt.

Eine Optimierung der Beleuchtung im Baudenkmal, gleichgültig ob dieses sich in situ befindet oder in einem Freilichtmuseum, beinhaltet besonders eine zurückhaltende optische Erscheinung der Leuchtkörper. Eine klare gestalterische Trennung zwischen historischer Gebäudehülle und neu eingebrachter Museumstechnik ist dabei anzustreben. Gerade niedrige Räume mit einer Raumhöhe unter 2,30 m erfordern individuell durchdachte Planungen der jeweiligen Gegebenheiten, nur die notwendigste Technik ist einzusetzen. Bei zu geringer Höhe ist die Beleuchtung nicht in einem optisch ausreichenden Abstand zur Raumdecke zu installieren, da sonst die Beleuchtungselemente zu weit nach unten in Kopfnähe der Besucher kämen. Zudem werden die Objekte durch die höhere Lichtmenge und intensivere Wärmestrahlung stärker strapaziert. Eine ideale Lösung, die der Raumsituation, der Ausstellungspräsentation und den konservatorischen Anforderungen gleich gerecht werden, gibt es nicht. In diesen Fällen kann es nur eine Kompromißlösung geben, das heißt kleinere Leuchten (Niedervolttechnik) oder direkte Vitrinen- und Tafelbeleuchtung. Richtige Farbwahl, Schwarz anstelle von Weiß bei dunkler Holzdecke, läßt zudem die Installationen optisch zurücktreten.

Dieses Problem der Ausleuchtung ist in niedrigen Räumen denkmalgeschützter Bauten sehr oft gegeben. Daher muß man die museale Nutzung mancher Baudenkmäler durchaus generell in Frage stellen. Hinzu kommt noch der weitreichende Installationsaufwand, der Eingriffe in die historische Bausubstanz mit sich bringt. Der Gestalter und der Elektroprojektant sind bei der Planung der künstlichen Beleuchtung gefordert, eine sowohl für die Ausstellung als auch dem Raum entsprechende, sinnvolle Lösung zu erarbeiten.

Dies beginnt schon mit der Festlegung der Stromauslässe für die Ausstellungsbeleuchtung. Die Planung erfolgt in vielen Fällen ohne Kenntnis des inhaltlichen Ausstellungskonzepts und der musealen Präsentation, da diese zur Planungszeit oftmals noch nicht existiert. Um später möglichst flexibel zu sein, verteilt der Elektroprojektant als Planer rastermäßig jeweils im Raum Anschlüße für Stromschienen und Steckdosen. Die Stromanschlüsse liegen oft an ungünstiger Stelle, wodurch die Beleuchtung, zum Beispiel bei niedrigen Räumen optisch zu stark in Erscheinung tritt, oder zusätzlich die Durchgangshöhe verringert. Häufig holt sich der Planer fachliche Beratung erst nach

Problematisch ist die museale Nutzung eines Baudenkmals mit geringer Raumhöhe. Die dunkle Holzbalkendecke mit dem wuchtigen Unterzug verstärkt optisch noch zusätzlich den niedrigen Raumeindruck. Die Durchgangshöhe am Unterzug liegt unter 2 m. Durch die Anbringung der Stromschienen an der Untersicht der Balken und die weißen Strahler und Schienen tritt die Beleuchtung optisch zu stark hervor und verringert zusätzlich die Durchgangshöhen.

Vergabe der Elektroarbeiten, wodurch spätere Änderungen nur mit Mehrkosten verbunden oder meist gar nicht mehr möglich sind.

Eine optimale Raumausleuchtung erfolgt in Ausstellungsräumen durch den Einbau eines Stromschienen-Systems mit Strahlerleuchten. Die Strahler werden mittels Adapter an der Schiene befestigt und können an fast jeder Stelle der Stromschiene plaziert und verschoben werden, sie ermöglichen somit eine flexible Beleuchtung.

Für die vielen dreidimensionalen Museumsobjekte ist hiermit eine adäquate Präsentation möglich, da die Exponate von verschiedenen Seiten beleuchtet werden können. Die Gefahr einer Verschattung durch seitlich einfallendes Streiflicht kann mittels der gezielten Ausrichtung der Strahler vermieden werden.

Um die jeweils gewünschte Lichtstimmung zu erzielen, werden verschiedene Leuchtmittel verwendet. Stromschienen gibt es in Hochvolt, dies ist die übliche Netzspannung von 230 Volt, oder in Niedervolt, entspricht 12 Volt Spannung; mittels Trafo wird die Spannung heruntertransformiert. Für ein gleichmäßig flächiges Licht werden auch Leuchtstofflampen in speziellen Stromschienen, auch in Kombination mit Strahlern für zusätzlich gewünschtes Punktlicht eingesetzt.

Bei Hochvolt-Systemen ist die 3-Phasen-Schiene am verbreitetsten, da man drei Schaltkreise belegen kann, etwa zwei für die Ausstellungsbeleuchtung und eine Phase für ein Reinigungslicht, das nur auf die Verkehrswege gerichtet ist. Die Hochvolt-Stromschiene aus Aluminium wird in rechteckiger Form oder in einem Rundrohr angeboten, in Weiß bzw. Schwarz pulverbeschichtet oder silbereloxiert. Auch Sonderfarben sind erhältlich. Es gibt die Schienen nur in bestimmten Längen, sie sind aber vor Ort auf jedes Maß kürzbar. Gerade, kreuzförmige oder rechtwinklige sowie in der Richtung flexible Kupplungselemente ermöglichen raumspezifische Gestaltungsformen und unterschiedlichste Lichtstrukturen. Strahler mit Reflektoren für flächige oder punktuelle Ausleuchtung bieten die Firmen in den Farben der Schienen an. Als Leuchtmittel wird sehr oft die Allgebrauchsglühlampe (Glühbirne) in mattierter Ausführung verwendet. Der matte Glaskolben dämpft die Schattenbildung und reduziert die Blendung im Gegensatz zu einer mit klarem Glas. Reflektorglühlampen und Kompaktleuchtstofflampen können ebenfalls je nach Wunsch eingesetzt werden.

Niedervolt-Systeme gibt es mit 1- und 2-Phasen. Diese speziellen Trägersysteme gibt es in verschiedenen Ausführungen: als Drahtseile aus Kupferlitzen, die horizontal parallel im Raum von Wand zu Wand verspannt werden, als Schienen aus Kupferprofilen oder -rohren, als Aluminiumprofile mit Kupferleitern wie bei der Hochvoltschiene, nur in wesentlich kleinerer Größe und mit verschiedensten Oberflächenvariationen. Längen und Verbindungsteile sind ähnlich wie bei den herkömmlichen Schienen für Netzspannung.

Außer der filigranen Bauweise von Schiene und Strahler sind insbesondere die Leuchtmittel in der Niedervoltspannung als eine Innovation in der lichttechnischen Entwicklung zu sehen.

Die Lichtausbeute wird fast verdoppelt bei wesentlich geringeren Wattstufen und die Lebensdauer erheblich verlängert bei sehr kleinen Abmessungen.

Übliche Leuchtmittel sind die Kaltlichtreflektorlampen und die Stiftsockellampen. Niedervolt-Halogen-Kaltlichtreflektorlampen haben, wie die Bezeichnung verrät, einen speziellen Reflektor, der die Wärmestrahlung im Lichtbündel nach vorne zu dem Objekt um ca. 66% reduziert. Diese erzeugte Energie wird durch den Reflektor an die umgebende Raumluft abgegeben. Dies bedeutet weniger Wärmebestrahlung auf das Objekt, aber eventuell mehr Wärmespeicherung in der Decke bei zu geringem Abstand der Leuchte. Diese Leuchtmittel werden sehr oft in Strahlern ohne Reflektor verwendet.[1]

Manchmal ist auch nur eine indirekte Beleuchtung der Ausstellung möglich, wenn eine historische Decke die Installation von Schienen verbietet. Dann können Stehleuchten das Licht an die Decke strahlen, von der es wieder reflektiert wird. Diese Beleuchtungsart funktioniert nur bei einer ausreichenden Raumhöhe von über 3 m und bei einer hellen Deckenfläche, da dunkle Flächen zuviel Licht schlucken. In diesem Fall müßten wesentlich stärkere Leuchtmittel verwendet werden, die dann wiederum mehr Wärme an den Raum abgeben und das Raumklima daher negativ beeinflussen.

Vitrinenbeleuchtung

Ein weiterer Aspekt in der Ausstellungsbeleuchtung ist die Vitrinenbeleuchtung. Hier sind Hochvitrinen, Tischvitrinen und Schaukästen an Trägerwänden zu beleuchten. Bei der Beleuchtung von

In einer neuerbauten Scheune des Oberpfälzer Kultur- und Militär-Museums in Grafenwöhr wird die Geschichte des Truppenübungsplatzes und eine Uniformsammlung gezeigt. Hier ist eine Hochvoltbeleuchtung als 3-Phasen-Stromschienen mit Reflektorstrahlern und mattierten Glühlampen eingesetzt. Die Stromschienen sind an Drahtseilen abgependelt. Trotz dunkler Raumhülle treten die Strahler optisch stark hervor, bedingt durch ihre Größe.

Im Hauptgebäude des Museums in Grafenwöhr, dem denkmalgeschützten Zehentstadel aus dem 16. Jahrhundert, wird in den Ausstellungsräumen ein Niedervolt-Schienen-System verwendet, das von der Decke mit Drahtseilen abgehängt ist. Im direkten Vergleich mit der Hochvoltbeleuchtung sind die kleinen Beleuchtungskörper und die filigranen Stromschienen dieses Niedervoltsystems unauffälliger in der Erscheinung. Die inhaltliche und gestalterische Konzeption nimmt Rücksicht auf die historische Raumhülle. Das Tageslicht wird nicht ausgeschlossen. Durch die Plazierung gefährdeter Objekte entfernt von den kleinformatigen Fenstern wird das natürliche Licht während des Tages mit genutzt. Ungünstig wirken die weißen Trafos.

Vitrinen hat man früher das Leuchtmittel, meistens Leuchtstofflampen, in der Vitrine, ohne irgendeine Abkoppelung vom Vitrinenraum, offen, zum Beispiel an der Vitrinendecke installiert. Die Problematik der Wärmeabgabe an die Objekte und die objektausbleichende Wirkung der UV-Strahlung der Leuchtstofflampe wurde erst in späteren Jahren berücksichtigt. Heute sucht man nach neuen Lösungen.

Man beleuchtet transparente Vitrinenkörper aus Glas oder Acrylglas über das Raumlicht mit Stromschiene und Strahler. Hier erwärmt sich der Vitrineninnenraum nicht, da die Lampen in ausreichender Entfernung plaziert sind. Mit der Auswahl eines entsprechenden Leuchtmittels kann eine UV-Schädigung reduziert, mit zusätzlichem Filter ausgeschlossen werden. Von Nachteil kann die auf der Verglasung auftretende Lichtreflexion sein. Deshalb muß der Einfallswinkel des Lichtes (=Ausfallswinkel) in Augenhöhe der Betrachter vermieden werden.

Für die Ausleuchtung der Vitrinen werden in der Regel mehrere Strahler benötigt, um starke Schlagschatten gerade bei dreidimensionalen Objekten zu mildern. Die Beleuchtung der Tischvitrinen über das Raumlicht ist wegen der Lichtreflektion in der Verglasung und die eventuelle Verschattung durch den Besucher, wenn das Licht hinter dem Betrachter installiert ist, sehr problematisch. In solchen Situationen empfiehlt sich eine

Die Vitrinen für Fayence, Porzellan, Steingut und Email sind im Stadtmuseum Amberg mit Seitenlicht versehen. Die Leuchtelemente sind in den Seitenteilen der Vitrine auf ganzer Höhe eingelassen. Die Lichtmenge ist ausreichend. Kritisch anzumerken ist die ungehinderte Wärmeabgabe der Leuchtmittel und der zugehörigen Vorschaltgeräte in dem Vitrinenraum, auch die fehlende Lichtabschirmung nach vorne zum Betrachter. Durch die Helligkeitsunterschiede zwischen den Seiten und im mittleren Vitrinenbereich werden die Augen der Besucher stärker gefordert, dies auszugleichen. Beim direkten Blick auf die Lichtquellen kann Blendung auftreten.

Ausrichtung der Strahler von den Seiten und/oder über indirekte Lichtreflexion von einer der Vitrine zugeordneten senkrechten Wandfläche.

Bei Hochvitrinen besteht die Möglichkeit, eine Lichthaube oben aufzusetzen, in die Leuchtstofflampen mit zugehörigen Vorschaltgeräten installiert werden. Die Wärmeabgabe in den Vitrineninnenraum wird durch eine luft- und staubdichte Verglasung und ausreichende Be- und Entlüftungsöffnungen, die mit Staubfilter versehen sind, verhindert. Spezielle Folien oder UV-absorbierendes Acrylglas halten die UV-Strahlung der Leuchtstofflampe ab. Eine gleichmäßige Lichtverteilung und ein Ausschluß der Lichtblendung ermöglicht ein parabolverspiegeltes Lichtraster am Beleuchtungskorpus, das unten zu dem Vitrinenraum befestigt wird. Von Nachteil ist die im Innenraum nach unten sich reduzierende Lichtmenge und ebenso die Verschattung nach unten durch beleuchtete Objekte und Träger. Der untere Vitrinenbereich bedarf daher einer zusätzlichen Beleuchtung durch das Raumlicht, damit verschattete Objekte besser wahrgenommen werden.

Eine ähnliche Beleuchtung kann auch von den Seiten der Vitrinen erfolgen. Die Leuchtelemente sind in den Seitenteilen der Vitrine auf ganzer Höhe eingelassen. Es ist jedoch auch hier darauf zu achten, daß Leuchtmittel und das zugehörige Vorschaltgerät keine Wärme ungehindert in den Vitrinenraum abgeben.

Eine Kombination von Decken- und Seitenlicht ist für eine Beleuchtung der Vitrinen sicher die richtige Lösung. Dies gilt für eingebaute Vitrinen in Trägerwänden oder Mauernischen. Bei freistehenden Vitrinen in kleinen Räumen werden durch die technisch bedingten voluminösen Lichtkästen diese aber zu dominant. Eine zurückhaltende Erscheinung ist gerade in diesen Fällen erwünscht. Das Problem der Wärmeabgabe von drei Seiten und die erhöhte Lichtstärke in der Nähe der Beleuchtungskörper ist nur mit hohem technischem Aufwand zu bewältigen. Mechanische Abführung der Lichtwärme und Dimmung der Leuchtmittel ist zu gewährleisten.

Werden bewegliche Spotstrahler, zum Beispiel mit Niedervolt-Halogen-Kaltlichtreflektorlampen bestückt, in der Vitrinendecke eingebaut oder seitlich in der Vitrine an einer Stromschiene befestigt, ist die Wärmeabgabe und der UV-Anteil der Leuchtmittel zu beachten. Bei täglichen, längeren Öffnungszeiten sollte die Beleuchtung außerhalb vom Vitrineninnenraum installiert werden. Die Wärmeabgabe der Leuchtmittel wird durch die Einschaltdauer das Vitrinenklima zu stark verändern, die Luftfeuchte sich auf kritische Werte unter 45% relative Luftfeuchte verringern. In der Praxis werden Spotstrahler selten eingesetzt, nur dort, wo einzelne Objekte hervorgehoben werden sollen. Durch den geringen Abstand zwischen Objekt und Lichtquelle ist eine gute Ausleuchtung größerer Objekte nicht möglich, sie eignen sich daher nur für eine punktuelle Beleuchtung. Diese Art der Vitrinenbeleuchtung eignet sich allerdings nur für lichtunempfindliche Objekte.

Eine neue revolutionäre Beleuchtungsmöglichkeit der Vitrinen ist der Einsatz der Lichtleitertechnik, auch faseroptische Systeme genannt. Hier wird das Licht von einer außerhalb des Vitrinenraumes punktförmigen Lichtquelle in einer Lichtbox, Projektor oder Generator genannt, mittels eines speziellen Reflektors in haarfeine, gebündelte besondere Fasern aus Glas oder Kunststoff projeziert und durch diese in die Vitrine geleitet. Am Ende der Fasern tritt es als sogenanntes Kaltlicht aus. Wegen der Lichtbrechung in den Fasern enthält es keine UV-Strahlung und nur wenig Infrarotanteile. Die Wärmestrahlung wird in der Lichtbox durch einen vorgeschalteten Filter eliminiert. Die Länge der Lichtleiter ist variabel zwischen 3 und ca. 10 m. Größenquerschnitt und Anzahl der Leiter richtet sich nach der erwünschten Leuchtdichte. Die Auswahl von Leuchtmitteln wird je nach geforderter Lichtintensität und dem gegebenen Lichtverlust durch die Länge der Leitern sowie dem Projektortyp getroffen.

Diese Lichttechnik ist das ideale System für die Ausleuchtung aller lichtempfindlichen Objekte. Die filigranen Lichtleiter können an beliebiger Stelle in der Vitrine plaziert werden, in schmalen Trägerprofilen, im Boden oder in der Decke. Seitlich und oben angebrachte Lichtaustritte werden mit optischen Linsen für punktuelles oder flächiges Licht ausgestattet. Oder sie »arbeiten« über Spiegelreflexion: hier wird das Licht am Vitrinenboden innen hinter der Frontverglasung installiert und auf eine Spiegelfläche an der Decke gerichtet und von dieser weit streuend reflektiert. In den Anschaffungskosten sind Lichtleiter und Zubehör noch sehr teuer. Die Zukunft der Vitrinenbeleuchtung wird aber gerade bei lichtempfindlichen Objekten dieser neuen Technik gehören und die Preise werden sich durch vermehrte Nachfrage mit der Zeit nach unten bewegen. Man blicke nur auf die preisliche und technische Entwicklung der Niedervoltbeleuchtung. Diese war zu Beginn auch sehr teuer und kann jetzt mit Hochvolt-Beleuchtung konkurrieren.

Beleuchtung von Informationstafeln

Eine spezielle Aufgabe bedeutet die Beleuchtung von Dokumentationstafeln in historischen Räumen, wo der Raum selber Museumsobjekt ist. Dieses Problem taucht vor allem in den Architekturobjekten der Freilichtmuseen oder in Museen mit niedriger Raumhöhe auf und zwar dann, wenn man keine Stromschiene oder Einzelstrahler an der Decke installieren kann. In solchen authentischen Einrichtungen ist des öfteren ein zugehöriges Raumlicht schon an der Decke plaziert, ohne daß es elektrifiziert ist. Eine zusätzliche neue Beleuchtung für Informationstafeln durch eine eigene Stromschiene mit Strahlern scheidet in diesen Fällen aus, da dies ein Eingriff in die originale Bausituation bedeuten würde.

Sinnvoll zu lösen ist dieses Problem, indem die Beleuchtung direkt mit der Texttafel verbunden wird, als sogenannte Tafelausleger mit bestimmten Leuchtmitteln. Diese Art wird im Messebau, aber auch bei Sonderausstellungen als Beleuchtung von Stellwänden schon länger eingesetzt. Verwendet man kleine Leuchtmittel, so erzeugen diese eine begrenzte, kreisförmige Beleuchtungsfläche. Die Informationsfläche ist dann zwar nicht gleichmäßig ausgeleuchtet, aber für kleine Informationsflächen ausreichend.

Für eine gleichmäßige vertikale Ausleuchtung von größeren Texttafeln benötigt man eine besondere lichttechnische Lösung, da die Lichtmenge sich im Quadrat der Entfernung verringert und daher oben auf der Tafelfläche viel und nach unten immer weniger Licht von der Leuchte ankommt. Dies war für die Landesstelle der Anlaß, projektbezogen einen speziellen Reflektor entwickeln zu lassen, der die Lichtverteilung auf der Fläche opti-

miert. Als Leuchtmittel wurde eine sehr dünne Leuchtstofflampe ausgewählt. Die flächige Beleuchtungsmöglichkeit für Dokumentationsflächen wurde wesentlich verbessert. Die filigrane Bauart der Leuchte ermöglicht eine unauffällige, aber ausreichende Ausleuchtung des Informationstextes, ohne mit der Einrichtung deshalb in Konkurrenz zu treten

Lichtschutz für museale Objekte

Die Sammlungsbestände in den Museen bestehen aus mehr und weniger lichtgefährdeten Objekten. Bei lichtempfindlichen Gegenständen, wie etwa Aquarelle, können sowohl Tageslicht als auch künstliche Beleuchtung irreparable Schäden verursachen. Schadensursache sind bestimmte Strahlen innerhalb des Lichtspektrums. Man unterscheidet zwischen dem sichtbaren Licht und den angrenzenden, nichtsichtbaren ultravioletten und Infrarotstrahlen.[2] Besonders der kurzwellige ultraviolette Bereich führt zu photochemischen Reaktionen, was bei Objekten unter anderem Farbveränderungen verursacht. Schädigend sind auch die Infrarotstrahlen. Sie erzeugen eine Erwärmung der Objektoberfläche und können somit für das Austrocknen, für Fassungsschwund, Risse etc. verantwortlich sein.[3]

Aus diesem Grunde gelten für Museumsobjekte aus konservatorischen Gründen folgende Richtwerte: besonders lichtgefährdete Sammlungsbestände dürfen nur mit 50 Lux Beleuchtungsstärke ausgestellt werden, weniger empfindliche Exponate bis zu 300 Lux. Beleuchtungsstärke und die Zeitdauer, in der das Stück bestrahlt wird, entscheiden über den Grad der Objektschädigung.[4]

Tageslicht besitzt sehr hohe Beleuchtungsstärken: bei wolkenlosem Himmel und direkter Sonneneinstrahlung über 100 000 Lux, bei bedecktem Himmel noch immer um die 1 000 Lux und mehr. In museal genutzten Räumen gilt es, diesen hohen Lichtwerten entgegenzuwirken. Eine einfache Lichtschutzmaßnahme bedeuten Fenstervorhänge, je nach Anforderung mit unterschiedlicher Webdichte. Zwar wird die Strahlungsintensität dadurch verringert, aber die Gefährdung durch Infrarot nicht verhindert. Besonders bei der Anbringung der Vorhänge vor der Fensterlaibung, also mit einem größeren Abstand zur Verglasung werden die Energiestrahlen beim Durchdringen der Fensterverglasung physikalisch bedingt gebrochen und von der Vorhangfläche nicht mehr zurückreflektiert. Die Wärme staut sich zwischen Fenster und Vorhang, da sie nicht entweichen kann. Durch die zusätzliche Sonnenlichteinstrahlung erhöht sich außerdem die Raumtemperatur. Die Folge ist geringe relative Luftfeuchte, eine Luftbefeuchtung wird für das konservatorisch erforderliche Klima notwendig. Bei nah am Glas angebrachten Lichtschutzvorhängen oder -rollos kann ein Teil der Wärmestrahlung dagegen wieder nach außen gelangen.

Eine Stellwand, die das Fenster vollflächig verdeckt, schließt das sichtbare Licht und den UV-Bereich ganz aus. Der Infrarotanteil des Tageslichtes dringt dennoch ein, wobei die Erwärmung des Raumes durch die Absorption der Platte langsamer stattfindet. Die Fläche dieser Wand wird in der Regel für die Objektpräsentation genützt. Durch die Einstrahlung erwärmt sich die raumseitige Stellwandoberfläche, je nach Himmelsrichtung des Fensters mehr oder weniger. Dadurch kann es zu Schäden an den Gegenständen kommen.

Links oben: Bei der Ausstellung »Kleidung, Handwerk« im Stadtmuseum Amberg wurden wegen fehlender Beleuchtungsmöglichkeit über das Raumlicht Texttafeln mit Tafelauslegern in Niedervolttechnik beleuchtet. Die kleinen Leuchtmittel, Niedervolt-Kaltlichtreflektorleuchten, erzeugen eine begrenzte, kreisförmige Beleuchtungsfläche. Die Informationsflächen werden nicht gleichmäßig, aber ausreichend ausgeleuchtet, bedingt durch kleine Bauform und Abstand des Leuchtmittels zur Fläche.

Links unten: In dem Architekturobjekt Tanzer-Hof im Freilichtmuseum Finsterau ist die Dokumentationstafel mit einer flächig gleichmäßigen Beleuchtung ausgestattet. Der speziell entwickelte Reflektor verteilt die Lichtmenge asymmetrisch nach unten und durch das längliche Leuchtmittel, eine sehr dünne Leuchtstofflampe, wird die Tafelbreite gut ausgeleuchtet. Die filigrane Erscheinung dieser Leuchte ermöglicht eine optisch zurückhaltende Tafelbeleuchtung und eignet sich daher besonders für die museale Nutzung.

Eine UV-Schutzmaßnahme an den Fenstern läßt sich am besten dadurch vornehmen, daß spezielle transparente Schutzfolien auf die Glasflächen der Fenster geklebt werden. Während der Ruhezeit eines Museums kann man durch geschlossene Rollos das Tageslicht völlig ausschließen. Hierbei ist ein verantwortungsvolles und verläßliches Museumspersonal gefragt.

Empfindliche Materialien, wie Aquarelle etc. sollten generell nicht mit Tageslicht direkt beleuchtet werden. Kunstlicht ist hier besser geeignet, da es wesentlich leichter zu steuern ist.

Bei der künstlichen Beleuchtung ist die Wärmeabgabe durch die Leuchtmittel zu berücksichtigen. Hier wird der elektrische Strom, die Energiezufuhr, im Leuchtmittel überwiegend in Wärme umgesetzt. Diese kann ebenso wie die Infrarotstrahlung des Tageslichtes das Raumklima verändern und zur Schadensbildung an Objekten beitragen.[5]

Die täglichen Betriebsstunden und die elektrische Anschlußleistung der Lampen ist für die rechnerische Ermittlung der Beleuchtungswärme notwendig. In der Praxis hat sich folgende Vorgehensweise bewährt:

- Ausreichender Abstand der Beleuchtungskörper zu Bauteilen wie Wand und Decke, damit keine Wärmespeicherung in den Bauteilen ensteht. Bei innenarchitektonischen Elementen, wie Stellwand und Vitrine ist eine Erwärmung der Trägerfläche und des Vitrinen-Innenraumes durch die Beleuchtung zu verhindern. Ebenso ist die Distanz zu den Ausstellungsstücken einzuhalten.
- Einsatz von Leuchtmitteln mit niedrigen Leistungsstufen. Die herkömmliche Glühlampe mit 25 und 40 Watt, Leuchtstofflampen mit 18 Watt und weniger, Kompakt-Leuchtstofflampen, sogenannte Energiesparlampen mit 11–20 Watt, Niedervolt-Kaltlichtspiegellampe mit 20–50 Watt und Niedervolt-Stiftsockellampe mit 10–20 Watt. Beim Einsatz der Niedervolttechnik ist die Wärmeabgabe des Trafos zu beachten und die Wärmespeicherung durch thermische Abkoppelung vom Bauteil zu vermindern.
- Zeitschaltuhren und Lichtsensoren zur Begrenzung der Beleuchtungsdauer
- Lichtakzente können bei reduzierter Leuchtdichte bereits mit geringen Wattstufen (von 20–50 Watt bei Niedervolt) erreicht werden.

Betrachtet man die Beleuchtung unter dem Aspekt der Betriebskosten, empfiehlt sich sofort der Einsatz von Leuchtmitteln mit geringen Wattzahlen, da die Unterhaltskosten der Museen heutzutage bei den geringen finanziellen Mitteln in den Haushalten der Träger immer mehr beschränkt werden.

Besuchergerechte Beleuchtung

Die physikalischen und physiologischen Funktionszusammenhänge der Wahrnehmung sollen hier nicht vertieft werden. Nur zwei Aspekte, die besonders im Museum Bedeutung haben, gilt es, näher zu betrachten: die Adaptation und die Blendung.[6]

Um das Nachfolgende besser verstehen zu können, sind einige Erläuterungen zur Leuchtdichte und Beleuchtungsstärke notwendig. Die den Betrachter umgebende, sichtbare Helligkeit, man spricht von der Leuchtdichte, ist Voraussetzung für eine leichte oder erschwerte Informationsaufnahme. Sie ist das von einer Fläche ausgehende, reflektierte Licht, das der Betrachter wahrnimmt. Nicht zu verwechseln mit der Beleuchtungsstärke, die jenes Licht umfaßt, das von der Lichtquelle auf die Fläche auftrifft. Die Beleuchtungsstärke entscheidet über das Maß der Lichtschädigung am Objekt (siehe oben).

Mit dem Begriff »Adaptationsvorgang« ist die Fähigkeit des Auges gemeint, sich auf unterschiedliche Helligkeiten einstellen zu können. Dieser Vorgang ist Voraussetzung für eine gute Wahrnehmung.[7]

Die Erfahrung hat jeder von uns schon selbst gemacht. Tritt man aus einem Haus ins Freie bei schönstem Sonnenschein, so ist man plötzlich durch die starke Helligkeit geblendet. Kurze Zeit später stört das helle Tageslicht nicht mehr, das Auge hat sich darauf eingestellt. Die Pupille hat sich wegen der hohen Leuchtdichte verkleinert. Ähnlich verhält es sich umgekehrt von heller Umgebung in wesentlich dunklere. Der Adaptationsvorgang dauert hier aber länger. Um etwas in abgedunkelten Räumen wahrnehmen zu können, muß sich die Pupille weit öffnen.

Dies trifft besonders auf museale Präsentationen von lichtempfindlichen Objekten zu, wo mit geringen Beleuchtungsstärken gearbeitet wird. Eine längere Zeitdauer der Adaptation kann man dadurch verhindern, daß in den Ausstellungsräumen geringe Helligkeitsunterschiede herrschen und daß man einen langsamen Übergang von hellen zu dunkleren Räumen und umgekehrt schafft. Der Besucher soll mit entspannter Pupille die Objekte betrachten können, denn dadurch wird sein subjektives Wohlbefinden positiv beeinflußt. Er wird dadurch entlastet, sich auf stark variierende Helligkeiten einstellen zu müssen. Besonders bei älteren Menschen werden die Augen hierbei stärker strapaziert und ermüden schneller.

Das Problem von starken Kontrasten in der Helligkeit ergibt sich auch bei der indirekten Beleuchtung über die Deckenfläche oder über Tages- und Kunstlichtdecken. Damit die Ausstellungsflächen im Raum gut beleuchtet werden, muß viel mehr Licht an die Decke gerichtet oder von einer Lichtdecke ausgehen, da sich die Lichtmenge physikalisch bedingt im Quadrat der Entfernung halbiert. Viel Licht an der Decke bewirkt beim Betreten des Raumes automatisch eine Verengung der Pupille, bevor sich das Auge auf die wesentlich geringere Helligkeit am Objekt erneut einstellt. Je nach Unterschied der Leuchtdichten wird die Adaptation andauern und der Besucher dadurch mental belastet.

Der Einsatz von Leuchtmitteln mit größerer Leistung kann zudem das Raumklima durch zu starke Wärmeabgabe an den Raum und durch Speicherung in der Decke negativ beeinflussen. Bei direkter Beleuchtung ist dies leichter zu vermeiden.

In der Praxis hat sich eine direkte Beleuchtung der Austellung mit geringen Helligkeitsunterschieden für eine angenehme Wahrnehmung bewährt.

Blendungen in Vitrinenverglasungen, sog. Reflexblendungen, können einen Ausstellungsbesuch wesentlich beeinträchtigen. Daher ist auf richtige Positionierung der Leuchten zu achten. Falsch angebrachte Strahler bilden sich auf Vitrinenverglasungen und verglasten Stellwänden ab und blenden den Besucher, da nach dem Reflexionsgesetz der Einfallswinkel des Lichtes dem Ausfallswinkel entspricht. Auch durch die Leuchte selbst ist eine Direktblendung im Raum möglich. Die Plazierung der Beleuchtungselemente und deren Lichtmenge ist daher insgesamt wohlüberlegt zu treffen. Bei gegenüberliegenden Vitrinen mit integrierter Beleuchtung lassen sich ähnliche Lichtstörungen feststellen, die beleuchteten Flächen erscheinen als gegenseitige Reflexe auf der jeweils anderen Glasscheibe.[8]

Wie die künstliche Beleuchtung so kann auch das Tageslicht eine Blendung hervorrufen. Bei der Einrichtungsplanung sind Fensternähe oder gegenüberliegende Verglasungen daher immer zu berücksichtigen. Auf den Glasscheiben kann sich das einfallende Tageslicht reflektieren, der Besucher wird geblendet und ein Betrachten der ausgestellten Objekte somit stark beeinträchtigt.

Sinn all dieser Überlegungen zu Lichtstärke, Beleuchtungsdauer, Plazierung der Leuchtkörper und Lichtschutzmaßnahmen ist es, einerseits den Sammlungsbeständen ein optimales Umfeld zu schaffen, damit diese für die künftigen Generationen erhalten bleiben. Andererseits sind diese Maßnahmen notwendig, um auch dem Besucher die bestmögliche Präsentation der Ausstellungsobjekte zu bieten. Aus den genannten Gründen wird verständlich, warum oftmals, für den Laien unverständlich, ein so großer Aufwand bei der Installation von Licht betrieben wird. Eine differenziertere Herangehensweise der Elektroprojektanten und Gestalter an die museumsspezifische Beleuchtung ist notwendig, um die Belange von Gebäude, Besucher und Objekt und um inhaltliche sowie gestalterische Intentionen zu erfüllen.

Anmerkungen

1 Anna Bartl: Beleuchtung im Museum, die Verwendung von Niedervolt-Halogen-Kaltlichtreflektorlampen. In: Restauro, Heft 1, (1993), S. 23–30

2 Peter Prodell: Elektromagnetische Strahlung und Beleuchtung. In: Rudolf Schriker, Licht–Raum Raum–Licht. Stuttgart, 1994, S. 58 und: Schweizerische Lichttechnische Gesellschaft u. a. (Hgg.): Handbuch für Beleuchtung. Zürich, 1975, 4. Auflage, S. 3

3 Henning Großeschmidt: Vorsicht Licht! In: Umgang mit Dingen, 6. Bayerischer Museumstag. München, (1992), S. 49–52
Günter S. Hilbert, Sirri Aydinli, Jürgen Krochmann: Zur Beleuchtung musealer Exponate. In: Restauro, Heft 5, (1991), S. 313–321

4 Sirri Aydinli, Wolfgang Prahl, Georg Roessler, Gerd Schröder: Zulässige Bestrahlungszeiten mit verschiedenen Lichtquellen und Filtern. In: LICHT, Heft 6, (1995), S. 550–557

5 Günter S. Hilbert: Klimaanlagen für Museen – neue Aspekte, Beleuchtungswärme. In: Restauro, Heft 1 (1993), S. 41–42

6 Zur Wahrnehmung, Lichtfarbe und Leuchtmittel weitere Informationen bei Rüdiger Ganslandt, Harald Hofmann: Handbuch der Lichtplanung. Lüdenscheid, 1992, S. 28–84 und: Schweizerische Lichttechnische Gesellschaft u. a. (Hgg.): Handbuch für Beleuchtung. Zürich, 1975, 4. Auflage, S. 25–91

7 Christian Bartenbach: Von der Helligkeit zu Wahrnehmung. In: Rudolf Schriker, wie Anm. 2, S. 16–21

8 Michael F. Rhode: Licht für Stätten der Kunst. In: Rudolf Schriker, wie Anm. 2, S. 126–127

Arbeit mit und für Museumsbesucher

Ob denn der Herr Museumsdirektor dafür Sorge tragen könne, daß Beschriftung dort angebracht werde, wo sie fehle und die unleserlichen »Etiketten« durch leserliche ersetzt werden, schreibt hier ein Herr mit Zylinder ins Beschwerdebuch – Einträge in Besucherbüchern können wichtige Hinweise für Mängel liefern, denen dann in Befragungen gezielt nachgegangen werden kann.

Georg Waldemer

»Am Besucher orientieren«

Die systematische Beschäftigung mit einem wenig bekannten Wesen

»Ich habe immer gesagt und gedacht, daß die Museen in erster Linie für die Objekte und erst in zweiter Linie für die Besucher geschaffen sind...«
Claude Lévi-Strauss, Paris 1992 [1]

»Die Museen der Zukunft sollten auf alle Fälle nicht so sein, wie ich sie gerne haben möchte, sondern wie die Benutzer und Besucher sie sich wünschen.«
Otto Neurath, New York 1933 [2]

Wenn wir uns im Folgenden mit dem Thema Besucherforschung näher befassen, so nicht deshalb, weil es sich dabei um eine lange und in selbstverständlicher Weise in die alltägliche Arbeit vieler Museen integrierte Aktivität handelt – im Gegenteil.

Besucherforschung ist in Bayern heute immer noch selten, ja in den Augen nicht weniger Kollegen und Kolleginnen ist sie wohl immer noch eine eher exotische Bemühung. Seit einigen Jahren aber wächst das Interesse an Besucherstudien merklich, nicht zuletzt angeregt und angetrieben von stagnierenden bzw. sinkenden Besuchszahlen, wie sie die Statistiken seit etwa 1982 vielerorts verzeichnen. [3]

Die folgende Darstellung beginnt mit einer knappen Geschichte von Besucherorientierung, engt sich in Abschnitt 3 dann auf eine Rundschau in die aktuelle Situation in Bayern ein und schließt wiederum mit allgemeineren Überlegungen zur Zukunft der Besucherforschung. Die Geschichte dieser angewandten Wissenschaft in Frankreich, England, USA und Kanada – so wichtig sie in einzelnen Aspekten forschungshistorisch auch ist – wird nur vereinzelt berührt. [4]

Im Vorfeld (bis etwa 1930)

Jede Präsentation im Museum ist auf Vermittlungsarbeit ausgerichtet. Die Geschichte des Museums als Bildungsstätte für eine breitere Öffentlichkeit setzt Mitte des 18. Jahrhunderts mit der Gründung des British Museums [5] ein und tritt in eine Phase starker politischer Indienstnahme mit der Gründung des Musée Central des Arts in Paris, dem späteren Louvre, im Jahre 1793. [6] Vorformen vermittlungsorientierter Präsentation erkennen wir verschiedentlich in den wohldurchdachten Galeriehängungen des 18. Jahrhunderts. Sie waren auf spezifische Sehgewohnheiten und Wahrnehmungsmuster zeitgenössischer Kunstkenner zugeschnitten und in diesem engeren Sinne bereits besucherbezogen. [7] Eine Art der Hinwendung von Museumsleitern an den Besucher von Museen, die wir ernsthaft »besucherorientiert« nennen können, begegnet uns in der Fachliteratur – von frühen Einzelfällen abgesehen – erst gegen Ausgang des 19. Jahrhunderts.

Psychophysik

Einer der frühen Ansätze zur systematischen Beschäftigung mit Besuchern von Ausstellungen und Museen stammt von Gustav Theodor Fechner, einem der »Väter« der modernen Psychologie [8]. Im Jahre 1876 erschien seine »Vorschule der Aesthetik«, in der er unter anderem die Untersuchungsergebnisse zur subjektiven Bewertung unterschiedlicher Bildformate aufbereitete. Dabei bezog sich Fechner allerdings allein auf die Verhältnisse von Höhe zu Breite und ließ Bildinhalt, Darstellungsart und andere Gestaltungselemente völlig außer Betracht. [9]

In wahrnehmungspsychologischer, präziser formuliert in gestaltpsychologischer Richtung fanden diese Beobachtungen einige Jahre darauf ihre Fortsetzung in den Experimenten von H. Möbius, Leiter des Museums für Naturkunde in Berlin, insbesondere in Bezug auf die Farbgebung von Hintergründen. [10] Bemerkenswert ist die Argumentation, mit der Möbius seine Untersuchungen begründete: *»Man hat in einem Museum, dem* *man ein oder zwei Stunden widmet, so viel Nervensubstanz zu verwenden, daß es höchst wichtig ist, auch die geringste unnötige Anstrengung zu vermeiden.«* [11] Hiermit formulierte Möbius bereits 1903 deutlich aus, was nach Gilmans Aufsatz von 1916 unter »Museum Fatigue« zu einem der bleibenden Themen von Besucherstudien werden sollte. [12]

Reformpädagogik

Welch enorme Wirkung reformpädagogische Strömungen der Zeit von etwa 1900–1925 auf das Museumswesen ausübten, haben vor allem Kaldewei und Kuntz im Überblick dargestellt. [13] Deshalb sollen an dieser Stelle einige kurze Notizen genügen:

Der Bildungsanspruch der Kunstgewerbemuseen auf Geschmacksverfeinerung in allen Sozial- und Bildungsschichten der Bevölkerung fand um etwa 1900 im Bereich der Kunstmuseen seine Entsprechung in der Kunsterzieherbewegung. Ihre Geschichte ist wiederum untrennbar mit dem Wirken Alfred Lichtwarks verbunden, von 1886–1914 Direktor der Hamburger Kunsthalle. Vorbildcharakter gewann in jenen Jahren in diesem Zusammenhang die stark pädagogisch orientierte Arbeit von Museen in den Vereinigten Staaten, wie sie u.a. von Autoren wie Dedekam,[14] Meyer,[15] Lehmann,[16] Valentiner [17] und später Zimmer [18] in den deutschen Fachorganen positiv, ja zuweilen euphorisch präsentiert wurden. Im Unterschied zur »alten Welt« lag und liegt in den USA das Hauptgewicht der Museumsarbeit nicht in der Bewahrung und Archivierung von Sachzeugen, sondern vielmehr in der programmatischen Vermittlung von Inhalten, der »Communication of Ideas« unter Zuhilfenahme von (Museums-)Objekten.[19] Schon früh tauchte dementsprechend auch der Begriff »Center of Learning« auf,[20] schon früh wurden umfassende museumspädagogische Programme entwickelt und vielfach ein straff organisierter Medienleihverkehr installiert. [21]

Aus den genannten pädagogischen Ansätzen heraus wuchsen auch in Europa eine Reihe von Forderungen für eine in diesem Sinne gesellschaftlich wirksame Museumsarbeit: Ansprechen aller Bevölkerungsschichten, auch und gerade der Arbeiterschaft; folglich ausgedehnte Öffnungszeiten, vor allem auch an Abenden; didaktische Aufbereitung des Materials in der öffentlichen Schausammlung, Magazinierung für die Fachleute in der Studiensammlung und Überlegungen zur Zielgruppenorientierung. [22]

Wenn manche Autoren damit auch schon eine »demokratische« Zukunft heraufdämmern sahen, deutet doch Manches darauf hin, daß zu Wilhelminischen Zeiten tatsächlich wenig davon umgesetzt wurde: Karl Koetschau, seit 1905 Herausgeber der international orientierten Zeitschrift »Museumskunde«, hatte im Vorwort zum Sammelband »Die Kunst-Museen und das deutsche Volk« 1919 mit Blick auf die Programmatik des 1917 gegründeten Museumsbundes formuliert: *»Wir wollen Bewegung schaffen, damit die aufgespeicherten Schätze der Vergangenheit in Wahrheit lebendig werden... Die hier zum Ausdruck gebrachten Gesinnungen hegten wir ehe die Revolution eine neue politische Ordnung schuf.«* [23] Nach der Revolution von 1918/19 scheinen in weiten Kreisen der Museumslandschaft die Bekenntnisse zu einem demokratischen Lernort Museum Konjunktur gehabt zu haben, wozu K. H. Jakob-Friesen 1921 recht abfällig anmerkte: *»Fast möchte es scheinen, als seien die Forderungen, die ich hier aufgestellt habe* [nach didaktischer Präsentation] *erst ein Produkt der Revolution, die manchen veranlaßte, plötzlich sein volkstümliches Herz zu entdecken.«* [24] Preiß resümiert zur Museumsentwicklung der Weimarer Republik nüchtern: *»Die angesprochene Verbindung von Demokratie und Museumsbetrieb hatte mithin nur den Zweck, sich der neuen Republik anzuempfehlen und einen Selbstbehauptungskampf um öffentliche Anerkennung und die damit verbundenen Mittel zu führen.«* [25]

Erste Ansätze zu einer lerntheoretisch begründeten Didaktik scheinen in den 20er Jahren nicht zuletzt mit dem Aufschwung der sogenannten Sozialmuseen erfolgt zu sein. So fächert beispielsweise Fraenkel bereits 1929 die Bedingungen eines Ausstellungsbesuchs auf in »pädagogische«, »psychologische« und »physiologische« und betont weiterhin in überraschend moderner Diktion: *»Wir müssen uns immer wieder bewußt werden, daß wir mit oft neuartigen und fremdartigen Fragenkomplexen an unsere Beschauer her-*

Der Vorläufer aller Science Center: die »Urania« in Berlin, wo schon 1889 Besucher »interaktiv« ihr Verständnis für physikalische Phänomene vertiefen konnten – eine frühe Form »besucherorientierter« Präsentation.

antreten. Es ist ein viel größerer Fehler, über den Kopf der Besucher hinwegzureden, als zu einfach, zu primitiv zu sprechen«.[26] Im selben Jahr trug auch K. Wanderer in seinem »Geologischen Museumsbrief aus dem Dresdner Zwinger« didaktisch begründete Thesen zur Ausstellungskonzeption vor: *»Aber der Gegenstand der Ausstellung ist gar nicht so wichtig als vielmehr die Frage für wen stellt man in einem öffentlichen Museum aus? Sie erscheint mir als die Kardinalfrage für jede Ausstellung«.*[27] Sehr weitblickend klingt seine Forderung: *»Auch der flüchtigste Besucher soll von der Ausstellung etwas mitnehmen«,*[28] was nach seiner Überzeugung vor allem mit großer Anschaulichkeit der Darstellung gelingen könne. Auch Wanderer war jedoch weit von systematischen Untersuchungen des Besucherverhaltens entfernt. Er schlug – mit heutigen Worten ausgedrückt – »teilnehmendes Beobachten« vor: *»Es gibt kaum ein besseres Mittel seine ›Kundschaft‹ kennenzulernen, als daß man von Zeit zu Zeit seinen weißen Museumskittel auszieht, sich harmlos unter die Besucher mischt und nur horcht«.*[29]

Statistik (und eine Entdeckung)

Vergleichende statistische Übersichten zu Besuchszahlen in Museen setzen relativ spät ein. Zu einzelnen Museen, vornehmlich den großen Häusern, liegen allerdings schon bald nach ihrer Gründung Zahlen vor, so zum Beispiel zum Britischen Museum. Die Besuchszahlen erreichten dort zwischen 1753 und 1773 durchschnittlich etwa 10 000 im Jahr.[30] Ebenso erhob man bereits die Besuchszahlen von Sonderausstellungen, vor allem der Gewerbe- und später der Weltausstellungen. Die Besuchszahlen dieser mit 1851 einsetzenden Großveranstaltungen machen auch heute noch Eindruck: So zählte die Weltausstellung in London 1851 sechs Millionen Besuche, jene in Paris 1889 ganze 27 Millionen und schließlich die meist besuchte – jene in Paris im Jahr 1900 – 39 Millionen Besuche![31]

Die älteste amtliche Museumsstatistik in Deutschland betrifft das Jahr 1907 und erschien 1910 in der Zeitschrift des Königlich Bayerischen Statistischen Landesamts.[32] Sie enthält neben Übersichten zu den *»Aufwendungen für die öffentlichen staatlichen Museen im Ressort des Königlichen Kultusministeriums«* und Zuschußmitteln auch die Besuchszahlen ausgewählter Museen in Bayern. Diese frühe Erhebung hat Kurt Ulbricht bereits ausführlicher gewürdigt;[33] sie blieb offenbar für lange Zeit die einzige publizierte Zählung von Museumsbesuchen, während weiterhin bei großen kulturellen Sonderausstellungen wie der Hygieneausstellung 1911 (5 Millionen), GESOLEI 1926 (7,5 Millionen) oder den Werkbundausstellungen selbstverständlich über Besuchszahlen Buch geführt wurde.[34]

1930 publizierte C. Zimmer in der Museumskunde seinen Aufsatz *»Eine statistische Erhebung unter den Besuchern des Museums der Naturkunde zu Berlin«.*[35] Dieser frühe Beitrag zur Besucherforschung in Deutschland blieb bislang völlig unbeachtet, so daß er hier eine kurze Würdigung erfahren soll:

Zimmer erhob – *»angeregt durch das Beispiel des Pennsylvania Museum of Arts in Philadelphia«* [36] – mittels Fragebogen nicht nur Daten zur Demographie: *»Ferner wurde gefragt, ob der Gast zum ersten Male das Museum besuche, oder, wenn wiederholt, in welchen Zwischenräumen er komme, was ihn zum Besuch veranlaßt habe, ob die Öffnungszeiten paßten, was besonders interessiert habe, und endlich wurde um Äußerungen von Wünschen und Anregungen gebeten«.* [37] Zimmers Auswertung stützte sich auf einen Rücklauf von immerhin 570 Fragebögen. Sein Interesse an besucherorientierter Museumsarbeit ist in zwei weiteren Publikationen des Autors dokumentiert: Sein Aufsatz »Vom erstrebenswerten Besucher des naturwissenschaftlichen Museums« von 1929 beginnt wie folgt: *»Daß unsere Naturkundemuseen in der Form, wie sie bisher bestanden, überlebt sind, ist eine Auffassung, die sich immer mehr bei den Museologen geltend macht. Dementsprechend denkt er daran, durch Umstellung des Betriebes das Museum zweckentsprechender und nutzbringender zu gestalten. Ich glaube, daß er gut daran tut, ehe er die Frage entscheidet: Wie soll ich mein Museum umgestalten? sich erst einmal über die andere Frage klar zu werden: Für welche Besucher soll ich mein Museum einrichten?«* [38]

In seinem Vortrag auf der Versammlung des Deutschen Museumstages 1929 in Danzig hatte Zimmer außerdem ausführlich die vorbildliche pädagogische Arbeit vieler nordamerikanischer Museen herausgestellt, wie er sie 1907 und 1928 vor Ort kennengelernt hatte. [39] Zwar war Zimmers »Besucherstudie« aus heutiger Sicht von einigen gravierenden methodischen Mängeln behaftet, doch gelang ihm im europäischen Rahmen eine für die Zeit singuläre Bestandsaufnahme von Besuchereinstellungen und Besucherwünschen. [40]

Im Blickfeld der Soziologie (etwa 1965–1980) Besucherschichten im »Lernort Museum«

In der zweiten Hälfte der 60er Jahre setzte in Deutschland eine Entwicklung ein, die von hausinternen Erhebungen ohne erkennbare Einbindung in die systematische Besucherforschung, wie sie sich in jenen Jahren in Kanada und den USA profilierte, hinführt zu methodisch abgesicherten Analysen auf wissenschaftlicher Grundlage. Im Unterschied zu den USA blieb dabei bis heute die Besucherforschung in Deutschland fast ausschließlich Domäne der Soziologie. [41]

Die früheste publizierte Erhebung im westlichen Nachkriegsdeutschland stammt aus dem Jahr 1964: Günther Schiedlausky am Germanischen Nationalmuseum in Nürnberg berichtete 1965 über *»Probleme und Ergebnisse einer Besucherbefragung...«* [42] Wie schon Zimmer eine Generation früher rekurriert auch Schiedlausky auf eine amerikanische Untersuchung: Sie datiert von 1962 und war beim Seminar der deutschen UNESCO-Kommission in Köln 1963 kurz vorgestellt worden. [43] Mit diesem Treffen unter dem Titel »Die Öffentlichkeitsarbeit der Museen« scheint man insgesamt an einen neuralgischen Punkt der damaligen Museumsarbeit gerührt zu haben: Mitten in der Zeit des deutschen »Wirtschaftswunders« regten sich vielfach kritische Stimmen, die der schwindenden Bedeutung der Museen gegenzusteuern und – Jahre vor der expliziten Politisierung der Szene – das gesellschaftspolitische Gewicht der Museen einzuklagen suchten.

Europaweit begannen Museumsleute um die Mitte der 60er Jahre in diesem geistigen Klima das Instrument der Besucherbefragung zu entdecken. Als isolierte Initiative und ohne breite fachwissenschaftliche Grundlagen kam den Ergebnissen allerdings meist nur lokale Bedeutung zu. Einzig in Frankreich unternahm der Soziologe Pierre Bourdieu in den Jahren 1964/65 eine weitreichend angelegte Enquête mit soziographischen Fragestellungen: In der zweiten Auflage ihres Bandes »L'Amour de l'Art. Le Musée d'Art Européan et Leur Publique« verarbeiteten Bourdieu und Darbel zusätzlich Befragungen in Polen, Italien, Spanien, Griechenland und den Niederlanden. [44] Zusammengerechnet lagen für diese europaweite Enquête, die in erster Linie auf schichtenspezifisches Verhalten gegenüber Kunst-Museen abhob, 28 443 Fragebögen vor! [45]

In Deutschland spitzte sich in den späten 60er Jahren die Situation der Museen zu. Unter dem Begriff »Notlage der Museen« verabschiedeten mehrere überregionale Fachgremien programmatische Papiere: 1965 der Wissenschaftsrat, 1966 die deutsche Kommission der ICOM, 1967 der Deutsche Museumsbund, 1969 die Kultusminister der Bundesrepublik Deutschland.[46]

Paul Vogt skizzierte 1971 diese Jahre folgendermaßen: *»... mehr und mehr begannen Name und Begriff Museum in Mißkredit zu geraten, standen unsere Tradition und Tätigkeit im Mittelpunkt einer zunehmend schärfer werdenden Kritik. Sie richtete sich vor allem gegen das Museale im Museum, gegen veraltete Qualitäts- und Bewertungsmaßstäbe, gegen das Museum als Tempel, als Asyl, als Elfenbeinturm.«*[47] Im Zentrum der Kritik standen die Kunst-Museen, vor allem mit dem Vorwurf *»daß die Kunst in den Museen domestiziert und unwirksam gemacht wird«*[48] 1969 wählte H.P. Riese gar die Überschrift: *»Sollte man sie nicht gleich sprengen? Die deutschen Museen müssen sich selbst besinnen«*, meinte dabei aber wieder in erster Linie die Kunstmuseen.[49]

Das Jahr 1970 markiert in Deutschland den Beginn einer Reihe von programmatischen Publikationen, die allesamt vor dem Hintergrund zu sehen sind, *»daß zwischen 1965 und 1975 viele der bisher weitgehend konformistisch eingestellten Intellektuellen endlich mit bekenntnishaften Plädoyers oder Reformvorschlägen an die Öffentlichkeit traten, in denen sie eine stärkere Demokratisierung der Bildungs- und Kulturinstitutionen sowie ein persönliches Mitspracherecht forderten.«*[50]

Typische Titel sind: »Das Museum der Zukunft« (1970),[51] »Das Museum für eine Gesellschaft von morgen« (1970),[52] »Geschichte als öffentliches Ärgernis: Oder ein Museum für eine demokratische Gesellschaft« (1974),[53] »Das demokratische Museum« (1974),[54] »Das Museum/Lernort kontra Musentempel« (1976),[55] »Museum und demokratische Gesellschaft« (1979).[56]

Der kurze Vorspann zur Situation des Museumswesens in Deutschland in jenen Jahren war notwendig, um die Besucherforschung an westdeutschen Museen nach 1970 in ihrem Kontext besser zu verstehen.

In Westdeutschland waren in den 60er Jahren vereinzelt bereits Befragungen vorgenommen worden, doch – wie bereits dargestellt – noch ohne wissenschaftliches Instrumentarium. Sowohl die in der Soziologie weit entwickelte Erhebungmethodik, als auch die stark gesellschaftspolitisch bestimmte Diskussion um die Institution Museum legte es damals nahe, daß nicht die Psychologie, sondern die Soziologie die Fragestellungen aufnahm und begann, wissenschaftlich zu bearbeiten. Zu den ersten wissenschaftlich fundierten Erhebungen gehörte eine bundesweite Fragebogenaktion von 1971, gemeinsam durchgeführt vom Institut für angewandte Verbraucherforschung und dem Institut für vergleichende Sozialforschung, beide in Köln.[57] Die Autoren waren Manfred Eisenbeis und Heiner Treinen. Beide sollten in den nachfolgenden Jahren – Eisenbeis bis nach 1980,[58] Treinen bis heute[59] – eine führende Rolle in der Besucherforschung übernehmen. Die Studie von 1971 blieb jedoch unpubliziert.[60]

Im *»Appell zur Soforthilfe für die deutschen Museen, vorgelegt von der deutschen Forschungsgemeinschaft 1971«*[61] rangiert an der Spitze von acht Forderungen die »Errichtung eines zentralen Forschungsinstitutes für Museumsmethodik«.[62] Das Papier führt hierzu aus: *»Die optimale und nachhaltige Einwirkung – von der Gesamtatmosphäre und der architektonischen Gestaltung bis zur Präsentation der Einzelobjekte – auf den Museumsbesucher bedarf der Anwendung und Adaptierung pädagogischer, psychologischer und soziologischer Erkenntnisse. Die dafür erforderlichen experimentellen Untersuchungen fehlen aber in der Bundesrepublik fast völlig. Sie müssen daher sofort und mittels der modernsten Methoden, z.B. der Lernpsychologie, der Informationsübertragung und der Massenkommunikationsforschung begonnen werden. Für diese Arbeit ist ein zentrales, interdisziplinäres ›Forschungsinstitut für Museumsmethodik‹ unentbehrlich. Es sollte sich möglichst in einer Universitätsstadt mit Museen aller Gattungen befinden; München, zugleich Sitz einer technischen Universität, bietet sich an. Für die Anlauffinanzierung sollte eine der großen Stiftungen gewonnen werde«*. Weiter nennt der Appell:

»2.) Untersuchungen zu Öffentlichkeit und Museum

Alle Bemühungen, die reichen Bildungsmöglichkeiten der Museen für einen möglichst großen und vielschichtigen Besucherkreis zu erschließen, erfordern nicht zuletzt Kenntnisse über die Stel-

lung des Museums im Bewußtsein der Öffentlichkeit und über seine Funktion und andere Bildungsfreizeiteinrichtungen. Die hierzu notwendigen Grundlagen sollen unter Heranziehung der Methoden für vergleichende Sozialforschung gewonnen werden, z.B. durch repräsentative Befragungen, wie sie in jüngster Zeit vom Deutschen Museum in München durchgeführt wurden und vom Institut für vergleichende Sozialforschung der Universität Köln unternommen werden. Diese erfreulichen Teiluntersuchungen müssen systematisch fortgesetzt, auf Museen aller Typen und Größen ausgedehnt und koordiniert werden. Die Ergebnisse sollten zentral ausgewertet und damit für Bildungsplanung und praktische Museumsarbeit gleichermaßen nutzbar gemacht werden.« [63]

Anfang der 80er Jahre führte Treinen neben der Kennzeichnung »Massenmedium« für die gesellschaftspolitische Rolle des Museums weitere negativ besetzte Vokabeln in die Fachdiskussion

Aufnahmekapazität erschöpft!
Physiologische und wahrnehmungspsychologische Aspekte machte Möbius in Berlin schon um 1900 zum Untersuchungsgegenstand. Noch heute überfrachten Ausstellungsmacher ihr Produkt zuweilen mit zuviel Information – meist im Textangebot.

ein: »kulturelles Window-Shopping« und »aktives Dösen«. [64] Sie wurden zu Schlagwörtern für jene, die den Diskurs aus kulturpessimistischer Position heraus beliefern. Neben Treinen betritt Anfang der 80er Jahre ein zweiter Lehrstuhlinhaber der Soziologie das Forschungsfeld: Hans-Joachim Klein. [65] Seine Beschäftigung mit der Besucherforschung setzte bereits 1968 mit einer Befragung im Badischen Kunstverein Karlsruhe anläßlich der Ausstellung »Kunst und Politik« [!] ein. [66] Wie einige weitere seiner Analysen aus jenen Jahren blieb dieses Projekt aber unveröffentlicht. [67]

Zwar wurden in den 60er und 70er Jahren eine Reihe von besucherorientierten Untersuchungen an deutschen Museen durchgeführt, doch fehlte – auch nach dem Einstieg der Soziologie – noch immer die Einbettung in die international weit fortgeschrittene Besucherforschung. Annette Noschka-Roos faßt die Ergebnisse aus jener Zeit inhaltlich folgendermaßen zusammen:

»Besucherbefragungen
- *trugen den Charakter von Besucherstrukturanalysen und deckten Gründe für den Besuchsanlaß auf...*
- *sollten dazu dienen die Interessen und Bedürfnisse der Besucher rsp. Nicht-Besucher zu berücksichtigen...*
- *fungierten als Lernzielkontrolle...*
- *untersuchten in qualitativen Studien die für Völkerkundemuseen interessante Fragestellung von Selbst- und Fremdbildern...*
- *wurden zwar mit der ausstellungsdidaktischen Aufgabe verknüpft den Lernzusammenhang zu prüfen und gegebenenfalls zu verbessern, doch in keinem Fall sind systematische Bezüge zur Besucherforschung insgesamt, insbesondere zur angelsächsischen zu finden,...«* [68]

In Bayern sind zu Beginn der 70er Jahre qualitative Studien an zwei renommierten Museen dokumentiert: Im Rahmen der Dürer-Ausstellung am Germanischen Nationalmuseum in Nürnberg und am besucherstärksten Museum der BRD, dem Deutschen Museum.

Die Evaluation zur Ausstellung »Dürer-Studio«, einem museumsdidaktisch wegweisenden Experiment unter der Federführung von Jürgen Rohmeder, erfaßte zwei Hauptschulklassen, zwei »Oberschulklassen« und *»34 erwachsene zufällig ausge-*

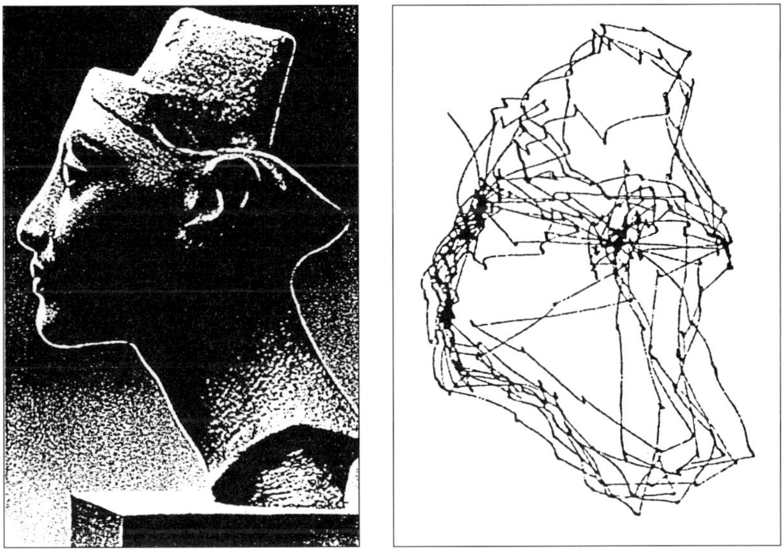

Unsere visuellen Wahrnehmungsprozesse sind explorativ, wie die Erforschung der Augenbewegungen überzeugend nachgewiesen hat. Das Liniengewirr in der Abbildung läßt dies exemplarisch im Erfassungsvorgang des daneben abgebildeten Photos erkennen. Generell ist das gesamte Besuchsverhalten von explorativen Strategien geprägt. Aus diesem Grundsatz heraus sind auch die Fragestellungen vor allem von qualitativen Evaluationen zu entwickeln.

wählte Besucher beiderlei Geschlechts und verschiedenen Alters« [69]

Bereits um 1970 hatte man am Deutschen Museum *»repräsentative Befragungen unter Heranziehung der Methoden vergleichender Sozialforschung«* durchgeführt.[70] Erst 1977 jedoch publizierte Günter Gottmann eine von ihm und Günter Knerr im Jahr 1975 realisierte Untersuchung.[71] Nicht ganz zutreffend resümierte er, daß *»erstmals in der Geschichte des Deutschen Museums und wohl auch erstmals für alle deutschen Museen ein eindeutiges Profil der bisher anonymen Museumsbesucher zusammengetragen wurde.«* [72] In den folgenden Jahren sollte das Deutsche Museum gleichsam zu einem Zentrum der Besucherforschung in Deutschland aufrücken: 1982 kam dort ein breit angelegtes Forschungsunternehmen zum Abschluß, dem 1979 das Ziel gesteckt worden war, *»grundlegende Einflußfaktoren und Zusammenhänge zwischen museumsdidaktischen Entscheidungen, medialen Umsetzungen und dem Besucherverhalten als beobachtbare Größe für individuelle Wahrnehmungs- und Verständnisprozesse exemplarisch zu analysieren und zu beschreiben.«* [73] Die umfangreiche Studie erschien als Band 4 der Berliner Schriften zur Museumskunde, herausgegeben von jenem Institut, dem der erwähnte Appell von 1971 Besucherforschung als erste Pflicht zugedacht hatte.[74] Diese Untersuchung am Deutschen Museum integrierte erstmals für Deutschland im größeren Umfang verhaltens- und lernpsychologische Parameter und unternahm dezidiert die Unterscheidung von *»personenbezogenen Merkmalen und besuchssituationsorientierten Faktoren.«* [75]

Für mehrere Jahre schien Besucherforschung am Deutschen Museum einen festen Platz einzunehmen. 1985 richtete das Haus dann die erste internationale Tagung zur Besucherforschung in Europa aus.[76] Eine der letzten umfangreichen besucherorientierten Analysen im Deutschen Museum betraf die Abteilung Nachrichtentechnik: Unter der Leitung von Hans-Joachim Klein untersuchte man die Aufstellung von 1968 im Vergleich mit der Neuaufstellung von 1986. Dies war Teil eines Projekts, das verschiedene Fachabteilungen in drei großen süddeutschen Museen evaluierte.[77]

Der Stand der Dinge
Ein aktueller Rundblick

International hat sich die besucherorientierte Forschung am Museum seit ihrem methodischen und organisatorischen Aufschwung um 1960 zu einem wichtigen Element moderner Museologie entwickelt. Die beiden internationalen Tagungen

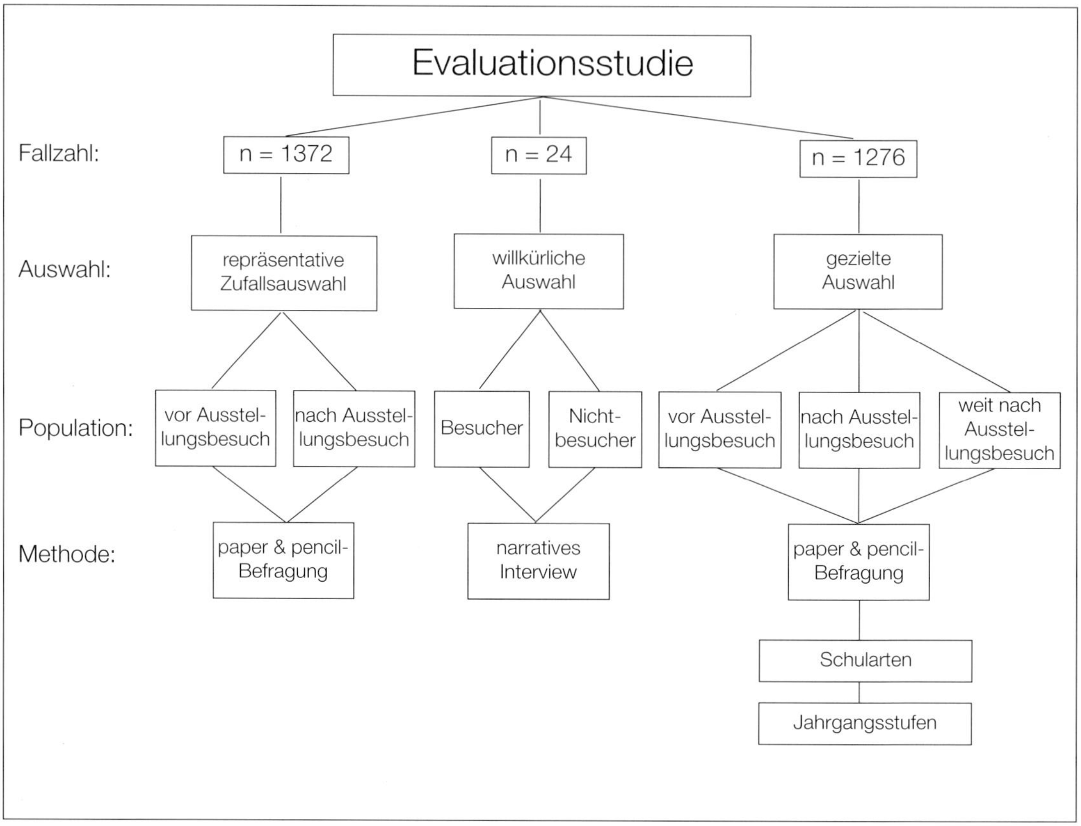

Diese Übersicht veranschaulicht verschiedene Methoden in einer Besucherstudie für das Haus der Bayerischen Geschichte. »paper & pencil-Befragung« meint das Ausfüllen eines standardisierten Fragebogens. Verfahren wie »Focus-Groups« oder verdeckte Beobachtung kamen hier nicht zur Anwendung.

der letzten Jahre – 1993 im Science Museum in London[78] und 1995 im Haus der Geschichte der Bundesrepublik in Bonn[79] – ließen aber auch erkennen, daß bisher keine konsistente theoretisch-methodische Basis aus der Vielzahl der Studien hervorgegangen ist. Vielmehr zeichnet sich dieser stark anwendungsbezogene Forschungsbereich durch eine breite Palette recht unterschiedlicher Forschungsansätze aus, in denen erwartungsgemäß Soziologie, Pädagogik und Psychologie im Zentrum stehen. Über definitorische Festlegungen scheint weitgehend Übereinstimmung zu herrschen. Vorab deshalb eine Übersicht zu Forschungsfeldern und Verfahrensphasen:[80]

»Besucherforschung« ist im aktuellen Verständnis eine Sammelbezeichnung. Sie umschließt:

- »Rezeptionsforschung«

Diese untersucht Wahrnehmungsprozesse und daraus abgeleitete Interpretationen von Botschaften (Verständnis). Sie greift über spezifische Museumsbedingungen hinaus und besitzt den Charakter von Grundlagenforschung.

- »Evaluation«

Dieser Begriff meint dagegen eine stark »pragmatisch-zweckorientierte Strategie« im Sinne von Wirkungsanalysen bzw. Erfolgskontrollen. Besucher übernehmen in solchen Studien *»Indikatorfunktion zur Überprüfung verschiedener Wirkungsdimensionen einer Ausstellung bzw. bestimmter Komponenten oder Aspekten davon.«*[81]

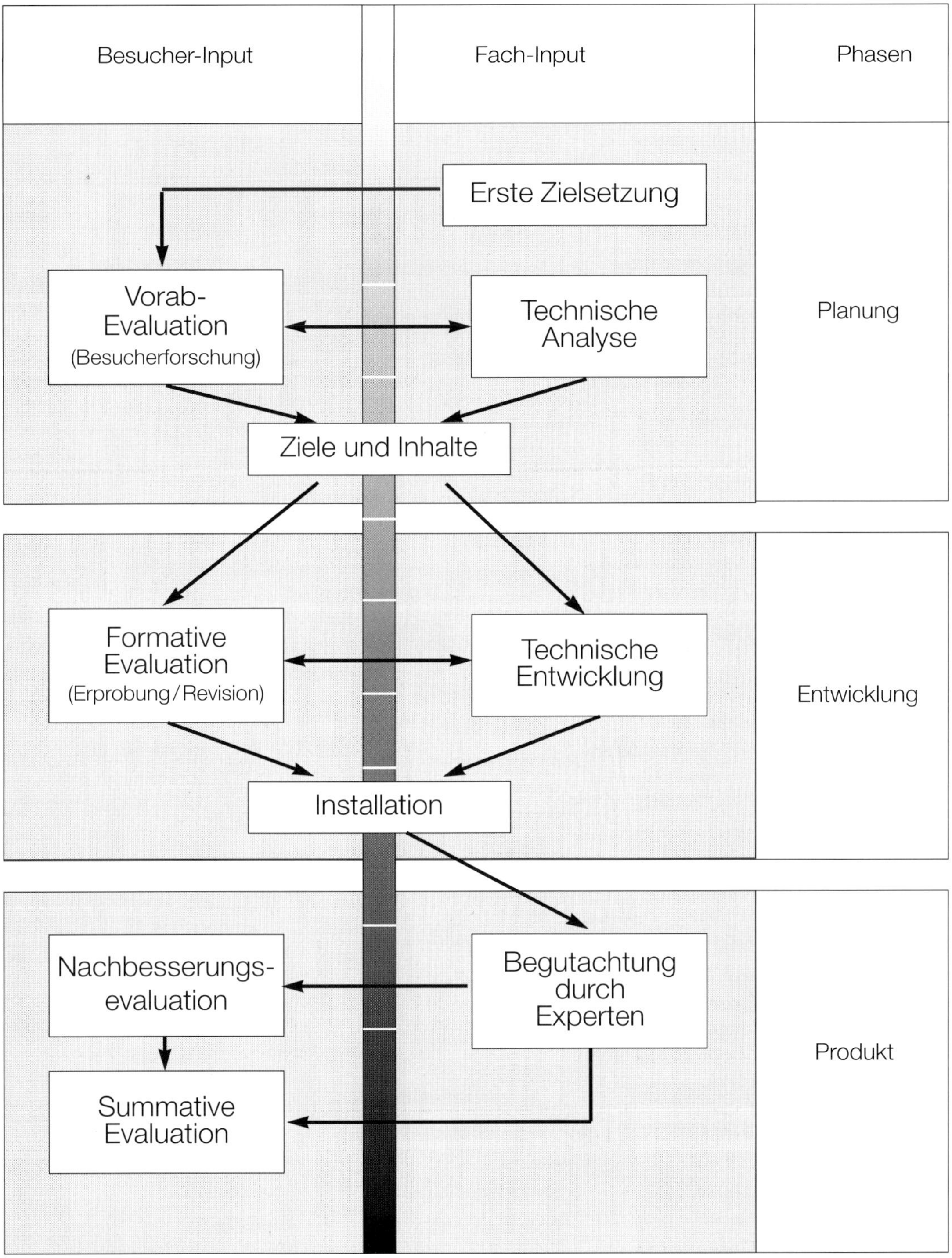

Ein idealisiertes Ablaufschema für die Produktion von Dauer- und Sonderausstellungen unter Zuhilfenahme von Besucherstudien. Die »Besucherforschung« in der Phase »Planung« entspricht in etwa der Marktforschung in der Konsumgüterindustrie.

Während demnach Rezeptionsforschung neben breit angelegter Statistik auch stark theoriegeleitete Laborexperimente einschließt, erhebt der Evaluator alle seine Daten vor Ort beim Museumsbesucher selbst.

Die Evaluation gliedert sich wiederum in drei Grundtypen: [82]

- »Status-quo-Evaluation«
  Sie soll Schwachstellen und Mängel bestehender Präsentationen aufdecken, meist als Vorstufe zu Umbauten oder Neuaufstellungen
- »Formative Evaluation«
  Sie begleitet die Entwurfsphase steuernd und korrigierend. Mit Hilfe von provisorischen Probeaufbauten (sogenannte »Mock-ups«) lassen sich frühzeitig Mängel aufdecken
- »Summative Evaluation«
  oder Nachbesserungs-Evaluation. Zuweilen wird in der Besucherforschung die Forderung erhoben, etwa 10% der Einrichtungssumme bereits bei Beginn des Projekts für die Beseitigung von Mängeln in den Finanzierungsplan einzustellen.

Soweit der begriffliche Rahmen. Wie weit aber haben Besucherstudien bisher in der Museumsarbeit – insbesondere in Bayern – Tritt fassen können?

Klein vermutete für die Zeit gegen 1980 vorsichtig einen Anteil von etwa 3% bis 5% an Museen in Deutschland, Österreich und der Schweiz, die irgendwie geartete »Besuchererhebungen« durchgeführt hätten. [83] Eine bundesweite Umfrage von 1989 bat unter anderem um Auskunft darüber, ob *»innerhalb der letzten fünf Jahre Publikumsbefragungen und ähnliche Untersuchungen durchgeführt wurden«*. Es antworteten 8,6% mit »ja«. [84] Die jüngste Statistik hierzu legten 1993 Heinritz und Fischer vor: Sie errechneten 13% für »Besucherforschung« an bayerischen Museen; 62% der befragten Häuser gaben an, zumindest regelmäßig Besuchszahlen zu erheben, 12% lediglich »ab und zu«. [85] Demnach gibt sich etwa ein Viertel der bayerischen Museen keinerlei Rechenschaft über die Zahl der Besuche. [86] Zwar fehlen in der genannten Erhebung die Freilicht- und Vertriebenenmuseen, doch dürfen wir überschlägig wohl davon ausgehen, daß in Bayern in der zweiten Hälfte der 80er Jahre zusammengerechnet etwa 10% der Museen Besucherbefragungen vornahmen oder vornehmen ließen.

Noch konzentrieren sich solche Erhebungen auf größere Häuser und Institutionen. So hat beispielsweise das Haus der Bayerischen Geschichte zu fünf seiner Ausstellungen Besucherstudien erarbeiten lassen, weitere Analysen gaben in Auftrag bzw. wurden durchgeführt am Haus der Kunst, im Deutschen Museum, im Münchner Stadtmuseum, im Museum Mensch und Natur. [87]

Während in den 70er Jahren vornehmlich gesellschaftspolitisch argumentierte Zielgruppenorientierung aufgrund sozialer Stratifikation sowie lerntheoretische Fragestellungen im Vordergrund standen, kamen Besucherstudien in den jüngsten Jahren viel eher im Sinne einer Marktanalyse zum Einsatz. [88] Der Grund hierfür ist naheliegend: Spätestens seit Beginn der 80er Jahre sind die Besuchszahlen bei weiterhin kräftig wachsender Zahl von Museen und Sonderausstellungen kaum mehr gestiegen. Der Markt wurde eng. [89] Unter

Diese Karte zeigt die räumliche Verteilung jener Museen in Bayern, die laut Erhebung durch das Institut für Museumskunde zwischen 1983 und 1988 Besucherbefragungen durchführten. (•) Zusätzlich sind die von Andreas Klima erfaßten Häuser vermerkt. (o)

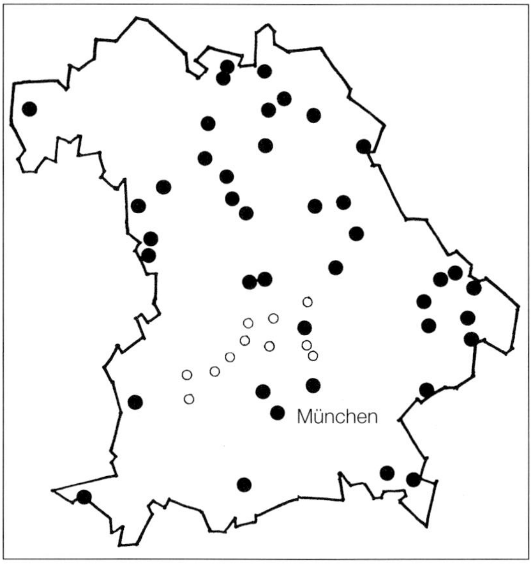

Methoden	
qualitativ	quantitativ
phänomenologisch humanistisch intuitiv um Verstehen bemüht hermeneutische Methode	positivistisch mechanistisch logisch-deduktiv sucht nach zweifelsfreien Fakten Kausalverknüpfungen, Rückkopplungen
Prozeß-orientiert natürliche Situation interaktiv und nicht rückwirkungsfrei	Produkt-orientiert kontrolliertes (Quasi-) Design Experimentelles Design
dynamische Realität holistisch Einzelfallstudie subjektive Evidenz vollständige Beschreibung – der Schlüsselereignisse – ideologischer und sozio-kognitiver Fehler	statische Realität partikularistisch verallgemeinerungsfähig Validität, Reliabilität auswählende Beschreibung – der meßbaren Merkmale – statistischer Fehler 1. und 2. Art

Einer der wichtigsten Unterschiede bei den Erhebungsmethoden: »qualitativ« und »quantitativ«. Die geringe Einbindung der Psychologie und Pädagogik in Deutschland spiegelt sich auch in der kleinen Zahl qualitativer Fallstudien wider.

dem Zwang verstärkter Marktorientierung haben Besucherstudien als Analyse-Instrument an Bedeutung gewonnen. Vor diesem Hintergrund ist beispielsweise das 1989 publizierte Gutachten der kommunalen Gemeinschaftsstelle für Verwaltungsvereinfachung »Die Museen/Besucherorientierung und Wirtschaftlichkeit« zu sehen, worin die Ausrichtung auf sogenannte »Lifestyle«-Segmente propagiert wird.[90]

Und in Zukunft? Thesen und Desiderate

Welche Tendenzen zeichnen sich im Museumswesen für die nächsten Jahre ab? Inwieweit kann Besucherforschung dazu beitragen, den Herausforderungen gezielt und konstruktiv zu begegnen?

Trendanalysen sind naturgemäß tückische Vorhaben.[91] Der Leser möge nachsehen, daß den folgenden Gedanken der Rückhalt in wissenschaftlichen erhobenen Plausibilitätsquoten fehlt. Sie sind vielmehr eine recht subjektiv gefärbte Zusammenschau mit unsicherer Trefferchance.

- Die neuen Medien werden mehr und mehr an Bedeutung gewinnen
- Die Gelder bleiben vorerst knapp
- Viele Träger hoffen auf Entlastung durch wirtschaftlich orientierte Betriebsmodelle
- Die Besucherpotentiale wachsen kaum mehr an.

Mit diesen allgemein formulierten Herausforderungen haben Museen anderer westlicher Kulturen schon länger zu kämpfen, so beispielsweise Großbritannien und die USA. Deshalb verwundert es auch nicht, daß genau dort Besucherstudien weit eher integriert sind in Planungsprozesse als in Deutschland. Der von Miles unternommene Zahlenvergleich publizierter Besucherstudien ist in diesem Zusammenhang höchst aufschlußreich: [92] In den USA erschienen in den 80er Jahren etwa zweieinhalbmal so viele Arbeiten aus der Besucherforschung als in allen EU-Ländern zusammengenommen. In Europa liegt die Zahl britischer Publikationen wiederum ebenso hoch über der aller anderen EU-Länder. Zwischen Deutschland und den USA errechnet sich aus diesen Zahlen schließlich ein Faktor von etwa 1:21!

Für die kommenden Jahre lassen sich – bei aller Vorsicht – eine Reihe von Perspektiven destillieren. Hier eine Auswahl:

- Ergebnisse aus Besucherstudien ohne nähere Prüfung vorbehaltlos aus der Neuen Welt nach Europa zu übertragen, wäre naiv – etwas mehr Interesse gegenüber diesem »Body of Knowledge« ist aber dringend zu wünschen. Insbesondere in den Erfahrungen beim Einsatz moderner AV-Medien und digitaler Hilfsmittel liegen die USA noch um Längen voraus. [93] Es ist sicher nicht notwendig, wie beim EDV-Einsatz in den vergangenen Jahren geschehen, alle Kinderkrankheiten in Europa noch einmal durchzustehen.
- Der traditionelle Vorrang der Soziologie in der Besucherforschung an bundesdeutschen Museen bedarf einer kritischen Revision. Ob beispielsweise neuerdings eingebrachte Milieutypologien einen qualitativen Fortschritt bringen, mag bezweifelt werden. [94] Viel eher wären mehr als bisher eine Reihe von Forschungsansätzen der Psychologie heranzuziehen, so unter anderem aus der Wahrnehmungspsychologie, im besonderen der Gestaltpsychologie, Lern- und Konditionspsychologie und Medienpsychologie. [95] Die Verbindung über die Sozialpsychologie besteht seit geraumer Zeit. Ebenso sind vermehrt pädagogische Ansätze in die systematische Beschäftigung mit den Besuchern zu integrieren – eigentlich eine alte Forderung, wie aus dem obigen Zitat von Fraenkel hervorgeht. [96]

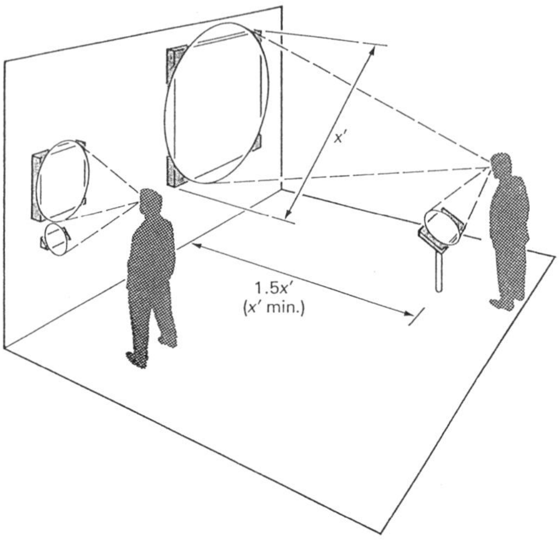

Zur Besucherforschung gehören auch physiologische Studien. Aber nicht nur Fragen von Beleuchtung und Lesbarkeit zählen hierzu – die »Gesetze des Sehens« im Verständnis der Gestaltpsychologie insgesamt sollten Ausstellungsgestaltern bei ihrer Arbeit immer präsent sein.

- Weit mehr als bisher ist den physiologisch wirksamen Gestaltungselementen Aufmerksamkeit zu schenken. Ansätze hierzu bieten die Beiträge von Koch und Krebs. [97] Im übrigen bedeutet eine physiologisch optimierte Beleuchtung beispielsweise nicht zwangsläufig intolerable Luxzahlen für sensible Exponate. Bei ganzheitlicher Betrachtung sind – um es auf den Begriff zu bringen – Lux und Lumen, also einfallende Lichtmenge und auf das Auge des Betrachters reflektierte Lichtmenge, durchaus zu harmonisieren.
- Konzeptionelle Entscheidungen müssen vermehrt die Interaktion zwischen Besuchern ins Auge fassen. Der Einzelbesucher ist in der Minderzahl: *»Unter Museumsbesuchern herrscht Geselligkeit vor, nur einer von fünf Besuchern kommt allein!«* [98] Wir wissen heute, daß die Neigung, Museen und Ausstellungen in Begleitung zu besuchen bei geringerem Bildungsabschluß signifikant höher ist, ebenso in bestimmten Museumstypen. Für die Beschäftigung mit diesem Thema haben die Arbeiten von Paulette McManus im Bereich der Textformulierung fachlich den Boden bereitet. [99]

- Die Konzeption sogenannter »Inszenierungen«[100] für Dauerausstellungen bedarf evaluatorischer Schritte. Während diese Vermittlungsvorhaben im Rahmen von Sonderausstellungen bei ihrem häufig experimentellen Charakter durchaus Berechtigung hat, erzwingen mittel- und langfristige Investitionen eine kritische Prüfung der intendierten Wirkung auf Besucher. Dies gilt jedoch nicht in gleicher Weise für verschiedentlich angewandte formale Lösungen, die auf Veranschaulichung und Verlebendigung abzielen: Einsatz von Figurinen, Aufbau eines Handlungsumfelds im Sinne der naturhistorischen Dioramen u.ä. – alles keine »Inszenierungen« im engeren Sinne.
- Jedem konkreten Versuch einer Analyse von Besucherverhalten liegt ein spezifisches vorwissenschaftliches oder im Falle professioneller Besucherforschung wissenschaftlich fundiertes Modell menschlicher Wahrnehmung und menschlichen Lernens zugrunde.[101] Alma S. Wittlin gab auf die Frage »Who are the testers?« zu bedenken: *»To some people the answer is easily at hand: Get a hard-nosed psychologist. But what if the mind behind that rocky nose is totally immersed in a single, perhaps momentarily fashionable, psychological dogma that does not take into account the needs of a museum environment?«* [102] Fachspezifisch bedingte Einengungen und Festlegungen vorab sind unvermeidlich. Es macht deshalb auch Sinn, für unterschiedliche Fragestellungen den methodischen Ansatz zu wechseln.
- Wer Besucherstudien vornimmt, oder in Auftrag gibt, muß damit rechnen, daß persönlich favorisierte oder allgemein gängige und eingeschliffene Deutungs- und Beurteilungsmuster dadurch nicht nur modifiziert, sondern von Grund auf in Frage gestellt werden können. Insofern hat sich auch das sogenannte »Expertenurteil« als durchaus anfechtbar erwiesen.[103] Es versteht sich, daß die Effizienz, das Gelingen einer Ausstellung nur in bezug auf eine zugrundeliegende Zielsetzung und unter Berücksichtigung der jeweiligen Zielgruppen leisten läßt. So gesehen kranken auch nicht wenige Ausstellungsbesprechungen in den Feuilletons an unreflektierter subjektiver Wertung.
- Besucherstudien helfen auch stereotype Haltungen und Interpretationen bei Ausstellungsmachern selbst in Frage zu stellen, auch wiederum in Hinblick auf die besucherseitige Wirkung. Wie Gurian in einem kritischen Beitrag unterstreicht: *»Visitors ... are not used to perceiving exhibitions as personal work of identifiable individuals. Unsigned exhibitions reinforce the notion that there is a godlike voice of authority behind the selection of objects.«* [104] Wovon Gurian allerdings schweigt: Im stark von Sponsorengeldern abhängigen Ausstellungswesen in den USA sind Begehrlichkeiten von seiten der Finanziers keine Seltenheit.[105]

Eines der populärsten Vermittlungsinstrumente der vergangenen Jahre war die sogenannte »Inszenierung«, ein zuweilen überstrapazierter Begriff aus der Welt des Theaters. Je abstrakter und reicher an Sinnschichten solche Präsentationsformen sind, umsoweniger Chance besteht für den gezielten Einsatz im didaktischen Kontext. Die formative Evaluation kann potentielle Fehlinterpretationen frühzeitig benennen und damit dazu beitragen, die Wirkung inszenatorischer Elemente zu verbessern.

»Please! Not another visitor survey«. Ähnliche Seufzer, wie ihn Ross Loomis, Professor für Psychologie an der Colorado University und bekannter Besucherforscher 1973 mit Ironie als Titel eines Fachbeitrags wählte,[106] wird man in Bayern wohl noch lange nicht vernehmen. Die Landesstelle hat erstmals für 1996 an zwei kleineren nichtstaatlichen Museen Besucherstudien durch eine externe Fachkraft initiiert.[107] Die Erfahrung aus diesen Pilotprojekten sollen mithelfen, Wege zu finden für eine angemessene Anwendung der Besucherforschung an regionalen Museen. Das Ziel ist nicht allein eine Verbesserung der Vermittlungsqualität, sondern auch effizienterer Einsatz der Mittel. Dabei wird es uns wohl ähnlich ergehen, wie vielen anderen, die mehr über den Besucher, das unbekannte Wesen, erfahren wollten: Sie können identifizieren, welche Teile von Ausstellungen mehr oder weniger attraktiv sind, nicht notwendigerweise warum.[108] Hier bleibt ein weites Feld offen für künftige Forschungen.

Mehr als bisher müssen Besucherstudien künftig unsere Bemühungen um Akzeptanz, Verständlichkeit und damit Erfolg von Ausstellungen flankieren. Zwar ist dabei professionelles Vorgehen anzustreben, doch ist der entscheidende Schritt davor die grundsätzliche Bereitschaft unter Museumsleitern und Gestaltern zur kritischen Selbstreflexion ihrer Arbeit, ohne Ängste vor Einmischung oder gar vor Gesichtsverlust. Weder sollen Besucherstudien einen »gläsernern Besucher« schaffen, wie der unglücklich gewählte Titel einer wichtigen Publikation von 1985 suggeriert,[109] noch als kontraproduktive Einmischung oder übergeordnetes Kontrollinstrument der Museumsträger mißverstanden und mißbraucht werden.

Anmerkungen

1 Isac Chiva/Claude Lévi-Strauss: Was ist ein »Musee des Arts et Traditions Populaires«?/Isac Chiva im Gespräch mit Claude Lévi-Strauss. In: Bayerische Blätter für Volkskunde 19 (1992), S. 209–211

2 Otto Neurath: Die Museen der Zukunft. In: Survey Graphic 22/9 (1933); zitiert nach Andreas Grünwald Steiger: Auf der Suche nach der verlorenen Zukunft. Anmerkungen zu einem museumspädagogischen Dejà-vu. In: Standbein/Spielbein 44 (1996), S. 16–18, hier S. 18. Otto Neurath war Gründer und Leiter des Sozial- und Wirtschaftsmuseums in Wien. Zusammen mit einem Graphiker entwickelte der Aufklärer und Sozialreformer die »ISOTYPE«, die »Wiener Methode der Bildstatistik«. Zur Einführung in Neuraths Wirken z.B. Gerhard Kaldewei: Museumspädagogik und reformpädagogische Bewegung 1900–1933. Eine historisch-systematische Untersuchung zur Identifikation und Legitimation der Museumspädagogik (= Europäische Hochschulschriften, Reihe XI/ Pädagogik, Band 436). Frankfurt am Main (u.a.) 1990, S. 382–543

3 Diese negative Tendenz wird deutlich in der Auswertung der Besuchszahlen, wie sie jährlich das Institut für Museumskunde in Berlin erhebt.

4 Einen ausgezeichneten Abriß geben Hans-Joachim Klein / Monika Bachmayer: Museum und Öffentlichkeit. Fakten und Daten – Motive und Barrieren (= Berliner Schriften zur Museumskunde 2). Berlin 1981, S. 57–82. Sehr pointiert dagegen Ghislaine Lawrence: Rats, Street Gangs and Culture: Evaluation in Museums. In: Gaynor Kavanagh (Hg.):Museum Languages: Objects and Texts. London/New York 1991, S. 11–32

5 Hierzu ausführlich die souveräne Darstellung von James Mordaunt Crook: The British Museum. London 1972

6 Cornelius Steckner: Museen im Zeichen der Französischen Revolution: vom evolutionären zum revolutionären Museum. In: Andreas Grote (Hg.): Macrocosmos in Microcosmo. Die Welt in der Stube. Zur Geschichte des Sammelns 1450 bis 1800 (= Berliner Schriften zur Museumskunde 10). Opladen 1994, S. 817–853
Außerdem Elke Harten: Museen und Museumsprojekte der Französischen Revolution. Ein Beitrag zur Entstehungsgeschichte einer Institution (= Kunstgeschichte/Form und Interesse 24). Münster 1989, sowie Andrew L. McClellan: The Politics and Aesthetics of Display: Museums in Paris 1750–1800. In: Art History VII (1984), S. 438–464

7 Hierzu Andrew L. McClellan: Inventing the Louvre. Art, Politics and the Origins of the Modern Museum in Eighteen Century Paris. Cambridge 1994; sehr instruktiv auch Georg Friedrich Koch: Die Kunstausstellung. Ihre Geschichte von den Anfängen bis zum Ausgang des 18. Jahrhunderts. Berlin 1967

8 Hellmuth Benesch: dtv-Atlas zur Psychologie. Tafeln und Texte, Band 1. München 1987, S. 33

9 Seit Stephan F. Borhegyi/Irene A. Hanson (Hgg.): The Museum Visitor. Selected Essays and Surveys of Visitor Reaction to Exhibits in the Milwaukee

Public Museum (= Publications in Museology/Milwaukee Public Museum 3). Milwaukee 1968 wird oft fälschlicherweise als Ersterscheinungsjahr 1897 angegeben. Zu Fechners Arbeit in Hinblick auf Besucherstudien Kurt Ulbricht: Museumsstatistik: Historische und zeitgenössische Untersuchungen. In: Hildegard Katharina Vieregg (Hg.): Museumspädagogik in neuer Sicht. München 1994, S. 94 – 107

10 [H.] Möbius: [Diskussionsbeitrag]. In: Centralstelle für Arbeiter- und Wohlfahrtseinrichtungen (Hg.): Die Museen als Volksbildungsstätten (= Schriften der Centralstelle für Arbeiter- und Wohlfahrtseinrichtungen 25). Berlin 1904, S.131–133

11 Wie Anm. 10, S.131

12 Benjamin I. Gilman: Museum Fatigue. In: The Scientific Monthly 12 (1916), S. 62–74

13 Kaldewei, wie Anm. 2; Andreas Kuntz: Das Museum als Volksbildungsstätte. Museumskonzeptionen in der Volksbildungsbewegung in Deutschland zwischen 1871 und 1918 (= Marburger Studien zur vergleichenden Ethnosoziologie 7). Marburg 1976

14 Hans Dedekam: Reisestudien. In: Museumskunde 1 (1905), S. 75–90, 153–166, 229–231 und 2 (1906), S. 92–108

15 A. B. Meyer: Über Museen des Ostens der Vereinigten Staaten von Amerika. Reisestudien, Bde. I und II. Berlin 1900 und 1901

16 Otto Lehmann: Propädeutische Museen. In: Museumskunde 6 (1910), S. 28–31

17 Wilhelm R. Valentiner: Umgestaltung der Museen im Sinne der neuen Zeit (= Schriften zur Zeit und Geschichte 8). Berlin 1919

18 C. Zimmer: Die Naturkundemuseen der Vereinigten Staaten im Dienste des Publikums. In: Museumskunde N.F. 2 (1930), S. 57–76

19 Carol Duncan/Alan Wallach: The Universal Survey Museum. In: Art History III (1980): *»The museum's primary function is ideological. It is meant to impress upon those who use or pass through it society's most revered beliefs and values«*; Alan J. Friedman: The Human Context of Objects. In: Zipporah W. Collins (Hg.): Museums, Adults and the Humanities. A Guide for Educational Programming. Washington D.C. 1981, S. 147–165, hier S. 148

20 George Brown Goode, Leiter der Smithsonian Institution, 1889. Zitat in: Museum II (1949), S. 162

21 Zimmer, wie Anm. 18

22 Hierzu v.a. Kaldewei und Kuntz, wie Anm. 2 und 13

23 Deutscher Museumsbund (Hg.): Die Kunstmuseen und das deutsche Volk. München 1919, hier S. 1

24 Karl Hermann Jacob-Friesen: Die museumstechnische Auswertung vorgeschichtlicher Sammlungen nach dem pädagogischen Prinzip. In: Museumskunde 16 (1921), S. 56–100, hier S. 68

25 Achim Preiß: Das Museum und seine Architektur. Wilhelm Kreis und der Museumsbau in der ersten Hälfte des 20. Jahrhunderts. Alfter 1993, S. 241

26 Marta Fraenkel: Ein neuartiges Museum: Reichsmuseum für Gesellschafts- und Wirtschaftskunde in Düsseldorf (e.V.). In: Museumskunde N.F. 1 (1929), S. 23–31, hier S. 28

27 K. Wanderer: Geologischer Museumsbrief aus dem Dresdner Zwinger. In: Museumskunde N.F. 1 (1929), S. 82–93, hier S. 83

28 Wanderer, wie Anm. 27, S. 90

29 Wanderer, wie Anm. 27, S. 83

30 Crook, wie Anm. 5, S. 54

31 Richard Paul Lohse: Neue Ausstellungsgestaltung: 75 Beispiele neuer Ausstellungsformen. Erlenbach-Zürich 1953, S. 8/9

32 Rolf Schreiber: Die öffentlichen Museen in Bayern nach dem Stand vom Jahre 1907. In: Zeitschrift des Königlich Bayerischen Statistischen Landesamts 42 (1910), S. 633–644 und Nachtrag in 43 (1911), S. 284

33 Ulbricht, wie Anm. 9

34 Martin Roth/Franziska Nentwig: Das Deutsche Hygiene-Museum in Dresden – ein Tempel des Menschen und ein Museum des 21. Jahrhunderts. In: Museumskunde 58 (1993), S.111–122, hier S.111; Cornelia Foerster: Zur Problematik kulturhistorischer Ausstellungen am Rhein. Jahrtausendausstellung Köln 1925 / GESOLEI Düsseldorf 1926/ Stadtjubiläum Düsseldorf 1988. In: Ulrich Schneider (Hg.): Festschrift für Gerhard Bott zum 60. Geburtstag. Darmstadt 1987, S. 159–168, hier S. 162

35 C. Zimmer: Eine statistische Erhebung unter den Besuchern des Museums der Naturkunde zu Berlin. In: Museumskunde N.F. 2 (1930), S. 113 – 134

36 Zimmer, wie Anm. 35, S.113. Klein/Bachmayer (wie Anm.2), denen Zimmers Beitrag nicht bekannt war, merkten zu diesem Museum an (S. 66): *»Es scheint überliefert, daß... im Pennsylvania Museum oft Art in Philadelphia, eine der ersten nennenswerten Besucherbefragungen stattgefunden hat. Nach einem anonym veröffentlichten, offenbar hauseigen angefertigten Bericht von 1930 wurden dort für über 1000 der jährlichen Besucher (bei mehr als einer Million Gesamtbesucher im Jahr) Sozialdaten sowie der Weg zum Museum und die Besuchsmotivation, ferner das meistgeschätzte Exponat sowie Verbesserungsvorschläge über einen Fragebogen ermittelt.«* In der Tat war darüber in Museum News 7/15 (1930) berichtet worden, wie Zimmer selbst angibt (S. 113).

37 Zimmer, wie Anm. 35, S. 113

38 C. Zimmer: Vom erstrebenswerten Besucher des naturwissenschaftlichen Museums. In: Museumskunde N.F. 1 (1929), S. 4–9, hier S. 4

39 Zimmer, wie Anm.18, S. 57
40 Kurz vor Abschluß des Manuskripts machte mich Frau Monika Hagedorn-Saupe/Institut für Museumskunde in Berlin auf eine noch weiter zurückliegende Befragung in Dresden aufmerksam, die wohl auf den Einfluß Gustav Theodor Fechners zurückzuführen ist (s.o.). Gründliche bibliographische Recherche – wie es die Vorarbeit zu der vorliegenden Skizze nicht erlaubte – wird sicher noch manche Überraschung in dieser Richtung ans Licht bringen.
41 Else Birams soziologische Studie »Die Industriestadt als Boden neuer Kunstentwicklung« (= Schriften zur Soziologie der Kultur). Jena 1919, bahnbrechend, doch ohne Nachfolge, würdigen Klein/Bachmayer (wie Anm. 4, S. 58/59). Die Tradition soziologischer Besucherforschung in der DDR bleibt hier ausgeklammert. Einen ersten Überblick bietet Bernd Lindner: Vom Öffentlichkeitsersatz zum Kunstbedürfnis. Zur Entwicklung der Wahrnehmungsmuster von Kunstausstellungsbesuchern. In: Karlsruher Schriften zur Besucherforschung 2 (1991), S. 25 – 54
42 G. Schiedlausky: Probleme und Ergebnisse einer Besucherbefragung im Germanischen Nationalmuseum. In: Museumskunde 43 (1965), S. 97–103
43 D. M. MacMaster: Museum und Öffentlichkeit I. In: Deutsche UNESCO-Kommission (Hg.): Die Öffentlichkeitsarbeit der Museen. Bericht über ein Seminar, das von der Deutschen UNESCO-Kommission und dem Deutschen Nationalkomitee des Internationalen Museumsrates (ICOM) mit Unterstützung der UNESCO vom 4.–7. 9.1963 im Museum Folkwang Essen veranstaltet wurde. Köln 1964, S. 21–37, hier S. 31/32. Es handelte sich dabei um Befragungen am Museum of Science and Industry in Chicago.
44 Pierre Bourdieu/Alain Darbel: L'Amour de l'Art: Les Musees Europeens et Leur Public. Paris 1966. Zweite, vermehrte Auflage Paris 1969
45 Bourdieu/Darbel, wie Anm. 44, S. 8/9 und 169/170
46 Deutsche Forschungsgemeinschaft (Hg.): Denkschrift Museen. Zur Lage der Museen in der Bundesrepublik Deutschland und Berlin (West). Boppard 1974, S. 187
47 Paul Vogt: Vorwort. In: Deutsche UNESCO-Kommission (Hg.): Die Praxis der Museumsdidaktik. Bericht über ein internationales Seminar der Deutschen UNESCO-Kommission, veranstaltet in Zusammenarbeit mit dem Museum Folkwang vom 23.–26.11.1971 in Essen. Pullach/München 1974, S. 9 – 11, hier S. 9
48 Vogt, wie Anm. 47
49 In: der architekt 8 (1969), S. 279/280
50 Jost Hermand: Kultur im Wiederaufbau. Die Bundesrepublik Deutschland 1945 – 1965. München 1986, S. 352
51 Gerhard Bott (Hg.): Das Museum der Zukunft. 43 Beiträge zur Diskussion über die Zukunft des Museums. Köln 1970
52 Gert von der Osten: Das Museum für eine Gesellschaft von morgen. Ansätze. Köln 1971
53 Detlef Hoffmann/Almut Junker/Peter Schirmbeck (Hgg.): Geschichte als öffentliches Ärgernis oder: Ein Museum für die demokratische Gesellschaft. Gießen 1974
54 Hilmar Hoffmann: Das demokratische Museum. Anmerkungen und Beispiele. In: Olaf Schwenke u.a. (Hg.): Plädoyer für eine neue Kulturpolitik. München 1974
55 Ellen Spickernagel/Brigitte Walbe (Hgg.): Das Museum. Lernort contra Musentempel. Gießen 1976
56 H. Glaser/B. Deneke/K.G. Kaster/J. Hübner: Museum und demokratische Gesellschaft. Vorüberlegungen zum Konzept eines historischen Museums für Nürnbergs Industriekultur (= Schriften des Kunstpädagogischen Zentrums im Germanischen Nationalmuseum Nürnberg 4). Nürnberg 1979
57 Manfred Eisenbeis: Museum und Publikum. Über einige Bedingungen des Museumsbesuchs. Ein Bericht über eine soziologische Erhebung in der Bundesrepublik Deutschland. In: Museumskunde 43 (1980), S. 16–26, hier S.16
58 Eisenbeis, wie Anm. 57. Außerdem vom selben Autor: Elements for a Sociology of Museums. In: Museum 24 (1972), S. 110 – 119
59 Die Bibliographie zu Treinen bei Noschka-Roos (siehe Anhang). Zu seiner frühesten Studie, einer Befragungskampagne »von Besuchern und Nicht-Besuchern der Bayerischen Staatsgemäldesammlungen« referierte Treinen 1963 kurz auf der Tagung »Die Öffentlichkeitsarbeit der Museen« (wie Anm. 43, S. 49/50). Vgl. auch die Quellenangabe bei Eisenbeis (wie Anm. 58, S.113):»›Bericht über die Ergebnisse einer Untersuchung in der Alten Pinakothek‹ (unpublished paper)«. Den jüngsten Beitrag (»Ausstellungen und Kommunikationstheorie«) enthält der Tagungsband »Museumsfragen/ Museen und ihre Besucher«, (Hg.) Haus der Geschichte der Bundesrepublik Deutschland. Bonn 1996, S. 60 – 71
60 Der Fragebogen dazu findet sich an entlegener Stelle – und in englischer Übersetzung – im Anhang zu Kenneth Hudson: A Social History of the Museum. What the Visitor Thought. London 1975, S. 185 – 189
61 Deutsche Forschungsgemeinschaft, wie Anm. 46, S. 185–190
62 Deutsche Forschungsgemeinschaft, wie Anm. 46, S. 188

63 Deutsche Forschungsgemeinschaft, wie Anm. 47
64 Heiner Treinen: Das Museum als Massenmedium – Besucherstrukturen, Besucherinteresse und Museumsgestaltung. In: ICOM/CECA (Hgg.): Museumspädagogik/Museumsarchitektur für den Besucher. Hannover 1981, S. 13–32 und Diskussion S. 33–42
65 Klein/Bachmayer, wie Anm. 4
66 Klein/Bachmayer, wie Anm. 4, S. 74
67 Besucheranalye der Ausstellung »Herbst des Mittelalters« in der Kunsthalle Köln, vervielf. MS. Karlsruhe 1971; zusammen mit Jürgen Uhlig: Besucheranalyse Badisches Landesmuseum, MS. Karlsruhe 1978 Klein/Bachmayer, wie Anm. 4, S. 271/272), sowie »Befragungen in Kunstvereins-Ausstellungen in Köln, Stuttgart und Karlsruhe 1970.« (Hans-Joachim Klein: Analyse von Besucherstrukturen an ausgewählten Museen in der Bundesrepublik Deutschland und in Berlin [West], [= Materialien aus dem Institut für Museumskunde 9]. Berlin 1984, S. 28)
68 Annette Noschka-Roos: Besucherforschung und Didaktik. Ein museumspädagogisches Plädoyer (= Berliner Schriften zur Museumskunde 11). Opladen 1994, S. 163
69 Peter Müller-Egloff/Ewald Rumpf: Konzeption und Ergebnisse einer psychologischen Untersuchung im Dürer-Studio. In: Jürgen Rohmeder u.a. (Hgg.): Zum Beispiel Dürer-Studio. Dokumentation und Kritik eines ausstellungsdidaktischen Experiments. Ravensburg 1972, S. 82–107, hier S. 91
70 Deutsche Forschungsgemeinschaft, wie Anm. 46, S. 188. In der Literatur finden sich keine weiteren Nachweise dieser Erhebung. Womöglich ist dieser Hinweis ein nachträglicher Einschub von 1974 in den Text des Appells von 1971
71 Günther Gottmann: Bericht über ein Besucherprofil des Deutschen Museums. In: Museumskunde 42 (1977), S. 29–35
72 Gottmann, wie Anm. 71, S. 35. Vgl. auch den Anhang zum vorliegenden Beitrag.
73 Bernhard Graf/Heiner Treinen: Besucher im technischen Museum. Zum Besucherverhalten im Deutschen Museum München (= Berliner Schriften zur Museumskunde 4). Berlin 1983, S. 11–17
74 Siehe oben, S. 171
75 Graf/Treinen, wie Anm. 73
76 Aus dieser Tagung ging hervor: Bernhard Graf/Günter Knerr (Hgg.) Museumsausstellungen. Planung/Design/Evaluation. München/Berlin 1985
77 Anneliese Almasan/Ellen von Borzyskowski/Hans-Joachim Klein/Sigrid Schambach: Neue Methoden der Ausstellungsplanung in Museen. Ein Projekt der Robert-Bosch-Stiftung. Abschlußbericht. Karlsruhe 1993, S. 47–61, 101–152, 285–325. Vgl. hierzu auch Annette Noschka-Roos: Evaluationsforschung am Deutschen Museum (vollständiger Titel im Anhang)
78 Sandra Bicknell/Graham Farmelo (Hgg.): Museum Visitor Studies in the 90s. London 1993
79 Haus der Geschichte der Bundesrepublik Deutschland (Hg.): Museums-Fragen/Museen und ihre Besucher. Herausforderungen in der Zukunft. Bonn 1996
80 Die Darstellung folgt Almasan, wie Anm. 77, S. 5–8
81 Almasan, wie Anm. 80. Während im Verständnis der an H.-J. Klein orientierten Forschungsrichtung eher experimentelle Vergleichsstudien angesprochen sind, zielt die von Chandler Screven vertretene Definition mehr auf empirische Optimierungsverfahren im Museumsalltag hin. (Hinweis von Dr. A. Noschka-Ross, der ich für die kritische Durchsicht des Manuskripts danke.)
82 Almasan, wie Anm. 77, S. 9–19. Vgl. hierzu auch Annette Noschka-Roos: Die Evaluation als Methode der Besucherforschung bei Sonderausstellungen. In: Landesstelle für die nichtstaatlichen Museen (Hg.): Lust und Leid/Ausstellungen im Museum. 8. Bayerischer Museumstag, Rosenheim 6.–8.9.1995, Tagungsbericht. München 1996, S. 57–65, dort auch weitere Literatur
83 Klein/Bachmayer, wie Anm. 4, S. 73
84 Annette Noschka-Roos/Monika Hagedorn-Saupe: Museumspädagogik in Zahlen – Erhebungsjahr 1988 (= Materialien aus dem Institut für Museumskunde 27). Berlin 1989, S. 24
85 Günter Heinritz/Wolfgang Fischer: Nichtstaatliche Museen in Bayern., (Hg.) Technische Universität München/Geographisches Institut. München 1993, S. 41. Eine kritische Wertung dieser Arbeit gibt Wolfgang Stäbler: Neue Bücher. In: Museum heute 7 (1994), S. 43/44
86 Diese Zahl deckt sich recht genau mit der Quote fehlender Rückläufe an das Institut für Museumskunde bei der Erhebung der jährlichen Besuchszahlen. Dort liegt sie für die Jahre 1985–1988 bei knapp 22 %. Zu ähnlichen Zahlen kommt Wildenauer für Oberfranken (siehe Anhang)
87 Hierzu im Anhang S. 185 ff. Für die interaktiven Ausstellungsteile im Museum Mensch und Natur in München wurden Pre-Tests mit Mock-ups durchgeführt (Führer Museum Mensch und Natur. Braunschweig 1992, S. 83)
88 Vgl. beispielsweie im bayerischen Raum die Titel der Arbeiten von Baumann u.a., Klump und Strack (siehe Anhang) sowie Manfred Treml: Welche Marktchancen haben kulturhistorische Ausstellungen? Vortragsmanuskript 1995
89 Vgl. Anm. 3
90 Kommunale Gemeinschaftsstelle für Verwaltungsvereinfachung e.V. (Hg.): Die Museen. Besucherorientierung und Wirtschaftlichkeit. Köln 1989, S. 37–50

91 Einen Blick in die Zukunft wagt beispielsweise Bernhard Graf: Auf dem Weg ins 21. Jahrhundert: Veränderungen der Besucherstrukturen. In: Haus der Geschichte der Bundesrepublik Deutschland, wie Anm. 79, S. 216–232. Vgl. hierzu auch Heiner Treinen/Helmut Kromrey: Trendanalyse von Besuchszahlen – Entwicklungen in den Museen der (vormaligen) Bundesrepublik Deutschland. In: Hans-Jürgen Andreß u.a. (Hgg.): Theorie/Daten/Methoden. Neue Modelle und Verfahrensweisen in den Sozialwissenschaften. München 1992, S. 367–381, sowie Roger Miles/Lauro Zavala (Hgg.): Towards the Museum of the Future. New European Perspectives. London/New York 1994

92 Roger Miles: Besucherforschung im europäischen Überblick. In: Haus der Geschichte der Bundesrepublik Deutschland, wie Anm. 79, S. 38–48

93 Vgl. z.B. zu sogenannten »interaktiven« Ausstellungselementen Jeff Kennedy: User Friendly Exhibits that Work. Washington D.C. 1990. Den Erfahrungsvorsprung nordamerikanischer Museen dokumentiert auch das Heft »Mediendämmerung. Die unaufhaltsame Computerisierung der Museen« (= Karlsruher Schriften zur Besucherforschung 6). Karlsruhe 1995

94 Mit fragwürdigem Nutzen für die Museumswelt Volker Kirchberg: Sozialforschung und Museumsmarketing. In: Haus der Geschichte der Bundesrepublik Deutschland, wie Anm. 79, S. 176–193

95 Im Bereich der Textoptimierung in Museen und Ausstellungen sind verschiedene dieser Ansätze bereits verarbeitet worden. Vgl. beispielsweise Bernhard Graf (u.a.): Texte in Ausstellungen. Hinweise und Anregungen für verständliche Formulierung und besucherfreundliche Gestaltung (= Schriften des Rheinischen Museumsamtes 60). Pulheim/München 1995

96 Fraenkel, wie Anm. 26

97 Harald Koch: Müssen Museumsbesuche so anstrengend sein? In: Licht/Technik. Handel. Planung. Design 43/9 (1991), S. 640–643; Uwe Krebs: Museumsinhalte und Besucherphysiologie. Zur Aufnahme und Verarbeitung von Informationen. In: Max Liedtke (Hg.): Das Schulmusem. Schulgeschichtlicher Anspruch und Probleme der Museumstechnik und Museumspädagogik. Nürnberg 1988, S. 60–70

98 Klein, wie Anm. 67, S. 102

99 Paulette McManus: Oh, Yes, They Do: How Museum Visitors Read Labels and Interact with Exhibit Texts. In: Curator 32 (1989), S. 74–89 und dies.: Thinking About the Visitors Thinking. In: Bicknell/Farmelo, wie Anm. 78, S. 108–113

100 Hierzu kritisch v.a. Hans-Joachim Klein/Barbara Wüsthoff-Schäfer: Inszenierung an Museen und ihre Wirkung auf Besucher (= Materialien aus dem Institut für Museumskunde 32). Berlin 1990; Ulrich Paatsch: Konzept Inszenierung – Inszenierte Ausstellungen. Ein neuer Zugang für Bildung im Museum? Ein Leitfaden. Heidelberg 1990; Ansgar Häfner: Der Untergang der Titanic im Museum. In: Stefan Müller-Doohm/Klaus Neumann-Braun (Hgg.): Kulturinszenierungen. Frankfurt am Main 1995, S. 313–335

101 Eine sehr eindrucksvolle Zusammenstellung wissenschaftlicher Ansätze bietet Charles Hampden-Turner: Modelle des Menschen. Ein Handbuch des menschlichen Bewußtseins. Weinheim/Basel 1982

102 Alma S. Wittlin: Museums: In Search of a Usable Future. London/Cambridge, Mass. 1970, S. 212. Im übrigen enthält die Erstfassung von Wittlins Buch einen Bericht über eine Besucherbefragung, die sie – ohne Kenntnis des Forschungsstands in den USA und auf dem Kontinent – 1942/1943 im University Museum of Archaeology and Ethnology in Cambridge durchgeführt hatte. Es handelte sich dabei um eine vergleichende Untersuchung anhand einer Altaufstellung und einer experimentellen Anordnung. Diese forschungsgeschichtlich sehr interessante Studie ist meines Wissens bislang übersehen worden (Alma S. Wittlin: The Museum. Its History and Tasks in Education. London 1949, hier S. 236–246).

103 Ein nachdenklich stimmendes Beispiel geben Almasan u.a. aus dem Staatlichen Museum für Naturkunde, Karlsruhe (wie Anm. 77, S. 416–421)

104 Eilaine Heumann Gurian: Noodling around with Exhibition Opportunities. In: Ivan Karp/Steven D. Lavine (Hgg.): Exhibiting Cultures. The Poetics and Politics of Museum Display. Washington/London 1992, S. 176–190, hier S. 187

105 Ein Beispiel hierfür ist die aktuelle Wanderausstellung »Medicines/the Inside Story«, in der die Homöopathie keinerlei Erwähnung findet. Wen wundert's – Sponsor ist eine große pharmazeutische Firma. Ähnliche Fälle ließen sich auch durchaus in unseren Breiten finden.

106 Ross J. Loomis: Please! – Not another Visitor Survey. In: Museum News 52 (1973), S. 21–26. Loomis ist auch Autor des umfassendsten Handbuchs zur Besucherforschung im Museum: Museum Visitor Evaluation: New Tool for Management (= American Association of State and Local History/Management Series 3). Nashville 1987

107 Es sind dies das Rieser Bauernmuseum Maihingen und das Oberfränkische Bauernhofmuseum Kleinlosnitz. Bearbeiterin ist Dr. Annette Noschka-Roos, München.
Als hilfreicher Leitfaden für die Anwendung auch an kleinen Museen liegt vor Ulrich Paatsch/Christa Schulze: Besucher-Erhebungen selbst durchführen. Ein Werkstattbericht aus der Praxis bildungsorientierter Erhebungen an Museen. Methoden, Reichweite, Probleme (Hg. Arbeitsgemein-

schaft für empirische Bildungsforschung e.V./ AfeB). Heidelberg 1992

108 Patricia A. McNamara: Trying It Out. In: Association of Science and Technology Centers (Hg.): What Research Says About Learning In Science Museums. Washington D.C, S. 13–15, hier S. 13. Ähnlich Michael B. Alt/Steven A. Griggs: Psychology and the Museum Visitor. In: John M. A. Thompson (Hg.): Manual of Curatorship. A Guide to Museum Practice. London, 2. Aufl.1986, S. 386–393, hier S. 392

109 Hans-Joachim Klein: Der gläserne Besucher. Publikumsstrukturen einer Museumslandschaft (= Berliner Schriften zur Museumskunde 8). Berlin 1990

Bibliographische Hilfsmittel zur Besucherforschung in Deutschland

Die umfangreichste bibliographische Sammlung ist:

Noschka-Roos, Annette: Bibliographie-Report 1993 zu Museologie, Museumspädagogik, Museumsdidaktik und Besucherforschung (=Materialien aus dem Institut für Museumskunde, Heft 39). Berlin 1993
Die Fassung von 1989 bietet eine sehr wertvolle »referierende Bibliographie« von 100 Titeln zur Besucherforschung: (= Materialien des Instituts für Museumskunde, Heft 29), S. 217–277

Ergänzend sind heranzuziehen:

Ahrweiler, Petra: Besucherforschung im Freilichtmuseum am Kiekeberg. In: Rolf Wiese/Gisela Wiese (Hgg.): Museumsmanagement. Eine Antwort auf schwindende Finanzmittel? (=Schriften des Freilichtmuseums am Kiekeberg 16). Ehestorf 1994, S. 161–175

Bimmer, Andreas C.: Materialien zur Besucherforschung im Museum. In: Museumsarbeit (=Hessische Blätter für Volks- und Kulturforschung N.F. 10). Gießen 1980, S. 99–109

Weitere wichtige bibliographische Nachweise enthalten:

Graf, Bernhard/Treinen, Heiner: Besucher im technischen Museum. Zum Besucherverhalten im Deutschen Museum München (=Berliner Schriften zur Museumskunde 4). Berlin 1983

Eisenbeis, Manfred: Elements for a Sociology of Museums. In: Museum 24 (1972), S. 110–119

Klein, Hans-Joachim/Bachmayer, Monika: Museum und Öffentlichkeit. Fakten und Daten – Motive und Barrieren (= Berliner Schriften zur Museumskunde 2). Berlin 1981

Bibliographie zu Besucherstudien in Bayern (nach 1970, in chronologischer Folge)

Die einzelnen Titel unterscheiden sich nach Umfang und zum Teil auch in wissenschaftlich-methodischer Hinsicht recht erheblich.
Besondere Beachtung verdienen die Arbeiten von Graf/Treinen, Klein, Lamnek/Zwick, Almasan u.a., Noschka-Roos, Fröhlich und Strack.

Müller-Egloff, Peter/Rumpf, Ewald: Konzeption und Ergebnisse einer psychologischen Untersuchung im Dürer-Studio. In: Jürgen Rohmeder u.a.: Zum Beispiel Dürer-Studio. Dokumentation und Kritik eines ausstellungsdidaktischen Experiments. Ravensburg 1972, S. 82–107

Gottmann, Günther: Bericht über ein Besucherprofil des Deutschen Museums. In: Museumskunde 42 (1977), S. 29–35
(Die demographischen Ergebnisse in Übersicht bereits bei Lenz Kriss-Rettenbeck: Zur Typologie von Auf- und Ausstellungen in kulturhistorischen Museen. In: Ingolf Bauer/Nina Gockerell [Hgg.]: Museumsdidaktik und Dokumentationspraxis. Zur Typologie von Ausstellungen in kulturhistorischen Museen. München 1976, S.11–55, hier S.50–53)

Graf, Bernhard/Treinen, Heiner: Besucher im technischen Museum. Zum Besucherverhalten im Deutschen Museum München (=Berliner Schriften zur Museumskunde 4). Berlin 1983

Klein, Hans-Joachim: Analyse von Besucherstrukturen an ausgewählten Museen in der Bundesrepublik Deutschland und in Berlin (West) (=Materialien aus dem Institut für Museumskunde 9). Berlin 1984 (Erfaßt wurden in Bayern: Bamberg/Historisches Museum; Schweinfurt/Historisches Museum; Mittenwald/Geigenbau- und Heimatmuseum; Oberstdorf/Heimatmuseum; Weiler im Allgäu/Heimatmuseum)

Scherzer, Hermann: Besucherbefragung im Fränkischen Freilandmuseum. In: Franken unter einem Dach 7 (1984), S. 19 (Fränkisches Freilandmuseum Bad Windsheim)

Lamnek, Siegfried/Zwick, Michael: Untersuchungsbericht zum soziologischen Begleitprojekt der Ausstellung in Augsburg »Aufbruch ins Industriezeitalter«, (Hg.) Haus der Bayerischen Geschichte. München 1985

Heidrich, Hermann: Besucherbefragung 1985. In: Franken unter einem Dach 8 (1985), S. 18/19 (Fränkisches Freilandmuseum Bad Windsheim)

Nonnenmacher, Traudl: Ergebnisse aus der Besucherbefragung in der Saison 1987. In: Freundeskreisblätter 25 (1988), S. 111–114 (Freilichtmuseum des Bezirks Oberbayern auf der Glentleiten)

Noschka-Roos, Annette: Evaluationsforschung im Deutschen Museum. In: Julia Breithaupt, Peter Joerißen (Hgg.): Kommunikation im Museum. Dokumentation im Anschluß an die Jahrestagung der Arbeitsgemeinschaft der deutschsprechenden Mitglieder der CECA im ICOM im November 1987 in München [o.O.] 1988, S. 83–92

Wildenauer, Marion: Museumsentwicklung und -planung in Oberfranken. Eine angebotsorientierte Bestandsaufnahme und empirische Problemanalyse (=Kommunal- und Regionalstudien 8). Kronach/Bonn 1990

Breu, Florian: Die Besucher im Münchner Stadtmuseum. In: Münchner Statistik 6 (1990), S. 257–288

Lamnek, Siegfried: Die Evaluation von Evaluationsstudien. Einige Gedanken am Beispiel der Ausstellung »Geschichte und Kultur der Juden in Bayern«. In: Haus der Bayerischen Geschichte (Hg.): Besucherforschung und Vermittlungsstrategien in historischen Ausstellungen. München 1991, S. 33–50

Lindinger, Carola: Museumspädagogik für Grundschulkinder. Speziell dargestellt am Beispiel des Oberpfälzer Freilandmuseums Neusath-Perschen. Zulassungsarbeit, Universität Regensburg/Didaktik der Sozialpädagogik 1993

Almasan, Anneliese/Borzyskowski, Ellen von/Klein, Hans-Joachim/Schambach, Sigrid: Neue Methoden der Ausstellungsplanung in Museen. Ein Projekt der Robert-Bosch-Stiftung. Abschlußbericht. Karlsruhe 1993 (u.a. Deutsches Museum München)

Klima, Andreas: Räumliche Referentialität im Museum. Untersuchungen zur besucherseitigen Reaktion auf raumspezifische Informationen. Dissertation Technische Universität München/Geographisches Institut 1991 (Teile von Schwaben und Altbayern, erfaßt sind 14 regionale Museen)

Noschka-Roos, Annette: Besucherforschung und Didaktik. Ein museumspädagogisches Plädoyer (=Berliner Schriften zur Museumskunde 11). Opladen 1994 (S. 199–217: Deutsches Museum München)

Klumpp, Britta: Marketingprobleme eines Freilichtmusems gezeigt am Beispiel des Schwäbischen Bauernhofmuseum Illerbeuren. Diplomarbeit Berufsakademie Ravensburg/Betriebswirtschaft 1994

Baumann, Reiner/Link, Anke/Nowak, Barbara/Schulz, Sebastian: Sollkonzeption/Marketing für das Schwäbische Volkskundemuseum Oberschönenfeld. Diplomarbeit Fachhochschule Augsburg/Wirtschaft 1994

Fröhlich, Werner / Treml, Manfred: Besucherforschung. In: Haus der Bayerischen Geschichte (Hg.): Lucas Cranach. Ein Maler-Unternehmer aus Franken. Abschlußbericht und Kolloquium zur Ausstellung. Augsburg 1995, S. 39–49

Wagenstaller, Irmingard: Besucherprofil des Deutschen Museums. Diplomarbeit Ludwig-Maximilians-Universität München/Institut für Soziologie 1995

Strack, Jochen: Marketing für Ausstellungshäuser – eine empirische Untersuchung psychologischer Variablen bei Besuchern und Nicht-Besuchern des Haus der Kunst, München. Diplomarbeit Ludwig-Maximilians-Universität München/Betriebswirtschaft 1996

Herles, Diethard: Das Museum und die Dinge. Wissenschaft/Präsentation/Pädagogik. Frankfurt am Main/New York 1996 (S. 150–173: »Besucherverhalten in der Alten Pinakothek München«)

Maier, Lorenz: Besucherbefragung. In: Haus der Bayerischen Geschichte (Hg.): Salz macht Geschichte. Abschlußbericht. Augsburg 1996, S. 24–28

Besonders lehrreich sind die Videos zur Wanderausstellung »Verflixte Schönheit«. Bisher liegen die Teile »Front-End-Evaluation« und »Formative Evaluation« vor, die Darstellung der summativen Evaluation ist in Vorbereitung (erhältlich bei: ANstiftung/Gemeinnützige Forschungsgesellschaft zur Förderung zukunftssichernder sozialer, kultureller und ökonomisch-ökologischer Maßnahmen m.b.H., Daiserstraße 15, 81371 München, Tel. 77 70 31).

Lektüre am Rande

»*... Das Museum war monumental, steinern, kalt, und ihm entströmte, als wäre es nicht Sitz der Kunst, sondern die Höhle der Winde, ein frostiger Atem, der die ganze Straße erfüllte ... Aus dem großen gewölbten Eingang über der steinernen Treppe kam eine kalte schwarzbraune Finsternis, die so unermeßlich war, daß selbst dieses große Tor nicht genügt haben konnte, um sie in das Museum durchzulassen. Nein! Die Finsternis war zuerst dagewesen und rings um sie hatte man das Museum gebaut ...*« Aus Joseph Roth: Das Museum. In ders.: Orte. Leipzig 1990, S. 51–54, hier S. 53

Literarische Zeugnisse von Museumsbesuchen gibt es in ungezählter Fülle. Jüngst erschienen mehrere Sammlungen von Texten aus Prosa und Lyrik bis hin zu persönlichen Tagebucheintragungen – eine Anregung zur Lektüre neben wissenschaftlichen Besucherstudien:

Galard; Jean [Bearb.]: The Louvre Through Visitors' Eyes. In: Elisabeth de Farcy/Frederique Morveau (Hgg.): The Louvre. New York 1995, S. 97–112

G[rasskamp], W[alter]: Sonderbare Museumsbesuche/Dossier. In: Jahresring/Jahrbuch für moderne Kunst 36. München 1989, S. 151–206

Rönneper, Joachim (Hg.): Die Welt der Museen. Literarische Besuche in den Museen der Welt. Frankfurt am Main/Leipzig 1993

Beim Aktionstag »Bauernarbeit früher« im Bauernhofmuseums des Landkreises Fürstenfeldbruck in Schöngeising-Jexhof. Unter Anleitung eines Museumsmitarbeiters wird den Kindern das Grasmähen gezeigt.

Christine Schmid-Egger

Museumspädagogik an bayerischen Museen

Bestandsaufnahme, Entwicklung, Ausblick

Museumspädagogik – ein weites Feld, wenn man allein an die unterschiedlichen Tätigkeiten derjenigen denkt, die im Museum im Bereich der Vermittlung arbeiten: Führungen, Vorträge und Programme für verschiedenste Besuchergruppen zu entwickeln und in die Praxis umzusetzen, gehört ebenso zum museumspädagogischen Alltag, wie Arbeitsblätter oder Suchspiele zu entwickeln, Sonderausstellungen zu konzipieren, Kinderführer sowie Lehrerhandreichungen zu erstellen und die Presse über die Aktivitäten des Museums zu informieren, wobei sich diese Aufzählung vielfältig fortführen ließe.

Zur aktuellen Situation in Bayern

Eine Bestandsaufnahme der Museumspädagogik *»mit ihren vielen Bezügen, Möglichkeiten, offenen experimentellen Situationen, ihrer unsicheren Zugehörigkeit und mangelnder Definitionsklarheit«* [1] anhand nüchterner Umfrageergebnisse aus den letzten Jahren zu erstellen, ist dies überhaupt möglich? Auch wenn vielleicht einige Aspekte aus dem breiten Spektrum der Museumspädagogik bei diesem Ansatz nicht erfaßt sind, hat die Landesstelle für die nichtstaatlichen Museen in Bayern – teilweise in Zusammenarbeit mit weiteren Institutionen [2] – mit dem Hilfsmittel der Umfrage versucht, zumindest einen systematischen Überblick über die momentane Struktur der Vermittlungsarbeit an den bayerischen Museen zu gewinnen. Aus den Ergebnissen lassen sich darüber hinaus Rückschlüsse für derzeitige Schwerpunkte und Tendenzen in der Museumspädagogik gewinnen.

Zunächst zu den *technisch-organisatorischen Rahmenbedingungen*: Wieviel Raum – im wörtlichen Sinne – nimmt die Museumspädagogik an den bayerischen Museen ein? Wie Klaus Weschenfelder und Wolfgang Zacharias feststellen, ist *»Museumspädagogik ohne eigene Räume... auf rudimentärste Ausprägungen zurückgeworfen. Ohne spezielle Räumlichkeiten lassen sich keine kontinuierlichen Aktivitäten entfalten, kinderspezifisches Verhalten wird aus konservatorischen Rücksichten (aber nicht nur aus solchen) in den Ausstellungsräumen nicht geduldet.«* [3] Die Landesstelle hatte in ihrer jüngsten Umfrage vom Oktober 1995 [4] zu diesem Thema zwei Fragen gestellt: »Verfügt das Museum über einen eigenen museumspädagogischen Raum?« und »Wieviel Quadratmeter Nutzfläche besitzt das Museum für Museumspädagogik?« 800 Museen gaben Auskunft; spezielle Räumlichkeiten für die Museumspädagogik haben jedoch nur 85 Museen; in Planung sind solche Einrichtungen bei immerhin 46 weiteren Museen. 94 Museen machten Angaben zur Größe der Räumlichkeiten, die überwiegend (73 Nennungen) bis 100 m² beträgt.

Die Grundbedingung schlechthin für die Existenz der Museumspädagogik bildet das Vorhandensein von *Personal* und dessen Finanzierung. Anhand des vorliegenden statistischen Materials lassen sich für die Jahre 1992, 1994 und 1995 interessante Erkenntnisse hinsichtlich der Situation an den bayerischen Museen gewinnen. [5] Man muß natürlich immer bedenken, daß mit Hilfe von Umfragen lediglich strukturelle Einblicke möglich sind, jedoch keine Aussagen über die Qualität der museumspädagogischen Arbeit an den einzelnen Museen getroffen werden können. Die Schwierigkeit, gerade die Personalsituation anhand von Zahlen und Fakten darzustellen, verbindet als »roter Faden« die Auswertung der genannten Umfragen. Was das Institut für Museumskunde in Berlin (IfM) bei seiner ersten Erhebung zur Museumspädagogik 1988 feststellte, gilt immer noch: *»Es zeigte sich, daß teils einzelne Personen bzw. -kreise benannt wurden, die für die Museumspädagogik verantwortlich zeichnen bzw. an die die museumspädagogische Arbeit überwiegend delegiert ist, teils auch der ganze Mitarbeiterstab des Museums aufgezählt wurde. Dies entspricht einer-*

Personal für die museumspädagogische Arbeit

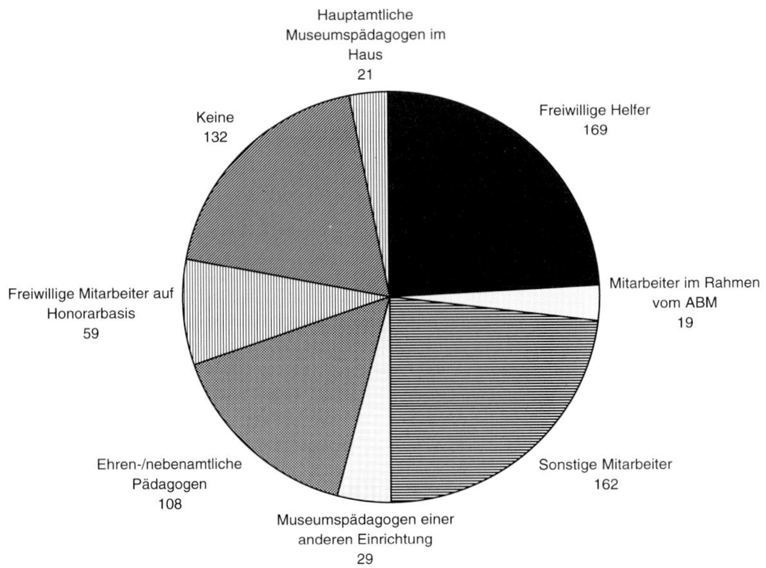

Basis: 544 Museen

seits sicher dem Grad der internen Arbeitsteilung, in der die museumspädagogische Arbeit im jeweiligen Museum stattfindet, verdeutlicht aber andererseits auch, daß der Museumspädagogik kein klar umrissenes Tätigkeitsfeld zugeordnet werden kann; und daß darüber hinaus ein eindeutiges Berufsbild für Museumspädagogen fehlt«.[6]

1992 gaben 121 der 544 an der Umfrage des IfM beteiligten bayerischen Museen an, kein speziell für die Museumspädagogik verantwortliches Personal zur Verfügung zu haben; 1995 machten von 800 ausgewerteten Museen sogar 725 keine Angaben zu dieser Frage. Die restlichen 75 Museen zählten 29 fest angestellte, 11 zeitlich befristete und 40 neben- bzw. ehrenamtliche Museumspädagogen auf.[7] Gerade bei den hauptamtlichen, d.h. festangestellten Museumspädagogen wäre allerdings wieder nachzuprüfen, inwiefern diese tatsächlich ausschließlich als Museumspädagogen eingestellt wurden. Hier sind Mißverständnisse nicht auszuschließen, wie sich bereits bei der Erhebung zur Situation der hauptamtlichen Museumspädagoginnen und -pädagogen in Bayern von 1994 zeigte:

Aufgrund der zurückgesandten Fragebögen und eigener telefonischer Recherchen ergab sich beispielsweise, daß – im Gegensatz zu 26 in der IfM-Umfrage von 1992 ermittelten fest angestellten Museumspädagogen in bayerischen Museen – bei näheren Nachforschungen lediglich 15 hauptamtliche Museumspädagogen an insgesamt 13 bayerischen Museen übrig blieben – auch dies ein Indiz für die Schwierigkeit, die personelle Situation der Museumspädagogen eindeutig zu erfassen.

Wer leistet nun – nachdem der »Idealfall« eines festangestellten Museumspädagogen äußerst selten vorkommt – hauptsächlich die museumspädagogische Arbeit an den bayerischen Museen? Dazu liefert die Umfrage von 1992 einige Zahlen:

Bei rund 31 % der 544 ausgewerteten Museen sind freiwillige Helfer als zuständige Museumspädagogen vermerkt; über die Hälfte jener Museen wiederum bestreiten ihre Aktivitäten sogar ausschließlich mit freiwilligen – was wohl immer gleichzusetzen ist mit ehrenamtlichen – Helfern. Nahezu jedes dritte Museum hat auf die Frage zum museumspädagogisch tätigen Personal »sonstige Mitarbeiter« angekreuzt, wobei das Spektrum ein sehr breites ist und vom Pfarrer über die Büroangestellte oder das Besitzerehepaar bis zum hauptamtlichen Museumsleiter reicht. Knapp ein Fünftel der Museen beschäftigt ehren- bzw. nebenamtliche Pädagogen und beinahe 11% freiwillige Mitarbeiter auf Honorarbasis. »Museumspädagogen einer anderen Einrichtung« (rund 5%) wurden vor allem von den Museen in München – hier ist das Museums-Pädagogische Zentrum (MPZ) zuständig – und Nürnberg, wo das Kunstpädagogische Zentrum (KPZ) angesiedelt ist, genannt. 19 Museen setzten für museumspädagogische Aufgaben ABM-Kräfte ein.

Bezeichnend für das Engagement vieler Museumsleiter und -leiterinnen an kleineren und mittleren Museen Bayerns im Bereich der Vermittlung ist die Tatsache, daß 1992 zu den vorgegebenen Antworten nach zuständigem Personal 34mal als neue Kategorie eigens »die Museumsleitung« hinzugefügt wurde.

Läßt sich hinsichtlich der Schaffung fester museumspädagogischer Stellen an den Museen ein Zeitpunkt festmachen? Laut den 1994 befragten Museumspädagogen wurden deren Stellen vorwiegend in der 2. Hälfte der 80er und zu Beginn der 90er Jahre eingerichtet, wobei 9 Stellen aus Arbeitsbeschaffungsmaßnahmen hervorgingen, 5 wurden neu geschaffen, 1 weitere kam durch Umwidmung einer städtische Erzieherinnenstelle zustande. Erfreulich ist, daß seit 1994 uns immerhin eine weitere feste museumspädagogische Stelle bekannt ist.[8]

Neben den direkt an einem Museum angestellten Museumspädagogen darf natürlich die Betreuung vorwiegend der Münchner Museen durch das Museums-Pädagogische Zentrum mit seinen Mitarbeitern und der Nürnberger Museen durch das Kunstpädagigsche Zentrum nicht vergessen werden.

Welche *Formen der pädagogischen Betreuung* bieten die bayerischen Museen ihren Besuchern vor allem an? Wie die Ergebnisse der Umfrage von 1992 (Mehrfachnennungen waren möglich) zeigen, liegen hier die Führungen, die bei über drei Viertel der Museen gelegentlich oder sogar regelmäßig zum Programm gehören, eindeutig an der Spitze. Bei immerhin mehr als einem Drittel der Einrichtungen bilden Führungen sogar die einzige Form der pädagogischen Betreuung von Museumsbesuchern. Rund ein Viertel der Museen bieten allerdings mindestens drei Formen der personalen Besucherbetreuung an. Gelegentliche Vorträge gehören dabei an über 17% der Museen zum Programm, gefolgt von gelegentlichen Ferienprogrammen, Vorführungen und Unterricht im

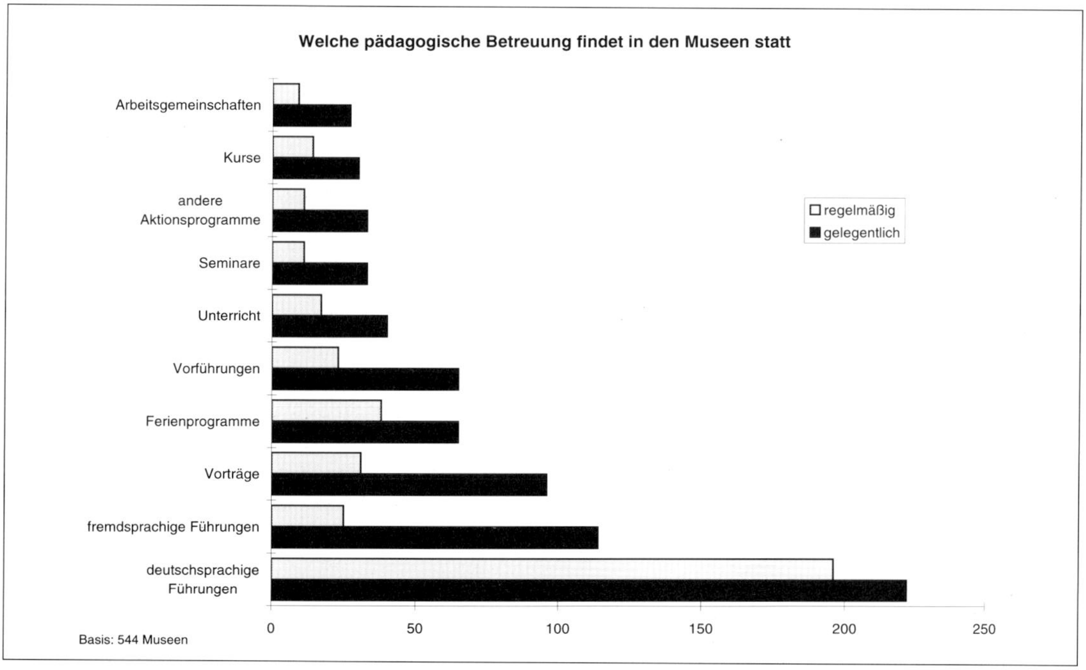

Museum. Regelmäßig wiederkehrende Angebote treten bisher an den bayerischen Museen relativ selten auf; in Führung liegen hier mit knapp 7% die Ferienprogramme.

Der *Einsatz von pädagogischen Hilfsmitteln* zum Museumsbesuch wurde 1992 ebenfalls näher untersucht. Erstaunlich ist, daß ein Viertel der Museen angab, keinerlei pädagogische Hilfsmittel anzubieten. Über die Hälfte der Museen hat deutsche Texte bzw. Schautafeln, knapp ein Viertel verfügt über Führungsblätter bzw. Modelle und Nachbildungen zur pädagogischen Aufbereitung des Sammlungsbestandes. Zwischen 15% und 17% der Museen bieten den Besuchern außerdem Begleitmaterialien, Arbeitsblätter oder eine Präsenzbibliothek an. Der Einsatz von Medien beschränkt sich hauptsächlich auf Video- bzw. Filminformationen (rund 17%), gefolgt von der Ton-/Dia-Schau (knapp 12%). An fremdsprachigen Angeboten finden sich noch am ehesten Führungsblätter (rund 5%) und Schautafeln/Texte (rund 4%). 39 Museen führten weder eine pädagogische Betreuung noch pädagogische Hilfsmittel an.

An welche *Zielgruppen* richtet sich das museumspädagogische Angebot?

Daß Schulklassen nach wie vor die wichtigsten Ansprechpartner der bayerischen Museen sind, belegt auch die Untersuchung von 1992: mit fast 57% lagen »Schüler in Schulklassen« als hauptsächliche Zielgruppe wesentlich vor »Touristen« und »Kinder allgemein« als nächstfolgende Adressaten. Ein Viertel der Museen widmet seine museumspädagogische Arbeit generell den Jugendlichen. 101 der 544 ausgewerteten Museen nannten gleichzeitig Kinder, Schüler und Jugendliche als Zielgruppe. Vor allem an ältere Mitbürger und den Museumsfreundeskreis richtet sich das Angebot bei über 17% bzw. 15% der Museen, an Behinderte lediglich bei knapp 6%. Bei der Frage nach den Zielgruppen zeigen sich wieder die Grenzen einer solchen Untersuchung: Knapp ein Drittel der Befragten gaben als Antwort »keine« an. Weitere 11 Museen hingegen kreuzten alle vorgegebenen Alternativen an, was ebenfalls als »keine spezielle Zielgruppe« gedeutet werden könnte. Ob für die angemerkten Gruppen auch wirklich individuelle Programme angeboten werden, läßt sich aus der Umfrage ebenfalls nicht herauslesen.

Entsprechend ihrer hauptsächlichen Zielgruppe antwortete 1992 über die Hälfte der beteiligten

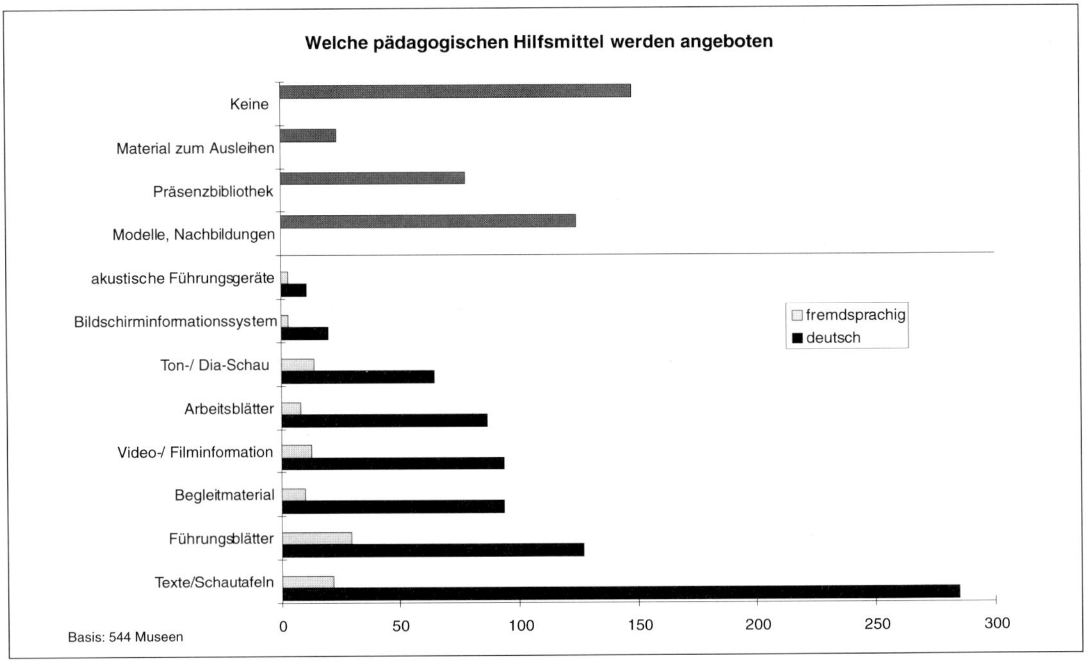

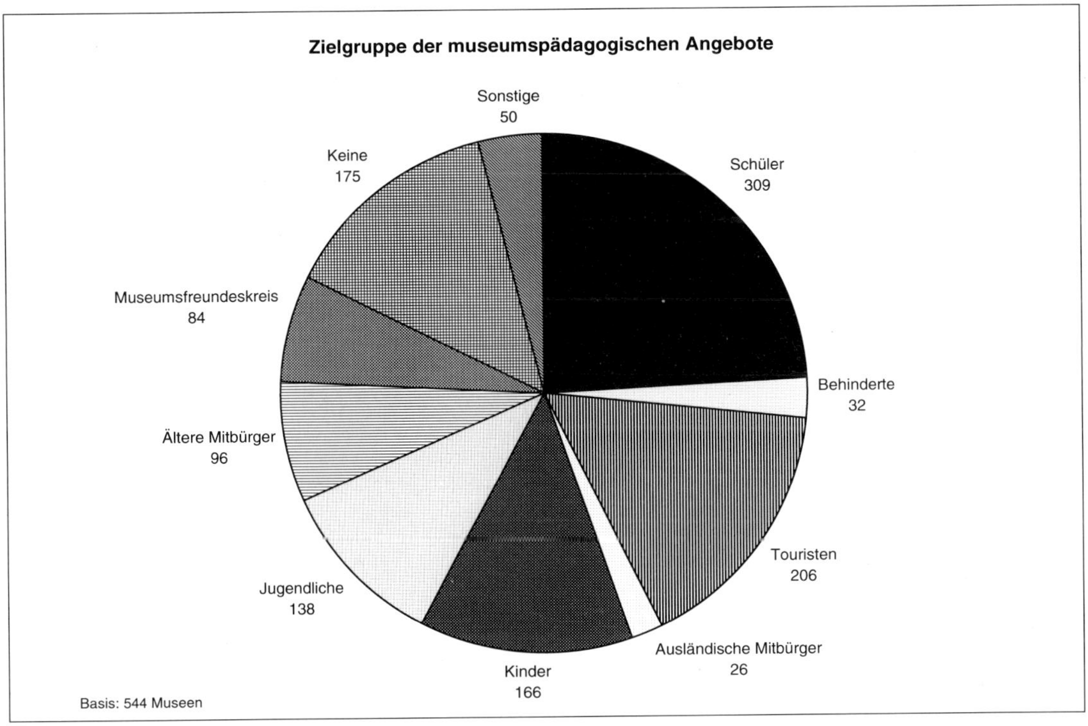

bayerischen Museen auf die Frage »Mit welchen Einrichtungen arbeitet Ihr Museum zusammen?«: »mit Schulen«; diese Einrichtung rangiert damit weit vor den anschließend genannten Vereinen und Volkshochschulen (jeweils rund ein Drittel). Hochschulen bzw. Universitäten als Partner der Museen folgen mit rund 19 %, außerschulische Bildungseinrichtungen mit knapp 11 %. Über ein Drittel der Museen kooperiert jedoch mit keinen anderen Einrichtungen.

Tendenzen und Perspektiven

Neben dem statistischen Überblick lassen sich aus den genannten Umfragen auch bestimmte Schwerpunkte und Tendenzen herauslesen, wie sie Monika Hagedorn-Saupe und Dr. Annette Noschka-Roos aufgrund von Erhebungen des Instituts für Museumskunde für ganz Deutschland 1995 festhalten: *»Im zeitlichen Vergleich zeigte sich, basierend auf Angaben von 1 478 Museen, die sowohl 1988 als auch 1993 die Fragen zur Museumspädagogik beantworteten: Trotz leerer Kassen werden museumspädagogische Angebote langsam, aber stetig erweitert. Hinweise darauf liefern der Ausbau des Personalstandes, die quantitative wie qualitative Ausdifferenzierung des Angebots, die zunehmende Differenzierung in der Zielgruppenbetreuung mit nach wie vor starker Orientierung auf Kinder und Jugendliche.«* [9]

Woran liegt es, daß die Arbeit mit jungen Leuten, vor allem mit *Schulklassen* – wohl für viele Außenstehende immer noch gleichbedeutend mit dem Begriff »Museumspädagogik« – einen Großteil der Vermittlungsarbeit an den Museen ausmacht? Möglichst früh das Interesse der künftigen Museumsbesucher zu wecken, mag aus der Sicht der Museen sicherlich eine Rolle spielen, ebenso die relativ unkomplizierte Kontaktaufnahme mit der Institution Schule und die organisatorische und pädagogische Unterstützung durch den Lehrer. Auf dem 12. Unterfränkischen Museumstag 1995 in Bad Königshofen unter dem Motto »Zwischen musealem Wagnis und pädagogischer Herausforderung – Der Museumsbesuch mit Schülern« wurden in der Diskussion zwischen Lehrern und Museumsbetreuern auch Konfliktpunkte ge-

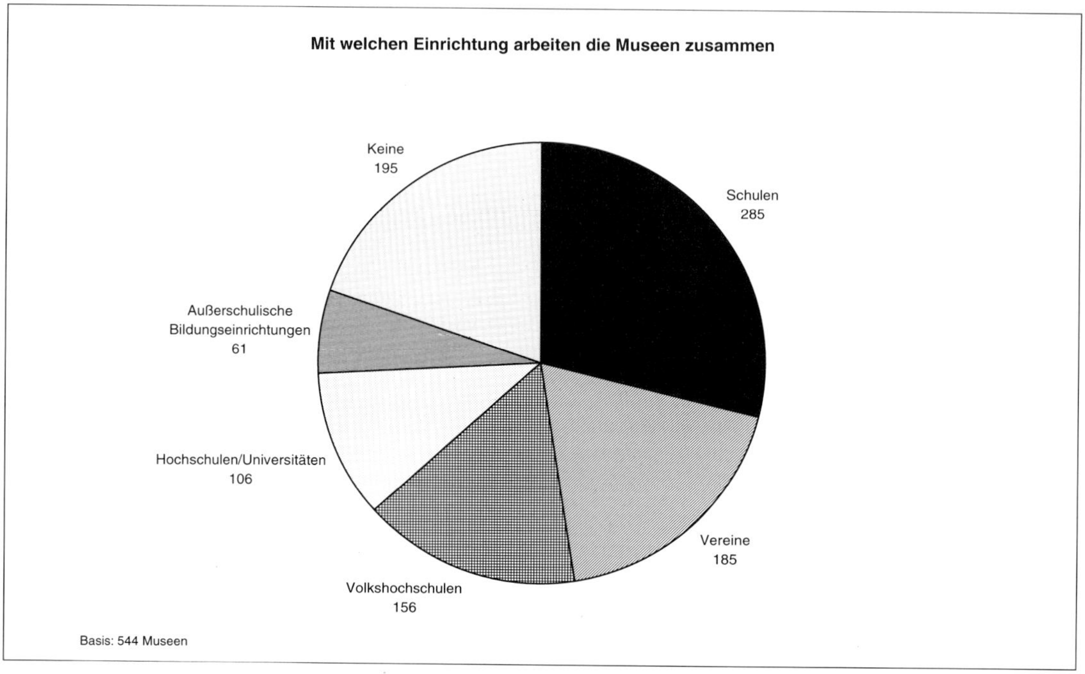

nannt:[10] Schwierig erscheint es, eine gemeinsame Schnittmenge von schulischen Lernzielen und musealen Inhalten zu finden. Schausammlungen sind in den Museen nicht nach Lehrplänen aufgestellt, sondern müssen alle Besuchergruppen in ihr Konzept miteinbeziehen, zudem sind konservatorische Vorgaben und der Sicherheitsaspekt zu beachten. Umgekehrt wünschen sich die Lehrer von den Museumsfachleuten Aufgeschlossenheit gegenüber pädagogischen und didaktischen Erfordernissen. Damit Schulklassen nicht nur am Wandertag den Weg ins Museum finden, sind gemeinsame Anstrengungen von beiden Seiten nötig. Leider ist es für viele Museen angesichts der bereits dargestellten personellen Situation schwierig, eine kontinuierliche Zusammenarbeit mit den Schulen aufzubauen.[11]

Als Hilfestellung für interessierte Lehrkräfte gibt die Landesstelle seit 1987 in Zusammenarbeit mit den jeweiligen Museen und – nach Auflösung des Seminars für Geschichte am Bayerischen Nationalmuseum – dem MPZ Lehrerhandreichungen heraus, die sowohl allgemein auf Möglichkeiten des Unterrichts in heimatgeschichtlichen und heimatkundlichen Museen hinweisen, als auch konkret ein bestimmtes Museum und seine Bestände vorstellen, dabei Bezüge zu den Lehrplänen verschiedener Schultypen herstellen und Arbeitsaufträge und -blätter sowie methodisch-didaktische Hinweise zu verschiedenen Themengebieten im Museum beinhalten. Nach Veröffentlichungen zur Burg Wolfsegg, dem Oberpfälzer Freilandmuseum Neusath-Perschen und dem Fabrikmuseum Roth wird 1996 das Passauer Oberhausmuseum im Mittelpunkt stehen; eine Handreichung zum 1995 eröffneten Mammut- und Naturkundemuseum in Siegsdorf ist in Vorbereitung.[12]

Verstärkt werden neben den Schulen von den Museen jedoch auch andere Zielgruppen angesprochen. Die Bedeutung des *Fremdenverkehrs* für viele Museen spiegelt die genannte Umfrage von 1992 wider, die als zweithäufigste Zielgruppe »Touristen« nennt.

Bei zunehmender Freizeit wird in Zukunft der Museumsbesuch für *Erwachsene* aller Altersstufen nicht nur im Urlaub eine sinnvolle Alternative zu anderen Angeboten bieten. Für die Museumspädagogik, die Erwachsene bisher meist im Rahmen von Führungen betreut, ergeben sich hier neue Möglichkeiten.

Erwachsene sind zunächst einmal eine sehr heterogene Besuchergruppe: Singles, Ehepaare,

Senioren, Vereine, Kursteilnehmer oder Kulturtouristen kommen mit unterschiedlichen Erwartungshaltungen und Ausgangspositionen ins Museum, denen es gerecht zu werden gilt. *»Dem Bedürfnis des Besuchers, sich gleichermaßen bilden und unterhalten zu wollen, kommt entgegen, daß die Stärke des Museums nicht in der reinen Wissensvermittlung liegt, sondern darin, mittels Originalen das Publikum emotional, rational und sinnenhaft ansprechen zu können. Der Besucher will im Museum Originale und Originelles sehen und erkennen, das ihm in dieser Art der Präsentation anderswo so nicht zugänglich ist. Die Angebote des Museums sollten vielfältig und vielschichtig sein, so daß die Unterschiede in Herkunft, Intelligenz und Vorkenntnissen der Besucher sich nicht als nachhaltige Zugangsschwellen auswirken.«* [13]

Ulrich Paatsch sieht für die Museumspädagogik in einer zunehmend konsum- und freizeitorientierten Gesellschaft Konsequenzen: *»Sie wird sich stärker als bisher mit den Interessen, Bedürfnissen und Motiven erwachsener Besucher auseinander zu setzen haben; und sie wird sich auch offensiver als Freizeitpädagogik begreifen müssen, die die Besucher abholt, wo sie nun einmal sind – bei ihren jeweiligen Freizeit-, Unterhaltungs- und Zerstreuungsbedürfnissen ... Museumspädagogik wird nicht umhin können, in Zukunft stärker auch animatorische Konzepte zu erproben, die erst einmal zu dem hinführen, was Museen ihren Besuchern zu bieten haben. Animation heißt für mich also, den Menschen des Medienzeitalters überhaupt eine Chance zu geben, eben dieses herauszufinden.«* [14] Den Vorteil des Museums zu nutzen, anhand seiner Originale Besucher für sich zu gewinnen, ohne jedoch – aufgrund der Konkurrenz zu anderen Freizeitmöglichkeiten – in puren Aktionismus zu verfallen, stellt die Museumspädagogik vor eine Herausforderung, für die es sinnvolle Konzepte zu entwickeln gilt. [15]

Neben Kindern und Erwachsenen im allgemeinen wenden sich die bayerischen Museen – wie aus der Umfrage von 1992 ersichtlich – auch *speziellen Besuchergruppen* wie Senioren, Behinderten und Ausländern zu. Nach Angeboten für letztere wurde 1992 eigens gefragt, wobei damals noch lediglich 40 von 544 ausgewerteten Museen die diesbezügliche Frage mit »ja« beantwortet hatten. Als Dienstleistungen für ausländische Besucher wurden fremdsprachige Führer und Prospekte sowie Führungen und Beschriftungen aufgeführt. Einen Sonderfall stellen die Museen im Grenzgebiet zur Tschechischen Republik dar, die tschechische Prospekte und Sonderausstellungen präsentieren. Eigene Programme zur kulturellen Integration von Ausländern finden sich an den bayerischen Museen noch relativ selten. Um anhand von praktischen Beispielen und Ideen konkrete Möglichkeiten für Museen zu entwickeln, ihre Rolle als Begegnungsstätten zwischen den Kulturen künftig stärker wahrnehmen zu können, führte die Landesstelle 1993 eine Fortbildungsveranstaltung mit Museumsmitarbeitern aus ganz Bayern im Stadtmuseum Amberg durch. Als Beispiele aus jüngster Zeit seien exemplarisch das 1996 vom Kunstpädagogischen Zentrum in Nürnberg veranstaltete Symposium »Vom Umgang mit Minderheiten« sowie – über Bayern hinaus – der 1995/1996 durchgeführte Modellversuch des Museumsverbands Baden-Württemberg »Begegnung mit dem Fremden« erwähnt, mit dem Konzepte interkultureller Museumsarbeit erprobt werden sollen. [16]

Die Zielgruppe der behinderten Besucher anzusprechen, bleibt ebenfalls ein Desiderat künftiger Museumspädagogik. Eine grundlegende Voraussetzung ist, daß das Museum von behinderten Menschen auch benutzt werden kann, das heißt daß entsprechende technische Einrichtungen wie Aufzüge oder Rampen vorhanden sind. Hier gibt es noch viel zu tun, wenn man die Auswertung der in der Umfrage von 1995 gestellten Frage »Ist das Museum für körperbehinderte Besucher eingerichtet?« bedenkt: Lediglich 128 von 800 Museen antworteten mit »ja«, 154 mit »teilweise«. Neben diesen Voraussetzungen gilt es vor der Entwicklung von Programmen zu bedenken, welche Gruppe man speziell ansprechen will, da für blinde Museumsbesucher andere Dinge zu beachten sind als beispielsweise für Rollstuhlfahrer oder geistig Behinderte.

Die Erschließung neuer Zielgruppen beinhaltet auch die Kooperation mit den entsprechenden Institutionen und Vereinen; für die Museen nicht nur in fachlicher Hinsicht eine Bereicherung, sondern vielleicht auch eine Möglichkeit, trotz immer knapper werdender Eigenmittel durch gemeinsame Finanzierung mit weiteren Ansprechpartnern und deren personeller Unterstützung neue museumspädagogische Projekte zu verwirklichen.

Um die verschiedenen Ansätze und Methoden der Museumspädagogik noch besser verbreiten und für potentielle Interessenten nutzbar machen zu können, wird der *Fortbildung* und dem *Erfahrungsaustausch* auch in Zukunft eine wesentliche Rolle zukommen: *»Von spannenden oder ungewöhnlichen oder ›fächerübergreifenden‹ Projekten erfährt man zufällig oder durch einen Besuch vor Ort. Viele Erfahrungen in der Museumspädagogik müssen mit ihren Fehlern oft mühsam wiederholt werden, weil die Berichterstattung über Vermittlung im Museum und Erfahrungen der Museumspädagogen noch immer ungenügend ist.«* [17] Auch in Bayern gab es nur vereinzelt Treffen speziell für Museumspädagogen.[18] Erst seit 1993 bietet die Landesstelle regelmäßig mindestens eine Fortbildungsveranstaltung im Jahr zur Museumspädagogik an. Die erfreulich hohe Teilnehmerzahl bei den bisher durchgeführten Arbeitstreffen und die Vielzahl an Vorschlägen für weitere Veranstaltungsthemen spiegeln das Interesse der Kolleginnen und Kollegen in den bayerischen Museen an Museumspädagogik wider. Dem Austausch von Ideen und in der Praxis erprobten Mitteln im Hinblick auf die Erschließung neuer Zielgruppen wie »Ausländer im Museum« und »Familien im Museum« sollen künftig weitere Veranstaltungen zu Angeboten beispielsweise für Behinderte und Senioren folgen. Die Öffnung des Museums für ein breites Publikum auch mit Hilfe museumspädagogischer Programme wurde in »Aktionen und Veranstaltungen im Museum« diskutiert, während sich die diesjährige Fortbildung dem Arbeitsblatt als wohl am häufigsten eingesetzten pädagogischen Hilfsmittel widmete. Zu einem weiteren Schwerpunkt museumspädagogischer Arbeit, den Führungen, konnten die Teilnehmer der entsprechenden Veranstaltungen dialogbezogene Vermittlungsformen in Theorie und Praxis kennenlernen.

Dem Bedürfnis nach Kommunikation tragen überregional auch Tagungen und Treffen des Bundesverbands Museumspädagogik e.V. oder CECA (Council of Education and Cultural Action) in ICOM wie auch die Zeitschrift »Standbein-Spielbein« Rechnung. In Bayern hat sich – neben den festen Institutionen MPZ in München und KPZ in Nürnberg mit ihren Programmen – als ein dem Bundesverband Museumspädagogik zugehöriger Verein seit 1992 der »Landesarbeitskreis Museumspädagogik Bayern e.V.« etabliert, der ebenfalls Arbeitstreffen zu museumspädagogischen Gebieten organisiert und in Mitglieder-Rundbriefen aktuelle Themen, Literatur und Tagungen bespricht. Als derzeitiges Projekt des Landesarbeitskreises, zu dem auch die Landesstelle unterstützend beiträgt, sei die Informationsreihe, bei der schriftliche museumspädagogische Materialien bayerischer Museen wie Arbeitsblätter, Kinderführer oder Lehrerhandreichungen vorgestellt werden, herausgehoben.[19] Auch diese Initiative soll dazu beitragen, eine gezielte Zusammenarbeit der Museen zu fördern, damit museumspädagogische Arbeit künftig noch effizienter ausgeübt werden kann.

Auf ein weiteres Desiderat der Museumspädagogik, eine *geregelte Ausbildung* im Bereich der Vermittlungsarbeit im Museum, wurde in den letzten Jahren mehrmals aufmerksam gemacht.[20] Denn *»als Beruf, Berufsfeld, als überregional gesichertes Arbeitsfeld mit geregelten Ausbildungs- und Anstellungsverhältnissen, mit eindeutigem Tätigkeitsprofil und mit klaren Organisationskriterien ... hat sich Museumspädagogik noch nicht ausreichend etablieren können – wenn auch erhebliche Fortschritte zu verzeichnen sind.«* [21] Bezeichnend für die jetzige Situation sind die Antworten der hauptamtlichen bayerischen Museumspädagogen 1994 auf die Frage nach ihrer Ausbildung: 7 von ihnen hatten ein fachwissenschaftliches Studium (Kunstgeschichte, Geschichte, Volkskunde...) mit Magister bzw. Promotion abgeschlossen, 5 weitere ein Lehramtsstudium, 3 Befragte ein sozialwissenschaftlich/pädagogisches Studium (zweimal zusätzlich zum Fach- bzw. Lehramtsstudium), 3 Beteiligte hatten zuvor einen anderen Beruf erlernt.

In enger Beziehung zu Fragen eines geregelten Berufsbilds steht auch der *Stellenwert der Museumspädagogik innerhalb der Museen*. Er hängt davon ab, *»ob Museumspädagogik im Museum integriert ist, Einfluß nimmt und mitbestimmt bei Sammlungs- und Ausstellungsfragen, das heißt davon, wie Museumspädagogik auftritt. Ist sie kritisch, produktiv verändernd oder agiert sie unauffällig? Und davon, ob im Museum Einsicht besteht, daß Präsentationen immer kommu-*

nikative und pädagogische Anteile enthalten, daß Museumspädagogik daher genuines Handlungsfeld ist, davon, ob Museumspädagogik versteht, ihre Kompetenz in ästhetischer und fachlich diskursiver Hinsicht zu erweitern, um inhaltlich mitzureden. Dies zu bearbeiten, wird zukünftig mit über den Stellenwert und die Entwicklung der Museumspädagogik entscheiden.«[22] Die Zusammenarbeit von Wissenschaftlern und Museumspädagogen bildet eine wichtige Grundlage für eine dem Museum dienende, innovative Museumspädagogik.

Nur in Kooperation lassen sich *neue Bereiche* für die Museumsarbeit erschließen. Beispielsweise sei abschließend kurz zum einen auf das im Wachsen begriffene *besucherorientierte Medienangebot* in den Museen hingewiesen und zum anderen auf die *Besucherforschung* als Instrument, die Interessen und Wünsche der Besucher künftig noch stärker in die museumspädagogische Arbeit integrieren zu können.

Die Veränderung der Sehgewohnheiten der Menschen durch die allgegenwärtige Bilderflut in den Film- und Printmedien wird zunehmend auch die Präsentationen der Sammlungen in den Museen beeinflussen: *»Wir leben in einer Bilderwelt, die meisten Menschen unserer Gesellschaft sind heute einem Bombardement von Bildern ausgesetzt, das vor noch wenigen Jahrzehnten ganz unvorstellbar war. Das hat negative wie positive Konsequenzen nach sich gezogen – jedenfalls muß sich jeder, der heute eine Botschaft vermitteln will, darauf einstellen, daß die Menschen gewohnt sind, mit bildlich-plakativen Reizen versorgt zu werden. Viele Museen haben daraus die Konsequenz gezogen, daß weniger mit Schrift und mehr mit Bildern vermittelt wird.«*[23] Bisher finden allerdings in den bayerischen Museen, wie die Umfrage von 1995 ergab, – wahrscheinlich vorrangig aufgrund der Kosten und dem Problem, passende Software zu erhalten – audiovisuelle Medien noch relativ wenig Verwendung. 202 von 800 ausgewerteten Museen besitzen beispielsweise ein Videogerät, 119 eine Dia-Schau, 56 ein Filmvorführgerät. Computer in den Ausstellungsräumen haben lediglich 25 Museen installiert, CD-ROM nur 13 Museen. Dennoch werden sich die Museumspädagogen mit den Möglichkeiten der digitalen Bildverarbeitung und der Informationstechnik – die Begriffe »Multimedia« und »Internet« sind mittlerweile zu Modewörtern geworden – bei der Vermittlung musealer Inhalte auseinanderzusetzen haben, denn *»die Teilnahme an dem Entwicklungsprozeß der Kommunikationsmedien ist für die Museen von großer Bedeutung, wenn den Museen der Bereich allgemeiner Bildung, damit aber auch tendenziell der Unterhaltungs- und Freizeitwert nicht auf Dauer entgleiten soll, denn die Publikumserwartung wird sich den entwickelten Informationstechnik-Standards anpassen.«*[24]

Inwieweit über den Umgang mit Multimedia das Interesse der Besucher für die Museumsobjekte und bestimmte Ausstellungsthemen geweckt werden kann, wird auch ein Thema sein, mit dem sich die Besucherforschung im Bereich der Museumspädagogik zu befassen hat. Nicht zuletzt läßt sich mit diesem Instrument auch die Wirkung museumspädagogischer Programme und Konzepte im Hinblick auf den Besucher überprüfen. Erfolgskontrollen, zum Beispiel hinsichtlich der Anzahl der Teilnehmer, ihrer Reaktionen und Verbesserungsvorschläge wurden von den 1994 befragten hauptamtlichen Museumspädagogen in Bayern vor allem im Gespräch mit Teilnehmern durchgeführt. Schriftliche Umfragen und Statistiken bzw. empirische Erhebungen sind in der Umfrage nur je zweimal genannt. Wie Monika Hagedorn-Saupe und Annette Noschka-Roos anhand von bundesweiten Untersuchungen feststellen, *»haben Konzepte der Besucherforschung, Besucherstrukturanalysen, Besuchergespräche zur Optimierung der Ausstellungspräsentation, Interviews zur Erfassung der Erwartungen und Vorstellungen der Besucher usw. bisher wenig Einklang in die Museumspädagogik gefunden, zählen aber, wie es die Arbeitsgruppe für empirische Bildungsforschung 1987 formulierte, ebenso zum ›museumspädagogischen Handwerkszeug‹. Es ist daher zu wünschen, daß solche Instrumente künftig stärker Beachtung finden, stellen sie doch eine wichtige Informationsgrundlage für die Öffentlichkeit dar«.*[25]

Museumspädagogik ist also nicht nur – wie eingangs festgestellt – ein weites Feld, sondern birgt auch zahlreiche Entwicklungsmöglichkeiten für die zukünftige Museumsarbeit in sich.

Gerade den kleinen und mittleren Museen in Bayern, in denen von engagierten Museumsleitern und sonstigen Mitarbeitern in den letzten Jahren trotz beschränkter finanzieller Mittel sehr differenzierte museumspädagogische Angebote erarbeitet wurden, kommt hier eine wichtige Rolle zu. In vielen dieser Häuser gehört mittlerweile Museumspädagogik neben Wissenschaft und Verwaltung zum Aufgabengebiet der Museumsleitung, die oft alle Bereiche in Personalunion abdecken muß. Aufgrund der knappen Resourcen finanzieller und personeller Art sind kleinere und mittlere Museen auf die Mithilfe der Bevölkerung und die Kooperation mit weiteren Ansprechpartnern angewiesen, betreiben also seit jeher eine offene Museumspädagogik. Die Bemühungen der Museen durch Informationen, Kontakte und die Vermittlung neuer Ansätze und Methoden in der Museumspädagogik zu unterstützen, wird auch in Zukunft einen Schwerpunkt der Arbeit der Landesstelle in diesem Bereich darstellen.

Anmerkungen

1 Klaus Weschenfelder/Wolfgang Zacharias: Handbuch Museumspädagogik. Düsseldorf [3]1992, S. 4
2 Das Institut für Museumskunde (IfM) in Berlin übermittelte zum Beispiel die bayerischen Fragebogen der bundesweit durchgeführten Erhebung zur Museumspädagogik von 1992; die Befragung der hauptamtlichen Museumspädagogen wurde gemeinsam mit dem IfM und dem Arbeitskreis Museumspädagogik Ostdeutschland sowie dem Bundesverband Museumspädagogik entwickelt.
3 Siehe Anm. 1, S. 192
4 Ein ausführlicher Fragebogen zur Aktualisierung der internen Museumsdatei der Landesstelle wurde an die damals 929 im Adreßverteiler aufgelisteten Museen versandt; 800 Museen konnten ausgewertet werden. Ein Großteil der Umfrageergebnisse wurde in der Landesstellen-Zeitschrift »Museum heute 11« (Juli 1996) veröffentlicht.
5 Zur Auswertung der Umfragen von 1992 und 1994 siehe Christine Schmid-Egger: Zur Situation der Museumspädagogik an bayerischen Museen, Ergebnisse zweier Umfragen. In: Museum heute 8 (Dezember 1994), S. 36–41; zu den Ergebnissen der Erhebung von 1995 siehe Anm. 4
6 Annette Noschka-Roos/Monika Hagedorn-Saupe: Museumspädagogik in Zahlen. Erhebungsjahr 1988 (= Materialien aus dem Institut für Museumskunde 27). Berlin 1989, S. 24
7 Die frappierend geringe Anzahl der Museen, die 1995 Angaben zu museumspädagogischem Personal machte, läßt sich dadurch erklären, daß im Rahmen einer allgemeinen Personalstatistik neben der Anzahl wissenschaftlicher Mitarbeiter, Restauratoren, Mitarbeiter in der Verwaltung und der Museumstechnik bzw. Aufsicht auch die in der Museumspädagogik Tätigen abgefragt wurden. Mitarbeiter, die – wie dies häufig der Fall ist – u. a. auch auf dem Gebiet der Museumspädagogik arbeiten, werden daher nicht aufgeführt.
8 Die Stadt Ingolstadt richtete Anfang 1996 eine museumspädagogische Planstelle ein.
9 Monika Hagedorn-Saupe/Annette Noschka-Roos: Was ist Museumspädagogik? In: Standbein-Spielbein 43 (Dezember 1995), S. 12
10 Christine Schmid-Egger: Zwischem musealem Wagnis und pädagogischer Herausforderung. Der Museumsbesuch mit Schülern aus der Sicht der Museen. In: Museum heute 10 (Dezember 1995), S. 43–46
11 Zu dieser Thematik siehe auch Hans-Uwe Rump: Museumspädagogik zum Nutzen von Museum und Pädagogik. In: 10 Jahre Abteilung Nichtstaatliche Museen, hg. von der Abteilung Nichtstaatliche Museen am Bayerischen Nationalmuseum, München 1986, S. 72 f.
12 Reihe »Lehrerhandreichungen«:
Heft 1: Hans-Uwe Rump: Unterricht in heimatgeschichtlichen und heimatkundlichen Museen. Geschichte, Heimat- und Sachkunde (1987),
Heft 2: Hans-Uwe Rump: Ritterliches Leben auf Burg Wolfsegg. Geschichte, Heimat- und Sachkunde (1990)
Heft 3: Katrin Neuser und Hans-Uwe Rump: Mit Grundschülern im Oberpfälzer Freilandmuseum Neusath-Perschen (1990)
Heft 4: Hans-Uwe Rump und Wolfgang Stäbler: Mit Schülern im Fabrikmuseum Roth (1994)
13 Gabriele Kindler: Außerschulische Aufgabenfelder der Museumspädagogik. In: Museumsblatt 11 (August 1993), S. 18
14 Ulrich Paatsch: Museumspädagogik zwischen Bildungsanspruch und Freizeitbedürfnissen. In: Museumsblatt 11 (August 1993), S. 9 f.
15 Als pädagogische Handreichung zur Erwachsenenpädagogik erschien vor kurzem z. B. Hildegard Vieregg u. a. (Hg.): Museumspädagogik in neuer Sicht. Erwachsenenbildung im Museum (2 Bände), Baltmannsweiler 1994
16 Das Symposium »Vom Umgang mit Minderheiten« fand vom 14.–15.6.1996 in Nürnberg statt.
Im Rahmen des Projekts »Begegnung mit dem Fremden« wurde vom Museumsverband in Baden-

Württemberg 1995 eine Info-Mappe herausgegeben, in der über 30 interkulturelle Projekte aus Deutschland und dem Ausland vorgestellt sind (zu beziehen beim Organisationsbüro, Städtische Kunsthalle Mannheim, Moltkestr. 9, 68165 Mannheim)

17 Kirsten Fast (Hg.): Handbuch museumspädagogischer Ansätze (=Berliner Schriften zur Museumskunde 9). Opladen 1995, S. 11

18 Siehe Anm. 11, S. 73 und zum Beispiel die Seminartage zur museumspädagogischen Aus- und Fortbildung von Betreuern nichtstaatlicher Museen am 14.10.1987 (für Nordbayern) und für am 2.12.1987 (für Südbayern) in Verbindung mit dem Seminar für Geschichte am Bayerischen Nationalmuseum

19 Kontaktadresse: Landesarbeitskreis Museumspädagogik Bayern e.V., Reichenbachstr. 12, 80469 München

20 Zum Beispiel Symposium »Zur Ausbildung in der Museumspädagogik« der Bundesakademie für kulturelle Bildung Wolfenbüttel e.V., 1.–3.10.1996 oder VII. Internationales ICOM-Symposium am Bodensee »Reif für das Museum? Ausbildung–Fortbildung–Einbildung«, Lindau 1.–4.6.1994

21 Siehe Anm. 1, S. 5

22 Renate Dittscheid-Bartolosch: Museumspädagogik. In: Standbein-Spielbein 43 (Dezember 1995), S. 17

23 Siehe Anm. 14, S. 10 f.

24 Christoffer Richartz: Museum, Musentempel und die neuen Medien. In: Handbuch Museumspädagogik (= Berliner Schriften zur Museumskunde 9). Opladen 1995, S. 333

25 Siehe Anm. 9, S. 13

Abbildungsnachweis

Alpines Museum München: S. 30
Atelier & Friends, Grafenau – München: S. 74
Bauernhofmuseum Jexhof, Schöngeising: S. 188
Bayerisches Landesamt für Denkmalpflege, München (Joachim Sowieja): S. 76, 142
Bayerisches Nationalmuseum, München (Walter Haberland): S. 146
Hans-Joachim Becker, München: S. 87, 90, 136–145, 148–152, 155–158, 160
E. Behr, Stuttgart: S. 55
Ernst Bielefeld, Landsberg a. Lech: S. 119, 123, 124
Tilmann Buddensieg, Kurt Düwell, Klaus-Jürgen Sembach (Hgg.): Wissenschaften in Berlin (= Begleitband 3 zur Ausstellung »Der Kongress denkt« / Gedanken). Berlin 1987, S. 165): S. 169
Deutsch-Deutsches Museum, Mödlareuth (Arndt Schaffner): S. 28
Deutsches Museum, München: S. 86, 88
Florian Ebner: S. 43
Europa-Park Rust: S. 27
Elisabeth de Farcy, Frederique Morveau (Hgg.): The Louvre. New York 1995, S. 102: S. 172
Sabine Fischer, Nürnberg: S. 122
Fränkisches Freilandmuseum Fladungen: S. 58
Heimatverband der Graslitzer: S. 53
Jagd- und Fischereimuseum, Freyung: S. 82, 90
Jüdisches Museum Franken: S. 34, 37, 38
Helmut Keim, Großweil: S. 62
Kilian Kreilinger, München: S. 60, 61, 64, 65, 147
Siegfried Lamnek: Die Evaluation von Evaluationsstudien. Einige Gedanken am Beispiel der Ausstellung »Geschichte und Kultur der Juden in Bayern«. In: Haus der Bayerischen Geschichte (Hg.): Besucherforschung und Vermittlungsstrategien in historischen Ausstellungen. München 1991, S. 35: S. 174
Landesstelle für die nichtstaatlichen Museen: S. 24, 29, 39, 40, 70, 72, 128, 129, 190, 191–194
Geoff Mathews: Museums and Art Galleries. (Design and Development Guide. London 1991, S. 52): S. 178
Museum Mensch und Natur, München: S. 72, 91
Museum Wald und Umwelt, Ebersberg: S. 92–94
Naturkunde-Museum Bamberg: S. 70
Naturkundemuseum Ostbayern, Regensburg (Hansjörg Wunderer): S. 73
The New Yorker (1961): S. 179
Michael Plewa, Bad Gögging: S. 78
Réunion des Musées Nationaux (Hg.): La Jeunesse des Musées (= Ausstellungskatalog Musée d'Orsay). Paris 1994, S. 229: S. 166
Harris Shettel: Aktueller Stand der Besucherforschung. In: Haus der Geschichte der Bundesrepublik Deutschland (Hg.): Museums-Fragen. Museen und ihre Besucher. Herausforderungen in der Zukunft. Bonn 1996, S. 14: S. 175
Soleleitungsmuseum Klaushäusl, Grassau: S. 67
Hans Stölzl, München: S. 100, 102
Sudetendeutsches Archiv: S. 49, 52, (Alois Harasko): S. 51, (Roland J. Hoffmann): S. 46
Kurt Ulbricht: Die Evaluation von Museums- und Galerieausstellungen. In: Hildegard Katharina Vieregg u.a. (Hgg.): Museumspädagogik in neuer Sicht, S. 118: S. 177
Verein Römervilla, Möckenlohe: S. 77
Georg Waldemer, München: S. 63, 160, 176
Alexander Wießmann, München: S. 118, 121
Alfred L. Yarbus: Eye Movements and Vision. New York 1967, S. 181: S. 173